JN059155

エリア・スタディーズ
199
マレーシア
を知るための
58
章
鳥居 高（編著）
明石書店

はじめに　岐路に立つマレーシア

「大きく揺れている」。近年のマレーシアを見ている多くの人が同じ印象をもっているだろう。政治、経済、社会が〝岐路〟に差し掛かっている。これまでと同じ方向へ進むのか、また別のどの方向に進むのか、はたまた進むことなく、停滞するのだろうか。

まず政治の最大の揺れは２０１８年におきた史上初の政権交代である。同年5月に実施された第15回総選挙において、独立以降政権を担ってきた国民戦線（ＢＮ、前身は連盟党）が敗れた。この敗北は単にＢＮという政治勢力の敗退を意味するだけではない。イギリスとの独立交渉以来、マレーシア社会がこれまで積み上げてきた政治の基礎ルールとシステムが終焉したことを意味した。基礎ルールとは、マラヤ（現マレーシア）を構成する主要民族が構成単位となり、それぞれの民族代表（政党）が協力関係や連立を組んで政治を運営するというルールである。独立以降の連盟党、１９７０年代以降のＢＮはそのルールを具現化したシステムの1つである。もちろん、２０１８年の政権交代は突如として発生したものではなく、その萌芽は少なくとも２００８年の総選挙までさかのぼる。この選挙でＢＮは政権を維持したものの、以降退潮傾向が明らかになり、システムそのものが機能不全となっていた。

２０１８年の総選挙後、マハティール元首相を首班とする政権、ムヒディン政権、さらにはイスマイル・サブリ政権と短命政権が続き、２０２２年11月に実施された第16回総選挙の結果を受け、アンワル・イブラヒムを首相とする新しい連立政権が成立した。アンワル率いる希望連盟（ＰＨ）は総選挙前まで野党勢力の筆頭であったものの、今回の選挙で単独で政権を担う議席を獲得できず、前政権の一角を占めていたＢＮ、サラワク政党連合（ＧＰＳ）、サバ人民連合（ＧＲＳ）と新たに政権を形成した。このことから今回のアンワル政権成立は直接的ではないが、２０１８年に続く、実質的な第２回目の政権交代と言える（２０２２年の総選挙に関しては、中村正志「〝改革派〟と〝泥棒政治家〟の奇妙な連立―２０２２年マレーシア総選挙―」（ＩＤＥスクエア）（https://www.ide.go.jp/Japanese/IDEsquare/Analysis/2023/ISQ202310_001.html））。

現在、マレーシアにおいて様々な背景や支持基盤を持った政党が多数存在する。そのような政治状況の中で、今後、どのようなシステムを構築していくことができるのだろうか。新たな理念や共通の政治目標を掲げた新たな政党の枠組みを構築できるのか、はたまた総選挙や政治状況によって合従連衡を重ねる「組み換え政権」が続いていくのであろうか。マレーシア政党政治の岐路である。

他方、経済面では「サバイバルへの模索」とでも呼ぶ状態が続いている。マレーシアは１９８５年のプラザ合意を契機に日本を中心とする東アジア、東南アジアなど広い領域にわたる海外直接投資と産業内国際分業というネットワークにうまく乗ることで、持続的な高度経済成長（実質ＧＤＰ年率７％）を達成した。その後、１９９７～９８年のアジア通貨・経済危機を固定相場制など独自の経済政策を展開し乗り切った。さらに２００５年以降は、それまでの輸出主導ではなく主に民間消費が主導し、また一次産品市況の支えもあり、回復から成長（２０００年代は約５％）への軌跡を歩んできた。

一方、この国もまた新型コロナに翻弄された。２０２０年に入ると感染が広がり、同年３月から約

2か月間の移動制限命令（Movement Control Orader: MCO）により、いったんは沈静化した。しかし、感染状況が再び悪化し2021年1月からMOCの再施行、また6月には全国的なロックダウン、さらに同年8月までは全国的な非常事態宣言が実施されるなど、経済、社会活動への影響が出た。しかし、2021年10月には州を越えた移動が解除され、2022年4月にはコロナと共生する方向へ移行しつつある。

このような新型コロナ感染に伴う混乱期をはさみ、それに先立つ1990年代後半以降、マレーシア経済は中国や近隣の後発ASEAN諸国との競争の中でそれまで成長を引っぱってきた電機・電子に替わる新たな成長のエンジンを探している。「次なるエース」として様々な産業が候補に挙がっている。航空宇宙産業、情報通信産業、バイオテクノロジーそして環境ビジネスなど、候補はいても決め手を有する産業がいない状況が続いている。

最後に社会の変化についてみると、マレーシアが多民族社会から「多民族＋多国籍住民」社会と変化しつつあることに気がつく。外国人労働者は1990年代に本格的に流入しはじめ、2010年以降今日に至るまで総人口の約8％を占めるに至った。人口規模からいえば、これまで第3の地位を占めてきたインド人を超えた（参照 巻頭資料2）。また出身地も多様化している。現段階でこれらの人々の市民権・国籍といった課題がマレーシアで議論されているわけではない。しかし移民先進国であるヨーロッパなどでは国籍付与に関して出生地主義、血統主義に加えて、第3の市民権付与原則とも呼ぶ居住主義が議論されている。こうした動きはいずれ視野に入ってくるであろう。

社会変化でいえば、SNSに代表される情報化の浸透もまたマレーシアを大きく動かしている。長年にわたりUMNOなど与党勢力が主要メディアを「支配下」に置いていた。しかし、現在のように瞬時に、ライブで社会の動きが受発信され、多様な情報源に誰もがアクセスできる状況はマレーシアの人々の眼を開かせ、その政治行動に変化を与えた。かつてマレーシアには「床屋談義」ならぬ「コーヒーショップトーク」という習慣があった。コーヒーを飲みながら、人々が見聞きした内容を情報交換するというものである。このような対面で人伝えで情報が伝わる、そんなマレーシアは遥か昔の光景であろう。

マレーシアへの基本視点

「岐路」と冒頭に述べたが、そこに到達するまでにマレーシアにおいてどのよう人々が、どのように歩み、現在どんな仕組みになっているかについて、読者の皆さんに上空から「鳥の目」になって鳥瞰してもらいたい、というのが本書である。その際に4つの基本視点を設定した。

第1がマレーシアが①半島部マレーシアと②ボルネオ島という地理的には東西に広がり、歴史的には別の道を歩んできた2つの世界から構成されているという視点である。マレーシアは1957年のマラヤ連邦、63年のマレーシア連邦、65年のシンガポールの分離という過程で現在の姿になった。マレーシアを扱う場合、ともすれば半島部マレーシアのみを取り上げて論じることが多いが、本書では2つの世界からなることを意識した。

第2がマレーシアを構成する人々である。この国はマレー人を中心とするブミプトラ、華人、インド人という主要民族から形成された、といってよい。しかし、先住民やポルトガル人の子孫、タイとの国境に住む人々など他にも様々な人々からなるのがマレーシア国民である。本書では紙幅の関係上すべてのグループに独立した章を当てることはできなかった。このためにこれらの少数者を包含する概念である「ブミプトラ」が各分野でどのような位置づけになっているのか、という点に配慮することにした。また、現在マレーシア経済を支える外国人労働者の存在は重要である。マレーシア国民だけではマレーシアを論じることはできず、外国人労働者も含めたマレーシア居住者という視点で考える必要がでてきている。

第３の視点がマレー人を主体とするブミプトラ優遇を基調とする、いわゆるブミプトラ政策という視点である。狭義のブミプトラ政策という意味では新経済政策（ＮＥＰ）は１９９０年で終了している。しかし、その根底に流れる基本的な考え方や要素はその後も様々な局面で浮き上がっているし、今日でも政治の争点である。

第４の視点が国の規模である。マレーシアが相対的に「小規模な国」であるという点である。国の規模について何をもって測るのかということにもかかわるものの、国土面積や人口規模という条件はマレーシアを考えるうえで重要な視点であろう。

本書の構成

本書は５部から構成されている。

第Ⅰ部では多民族国家であるマレーシアの形成過程をオーソドックスにたどることを目的とした。自然環境に始まり、マレーシアの原型の１つとなるマラッカ王国を起点とし、イギリスの植民地支配から独立まで、そして歴史的な転換点である「5月13日事件」までの流れを扱う。

第Ⅱ部では多民族社会で暮らす「人間」に焦点を当て、マレーシアの人々がどのように生活を営んでいるのか、そして日常生活の中でどのように「多民族社会」という要素が反映されているのかを映し出す。本書は「エリア・スタディーズ」シリーズの基本的なコンセプトである「どの章から読んでも構わない」、また「1つの章だけ読んでも理解できるように」を踏襲している。したがって、マレーシアのように多民族社会を記述する際に、それぞれの民族や社会からマレーシア全体を見ることになり、それは結果的に歴史書の記述方法の1つである「列伝」記述のように、複眼でみることにつながる。すなわち、マレー人から見たマレーシア、華人社会から見たマレーシアという形で、マレーシアという記述対象を複数の眼から見て、立体化することになる。

第Ⅲ部は政治、第Ⅳ部が経済の側面である。そして第Ⅴ部がマレーシアを取り巻く外部環境を扱った。ともに「5月13日事件」というマレーシアの大転換以降を主に扱う。簡単に基本枠組みを説明しておこう。「5月13日事件」を収集すべく非常事態宣言を解除したのちに、アブドゥル・ラザク率いる政府は連邦憲法第10条などを改正した。この改正により本来民族間で争点となるはずの4点が国会の場を含む議会制民主主義の枠組みから外された。すなわちマレー人の特別な地位、市民権、国語としてのマレー語、スルタン及び国王の地位と権限に関する規定である。これらは「敏感問題」と総称された。このように、まず議会政治のルール変更を行った。次いで、そのルールの下で政治を展開する主体にも変更を加えた。BN体制の樹立である。半島部からは主要構成民族を代表する政党、またボルネオ島からは地域代表政党をそれぞれ出し、あたかも与党の構成がマレーシアの社会構造を反映するかのような「擬制」を作り上げた。連邦憲法改正とBN体制に支えられ、マレー人優遇を基調とするNEPを実施していくことになる。

本書は大学・学部生、そしてビジネスパーソン、留学、ロングステイなどマレーシアに関心を持つ多くの人々に幅広く手に取ってもらえるように編集した。しかし、それぞれのニーズは異なるので、原則的に各章末に参考文献を4点程度提示した。各章で取り上げたテーマに関して、学部生などには「もう少し深く掘り下げたい」「詳しく知りたい」といった入門的な文献、また「専門的に調査したい」「論文や専門的なレポートを執筆したい」といったニーズを満たす専門的文献と2段階で各執筆者に文献の提示をお願いした。

本書を作成するにあたって、基本的にマレーシアでの生活を送った方、長期滞在経験を持つ方や、頻度多くマレーシアを訪ねた経験を持つ方にお願いした。それぞれの豊富な体験から、短い滞在や旅行では味わうことができない「寄り道的」なエピソードを含めて、マレーシアの暮らしが生き生きと目の前に広がるような臨場感を味わっていただきたいと考えたからだ。いうなれば、ジャラン（Jalan通りの意味）だけでなく、ロロン（Lorong小道）を歩くと見つかる何かを本書のページを繰りながら探してもらいたい。

２０２３年８月吉日

編著者　鳥居　高

マレーシアを知るための58章

I　マレーシアの成り立ち

II　人々の生業と生活

III　政治・行政の仕組み

Ⅳ 経済の仕組み

V 「小さな国」の周囲との関係

※本文中、特に出所の記載のない写真については、原則として執筆者の撮影・提供による。

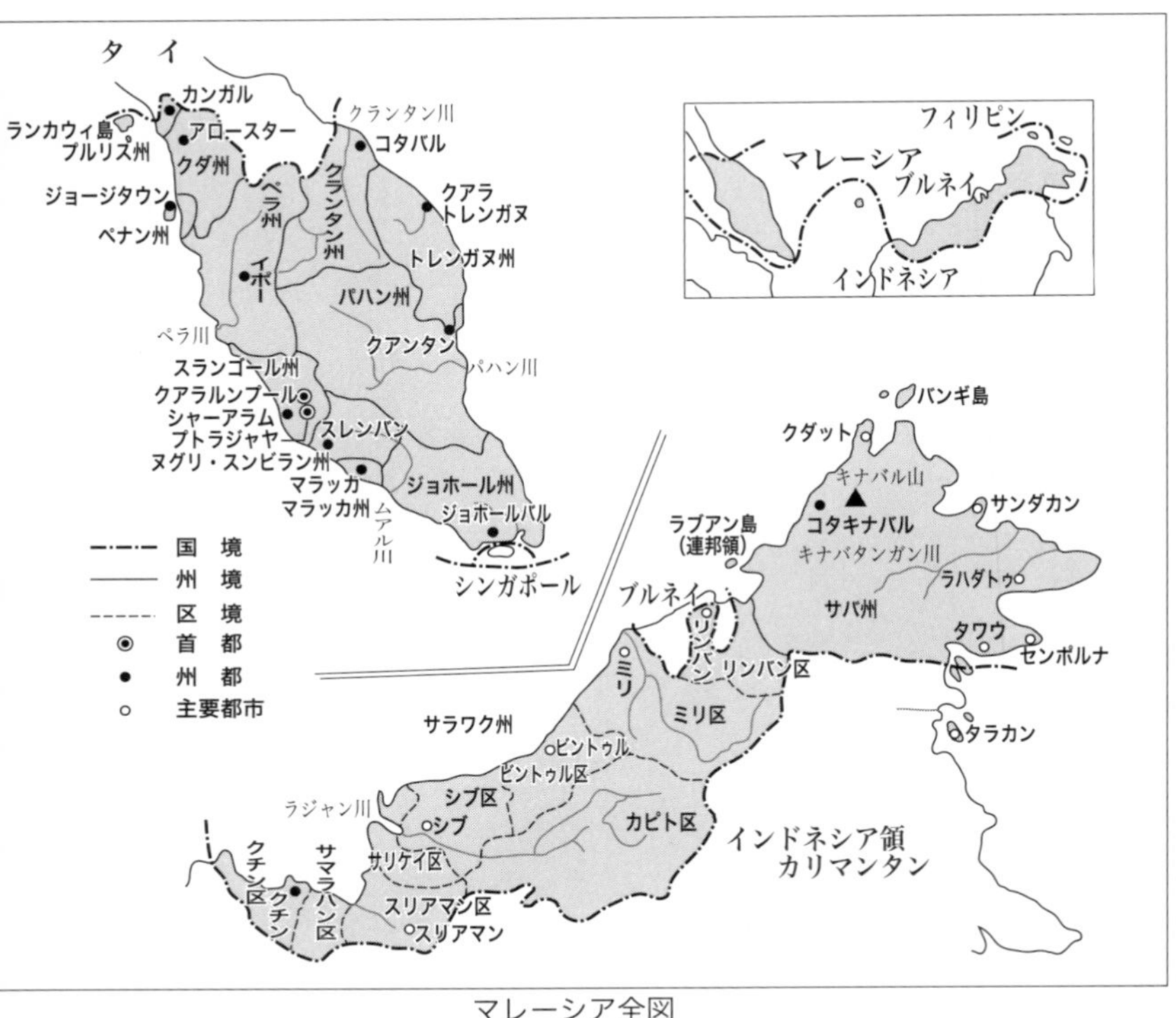

マレーシア全図
(『アジア動向年報 2020』掲載の地図をもとに一部加筆・修正のうえ編著者作成)

〔巻頭資料１〕州別基礎統計（2020 年）

	全　国	プルリス州	クダ州	ペナン州	ペラ州	スランゴール
面積（km²）	330,252	795	9,425	1,030	21,005	7,93
人口	32,447,385	284,885	2,131,427	1,740,405	2,496,041	6,994,42
マレーシア国籍保有者（人）	29,756,315	278,455	2,038,080	1,599,874	2,364,837	6,430,43
非保有者数（人）	2,691,070	6,430	93,347	140,531	131,204	563,98
非保有者（%）	8.3	2.3	4.4	8.1	5.3	8.
主要民族構成（%）						
ブミプトラ	69.4	88.8	80.1	44.7	60.9	60.
華人	23.2	7.4	12.3	44.9	27.2	27.
インド人	6.7	1.8	6.3	9.7	11.5	11.
宗教人口（%）						
イスラーム	63.5	87.8	78.5	45.5	57.9	61.
キリスト	9.1	0.6	0.8	4.3	3.0	4.
仏教	18.7	9.2	12.4	37.6	24.2	21.
ヒンドゥー	6.1	1.3	5.9	8.4	9.7	10.
高齢者人口（65 歳以上）比率	6.8	7.9	7.9	6.6	8.9	6.

	連邦領			ヌグリ・スンビラン州	マラッカ州	ジョホール
	クアラルンプール	プトラジャヤ	ラブアン			
面積（km²）	243	49	92	6,657	1,652	18,98
人口	1,982,112	109,202	95,120	1,199,974	998,428	4,009,67
マレーシア国籍保有者（人）	1,773,666	106,381	84,288	1,132,229	927,361	3,690,50
非保有者数（人）	208,446	2,821	10,832	67,745	71,067	319,16
非保有者（%）	10.5	2.6	11.4	5.6	7.1	8.
主要民族構成（%）						
ブミプトラ	47.7	97.9	86.2	63.3	71.7	60.
華人	41.6	0.6	11.7	21.9	22.1	32.
インド人	10.0	1.2	1.1	14.3	5.6	6.
宗教人口（%）						
イスラーム	45.3	97.2	77.2	62.6	68.9	59.
キリスト	6.4	0.8	13.8	2.6	2.6	3.
仏教	32.3	0.5	8.1	19.9	19.2	28.
ヒンドゥー	8.2	1.1	0.6	13.1	5.3	7.
高齢者人口（65 歳以上）比率	6.6	1.4	4.2	6.8	6.3	6.

	パハン州	トレンガヌ州	クランタン州	サバ州	サラワク州
面積（km²）	35,965	12,955	15,020	73,997	124,450
人口	1,591,295	1,149,440	1,792,501	3,418,785	2,453,677
マレーシア国籍保有者（人）	1,513,230	1,123,038	1,757,199	2,608,342	2,328,397
非保有者数（人）	78,065	26,402	35,302	810,443	125,280
非保有者（%）	4.9%	2.3%	2.0%	23.7%	5.1%
民族構成（%）					
ブミプトラ	81.0	97.6	96.6	88.7	75.7
華人	14.7	2.3	2.5	9.5	23.8
インド人	3.7	0.2	0.3	0.2	0.2
そのほか	0.6	0.2	0.6	1.5	0.3
宗教人口（%）					
イスラーム	76.5	97.3	95.5	69.6	34.2
キリスト	1.5	0.3	0.4	24.7	50.1
仏教	13.6	2.0	2.8	5.1	12.8
ヒンドゥー	3.7	0.2	0.2	0.1	0.1
高齢者人口（65 歳以上）比率	6.3	5.5	6.4	5.6	7.5

（出所）Departmen of Statistics, Malaysia, *Key Findings Population and Housing Census of Malaysia 2020*

〔巻頭資料２〕　マレーシア国民民族別人口と構成比の推移（注 1）

マレーシア社会を理解するうえで、「民族構成」は重要な視点である。1970 年以降、2020 年まで 6 回にわたる人口センサスに見る民族別人口とその構成比の推移である。なお、各回の人口センサス作成時、また結果の公表時には「民族分類」に変更が加えられている。このため、本資料は 2020 年人口センサスの一部として公表された「時系列データ（1970 年から 2020 年）」と各センサス結果がそれぞれ初めて公表された『総論報告（*General Report of Population Census*）』の双方を参考にして作成した。主な注意点は表の注記欄を参照。

（単位；人）

	1970 年		1980 年		1991 年		2000 年		2010 年		2020 年	
	人口	比率	人口	比率	人口	比率	人口	比率	人口	比率	人口	比率
マレーシア国民（1）	10,439,430		13,136,109		16,812,307		20,971,538		25,230,574		29,756,315	
1．ブミプトラ	5,821,637	55.8%	7,782,813	59.2%	10,299,903	61.3%	13,765,146	65.6%	17,000,173	67.4%	20,649,533	69.4%
(1) マレー人	4,910,943	47.0%	6,380,383	48.6%	8,521,906	50.7%	11,322,282	54.0%	13,760,455	54.5%	16,912,998	56.8%
(2) そのほかブミプトラ	910,694	8.7%	1,402,430	10.7%	1,777,997	10.6%	2,442,864	11.6%	3,239,718	12.8%	3,736,535	12.6%
2．華人	3,564,502	34.1%	4,167,053	31.7%	4,623,882	27.5%	5,365,847	25.6%	6,193,381	24.5%	6,892,367	23.2%
3．インド人	936,341	9.0%	1,101,699	8.4%	1,302,580	7.7%	1,580,210	7.5%	1,853,098	7.3%	1,998,778	6.7%
4．そのほか	116,950	1.1%	84,544	0.6%	585,942	3.5%	260,335	1.2%	183,922	0.7%	215,637	0.7%
i 半島部マレーシア	7,873,216		10,944,844		13,877,198		17,107,251		20,694,292		24,819,576	
1．ブミプトラ	4,671,874（2）	59.3%（2）	6,131,626（2）	56.0%（2）	8,198,620	59.1%	10,796,428	63.1%	13,378,374	64.6%	16,573,703	66.8%
(1) マレー人					8,064,596	58.1%	10,571,056	61.8%	13,030,860	63.0%	16,100,670	64.9%
(2) そのほかブミプトラ					134,024	1.0%	225,372	1.3%	347,514	1.7%	473,033	1.9%
2．華人	3,131,320	39.8%	3,651,196	33.4%	3,976,301	28.7%	4,598,893	26.9%	5,349,182	25.8%	6,088,825	24.5%
3．インド人	―（3）	―（3）	1,093,112	10.0%	1,289,881	9.3%	1,567,376	9.2%	1,838,739	8.9%	1,987,734	8.0%
4．そのほか	70,022	0.9%	68,910	0.6%	412,396	3.0%	144,554	0.8%	127,997	0.6%	169,314	0.7%

ii　サバ	653,604		955,712		1,309,510		1,915,279		2,250,215		2,608,342	
1．ブミプトラ	477,189	73.0%	792,043	82.9%	937,841	71.6%	1,539,857	80.4%	1,911,943	85.0%	2,313,471	88.7%
(1) マレー人	57,643	8.8%	—	—	106,740	8.2%	294,833	15.4%	178,029	7.9%	236,934	9.1%
(2) そのほかブミプトラ	419,546	64.2%	792,403	—	831,101	63.5%	1,245,024	65.0%	1,733,914	77.1%	2,076,537	79.6%
2．華人	139,233	21.3%	155,304	16.3%	200,056	15.3%	254,528	13.3%	284,049	12.6%	248,920	9.5%
3．インド人	—（3）	—（3）	5,293	0.6%	8,386	0.6%	8,983	0.5%	7,171	0.3%	5,962	0.2%
4．そのほか	37,182	5.7%	3,072	0.3%	163,227	12.5%	111,911	5.8%	47,052	2.1%	39,989	1.5%
ii　サラワク	976,269		1,235,553		1,625,599		1,949,008		2,286,067		2,328,397	
1．ブミプトラ	672,574	68.9%	859,144	69.5%	1,163,442	71.6%	1,428,861	73.3%	1,709,856	74.8%	1,762,359	75.7%
(1) マレー人	181,426	18.6%	248,757	20.1%	350,570	21.6%	456,393	23.4%	551,566	24.1%	575,394	24.7%
(2)そのほかブミプトラ	491,148	50.3%	610,387	49.4%	812,872	50.0%	972,468	49.9%	1,158,290	50.7%	1,186,965	51.0%
2．華人	293,949	30.1%	360,553	29.2%	447,525	27.5%	512,426	26.3%	560,150	24.5%	554,622	23.8%
3．インド人	—（3）	—（3）	3,294	0.3%	4,313	0.3%	3,851	0.2%	7,188	0.3%	5,082	0.2%
4．そのほか	9,746	1.0%	12,562	1.0%	10,319	0.6%	3,870	0.2%	8,873	0.4%	6,334	0.3%

(出所) マレーシア統計局 『人口センサス』各年版（1970,1980,1991,2000,2010,2020 年）から鳥居作成。
(注１) 1970 年及び 1980 年の人口センサスには「マレーシア市民権を保有しないもの」も含まれている。それぞれ総人口の約１%を占める。
(注２) 半島部マレーシアについて：1970 年ならびに 1980 年の人口センサスでは「ブミプトラ」という民族分類は用いられず、また「マレー人」と「その他のブミプトラ」を合算して「マレー人」と表記されている。本表では、便宜的に「ブミプトラ」という表記を用いた。
(注３) 1970 年センサスでは、サバ州、サラワク州において、「インド人」が独立項目としてデータが公表されておらず、「その他」に含まれている。このため、マレーシア全体からサバ、サラワクを減じた半島部マレーシアの人数を算出できない。

巻頭資料3〕新経済政策（NEP）導入以降の開発政策と開発計画の展開および担当政権

<table>
<tr><th>開発政策の指針</th><th>10か年計画</th><th>マレーシア計画
（5か年計画）</th><th>担当政権</th></tr>
<tr><td rowspan="4">特になし</td><td rowspan="4">新経済政策
（NEP：1971〜1990）</td><td>第2次マレーシア計画
（1971〜1975）</td><td>ラザク政権
（1970.9.〜1976.1）</td></tr>
<tr><td>第3次マレーシア計画
（1976〜1980）</td><td>フセイン政権
（1976.3〜1981.7）</td></tr>
<tr><td>第4次マレーシア計画
（1981〜1985）</td><td rowspan="5">マハティール政権
（1981.7〜2003.10）</td></tr>
<tr><td>第5次マレーシア計画
（1986〜1990）</td></tr>
<tr><td rowspan="9">2020年
ビジョン</td><td rowspan="2">国民開発政策
（NDP：1991〜2000）</td><td>第6次マレーシア計画
（1991〜1995）</td></tr>
<tr><td>第7次マレーシア計画
（1996〜2000）</td></tr>
<tr><td rowspan="2">国民ビジョン政策
（NVP：2001〜2010）</td><td>第8次マレーシア計画
（2001〜2005）</td></tr>
<tr><td>第9次マレーシア計画
（2006〜2010）</td><td>アブドゥーラ政権
（2003.10〜2009.4）</td></tr>
<tr><td rowspan="3">新経済モデル
（NEM:2010〜2020）</td><td>第10次マレーシア計画
（2011〜2015）</td><td rowspan="2">ナジブ政権
（2009.4〜2018.5）</td></tr>
<tr><td>第11次マレーシア計画
（2016〜2020年）</td></tr>
<tr><td>第11次マレーシア計画中間報告（注1）</td><td rowspan="2">マハティール政権
（2018.5〜2020.2）（注2）</td></tr>
<tr><td rowspan="4">特になし</td><td>SPV公表</td></tr>
<tr><td>（「国家回復計画」などCovid対応の緊急政策を展開）</td><td>ムヒディン政権
（2020.3〜2021.8）</td></tr>
<tr><td rowspan="2">繁栄の共有
ビジョン（SPV）</td><td rowspan="2">第12次マレーシア計画
（2021〜2026）</td><td>イスマイル政権
（2021.8〜2022.11）</td></tr>
<tr><td>アンワル政権
（2022.11.24〜）</td></tr>
</table>

注1）「繁栄の共有ビジョン」は2019年10月5日に公表され、第12次マレーシア計画から適用。
注2）2020年2月24日〜28日までマハティールが国王により暫定首相に任命。
出所）EPU資料などより作成

略表記一覧（1）

略表記に関しては、複数の章で用いられているものを基本的に掲出する。

ABIM	Angkatan Belia Islam Malaysia	マレーシア・イスラーム青年運動
AC	ASEAN Community	ASEAN 共同体
AEC	ASEAN Economic Community	ASEAN 経済共同体
AFTA	ASEANFree Trde Agreement	ASEAN 自由貿易協定
ASEAN	Association of South East Asian Nations	東南アジア諸国連合
ASN(B)	Amanah Saham Nasional (Berhad)	国民投資信託（会社）
BCIC	Bumiputera Commercial and Industrial Community	ブミプトラ商工業企業コミュニティ
Berjaya	Parti Bersatu Rakyat Jelata Sabah (Berjaya)	サバ大衆団結党
BIMB	Bank Islam Malaysia Berhad	マレーシア・イスラーム銀行
BN	Barisan Nasional	国民戦線
BNM	Bank Negara Malaysia	マレーシア中央銀行
DAP	Democratic Action Party	民主行動党
DBP	Dewan Bahasa dan Pustaka	言語図書局
DTN	Dasar Tenaga Nasional	国家エネルギー政策
EPF	Empoyee Provident Fund	被雇用者年金基金
EPU	Economic Planning Unit	経済企画庁
FELCRA	Federal Land Consolidation and Rehabilitation Authority	連邦土地・統合再開発庁
FELDA	Federal Land Development Authority	連邦土地開発公社
FINAS	National Film Development Corporation	マレーシア映画振興公社
FMS	Federated Malay States	マレー連合州
FT	Federal Territory	連邦直轄領
FTZ	Free Trade Zone	自由貿易区
Gerakan	Parti Gerakan Rakyat Malaysia (Gerakan)	マレーシア民政運動党
GLCs	Government Linked Companies	政府関連企業
GPS	Gabungan Parti Sarawak	サラワク政党連合
GRS	Gabungan Rakyat Sabah	サバ人民連合
HICOM	Heavy Industries Corporation Malaysia Berhad	マレーシア重工業公社
ICA	Industrial Co-ordation Act	工業調整法
IMP	Independemce of Malaya Party	マラヤ独立党
IMP	Industrial Master Plan	工業開発マスタープラン
JAKIM	Jabatn Kemajuan Agama Islam Malaysia	イスラーム発展庁
KLCC	Kuala Lumpur City Centre	クアラルプール・シティ・センター
KLIA	Kuala Lumpur International Airport	クアラルンプール国際空港
LTH	Lembaga Tabung Haji	巡礼基金
MAS	Malaysian Air Systems	マレーシア航空
MCA	Malaysian (Malayan) Chinese Association	マレーシア（マラヤ）華人協会
MCP	Malayan Communist Party	マラヤ共産党
MIC	Malaysian (Malayan) Indian Congress	マレーシア（マラヤ）・インド人会議
MIDA	Malaysian Industrial Development Authority	マレーシア工業開発庁

略表記一覧（2）

ITI	Ministry of International Trade and Industry	国際貿易・産業省
ITUC	Malaysian Trade Union Congress	マレーシア労働組合会議
AP	National Agricultural Policy	国家農業政策大綱
DP	National Development Policy	国民開発政策
EP	New Economic Policy	新経済政策
OC	National Operations Council	国家運営評議会
VP	National Vision Poicy	国民ビジョン政策
IC	Organization of the Islamic Conference	イスラーム協力機構
AP	People's Action Party	人民行動党
AS	Parti Islam Se-Malaysia	汎マレーシア・イスラーム党
BB	Parti Pesaka Bumiputera Bersatu	統一ブミプトラ伝統党
BS	Parti Bersatu Sabah	サバ団結党
DRM	Polis DiRaja Malaysia	マレーシア王立警察
ERODUA	Perusahaan Otomobile Nasional Kedua (Sdn.Phd.)	プロドゥア（社）
ETRONAS	PetroliamNasional Berhad	国営石油公社
H	Pakatan Harapan (Harapan)	希望連盟
KR	Parti Keadilan Nasional (KeAdilan)	人民公正党
N	Pakatan Nasional	国民同盟
PBM	Parti Pribumi Bersatu Malaysia	マレーシア統一プリブミ党
R	Pakatan Rakyat	人民連盟
ROTON	Perusahaan Otomobile Nasional (Sdn. Bhd.)	プロトン（社）
ISDA	Rubber Industry Smallholders Development Authority	ゴム産業小農公社
TM	Radio Television Malaysia	マレーシア放送協会
PV	Shared Prosperity vision	繁栄と共有ビジョン
TPM	Sijil Tinggi Persekolan Malaysia	マレーシア学校教育高等証書
UPP	Sarawak United People's Party	サラワク統一人民党
MS	Unfederated Malay States	非マレー連合州
MNO	United Malays Nasional Oraganization	統一マレー人国民組織
NKO	United National Kadazan Organization	統一全国カダザン人組織
SNO	United Sabah National Organization	統一サバ国民組織
OPFAN	Zone of Peace, Freedom, and Neutrality	東南アジア平和自由中立地帯宣言

I

マレーシアの成り立ち

1

2種類の「2つの世界」

★半島部世界とボルネオ島世界★

「栄光の横縞」

これは1963年のマレーシア連邦発足時に定められ、現在まで用いられている国旗である。1997年の独立40周年式典の折に、マハティール・モハマド首相（当時）によって「栄光の横縞」と名づけられた。

国旗のデザインにはそれぞれの国の特徴と成り立ちなどが表現されているものである。この国旗には、マレーシアのアイデンティティとして、イスラーム、連邦制、イギリス連邦という3つの要素が盛り込まれている（配色は表紙「袖写真」参照）。まず、左上部の三日月と✹はイスラームを、それらを取り巻く地の青色はイギリス連邦（Commonwealth of Nations）のメンバーであることをそれぞれ意味する。そして14本の紅白のラインと✹から飛び出ている14本の光によって、ともにマレーシアが13州と連邦領（クアラルンプール〔KL〕、プトラジャヤ、ラブアン島）から構成されている連邦制国家であることを示している（1963年の制定時には連邦領はな

く、シンガポール州を意味した）。

現在のマレーシアは、１９５７年に11州からなるマレー半島のみでイギリスから「マラヤ連邦」として独立を達成した。しかし、１９６３年には、ボルネオ島の北側に位置するサバ州、サラワク州、さらにはマレー半島の南端に位置するシンガポールが加わり、14州の「マレーシア連邦」と領域が拡大した。しかし、その後連邦政府とシンガポール州政府の間において民族政策と国造りの基本的考え方を巡り対立が深まり、この連邦は最終的に約2年余りで崩壊した。シンガポールは分離独立し、シンガポール共和国となり、マレーシアは現在の13州の形になった（参照第58章）。

2種類の「2つの世界」が交錯するマレーシア

この国は東南アジア諸国連合（ＡＳＥＡＮ）の中にあっては人口も国土も中規模で一見すると把握しやすそうに見えるが、近づいてみると2種類の「２つの世界」から成り立っていることがわかる。

１つ目の「２つの世界」とは、マレーシアがインドシナ半島の南部に位置するマレー半島部と南シナ海をはさむボルネオ島という2つの異なった地域を主たる領土として成り立っていることである。両地域は民族構成など基本的な社会構造のみならず、歴史的な歩み、経済活動も大きく異なる。加えて、独立時に導入された連邦制度において、半島部の11州とボルネオ島の2州とでは、連邦政府と州政府関係、特に付与された州政府権限が異なる（この点については、第39章と第40章を参照）。こうした構造がゆえに、半島部マレーシアのみでは、マレーシア全体を理解することにはならず、半島部とボルネオ島を結ぶ〝仕組み〟や〝論理〟の把握が重要な意味を持つ。たとえば、１９７０年代以降長く維

植民地支配、独立国、そして開発と時が流れたKL

持された連邦レベルの安定的な政治において両州が果たした役割、またボルネオ島の熱帯雨林や石油など豊富な天然資源の重要性などである。

もう1つの「2つの世界」とは、多くの州で近代国家とその1枚下の層に旧マレー人国家という伝統的社会構造が残る二重社会になっていることである。両者の要素は今日も併存している。この様子を1枚の写真に見てみよう。上に掲げたのはKLの中心部の風景である。手前には旧イギリス植民地政庁、その背後の高層ビル群には独立後に開設された金融機関、さらに右手一番奥のタワーは1990年代の経済開発のシンボルの1つであるKLタワーと「植民地支配・独立国・経済開発」というシーンが続く。独立後のマレーシアは国民の直接選挙制度や立法府、さらにイギリス型の議院内閣制度、連邦制度など、さまざまな近代的な国家の制度を導入した。この意味では、近代的国家の装置を整えたことになる。しかし、その一方で、それらの近代的装置のすぐ下には、かつてのマレー人王国の残滓を見ることができる。そもそも独立時にスルタンというマレー人社会の擁護者である伝統的政治勢力を温存したまま、近代国家の様相をまとった。換言すれば、伝統的なマレー人国家に近代的な制度を「1枚のマント」のように覆いかぶせた州が数多く残っているといえる。

このような二重構造は、イギリスによる植民地支配や短期間ではあったが日本の占領統治（1941～45年）の下で旧社会構造の多くが「温存」されたことに1つの原因がある。イギリスはマレー半島をインド植民地の一部としての海峡植民地、マレー連合州（FMS）、非マレー連合州（UMS）という大きく3つの政治単位に分けて統治を行った。後者2つの政治単位で展開されたのが「間接支配」であり、これらでは旧マレー人王国の要素が濃く残っている（参照 第7章と第41章）。間接支配を適用した王国に対して、イギリスはイギリス人駐在官あるいは顧問を派遣し、伝統的な社会構造を維持したまま、王国の頂点に立つスルタンを支配することによって、旧マレー人王国を支配した。

独立時において、スルタンの地位の変更を含む独立案（マラヤ連合〔Malayan Union〕案）がいったんは提案されたもののマレー人保守層の反対にあい、その後撤回されたため、現在まで伝統的な社会構造やその要素が残ることにつながった。したがって、近代国家としての仕組みや要素と伝統的なマレー人国家に起源を持つ要素との双方を見ていくことによって「マレーシア」という国が見えてくる。

なお、しばしば半島部マレーシアは「西マレーシア」、またボルネオ島は「東マレーシア」と便宜的に呼ばれる。しかし、かつて東西冷戦体制下の時期——特にパキスタンが東西に分かれて対立し、東パキスタンが独立を果たした1970年代初め——において「東西」という言葉の用法が世界各地で見られた〝対立した世界〟を想起させることからマレーシア政府はこの東・西という呼び方の使用に警鐘を鳴らし、1970年代には公式に使用しなくなっている。

（鳥居　高）

2

地形上の特徴と小規模な国

★労働力人口と社会変容★

東西の広がり

マレーシアを地図上でながめると、南シナ海をはさんで西側にユーラシア大陸から伸びているマレー半島、そして東側にボルネオ島と国土が東西に大きく広がっていることがわかる（このため1枚の地図に収めることが難しい）。東西の広がりを実際に見てみると、西端を代表的な島ランカウィ島と仮定して、同じ緯度のサバ州の東端の地までを計測すると経度にして約18度、距離にして1980㎞となる。これは東京駅を出て下関駅までを往復する距離（ただし、新幹線の営業距離を援用）に等しい。いかに国土が東西に広いかがわかるであろう。

このように東西に広い国土において標準時間の設定は問題になってくる。現在、首都クアラルンプールをはじめ、全国の標準時間はボルネオ島のサバ州の標準に合わせてある。これはマレーシアを訪れたものにとって「時差」に関する違和感として実感される。クアラルンプールを訪れた人が最初の朝に強く感じるのは「朝の暗さ」であろう。同地と東京とでは経度が38度異なるので、本来であれば約2時間30分の時差が生じることになる。しかし、実際には1時間の時差で運用されているために、本来の東京の午前6時がクアラルンプールでは午前5時として1日がスタートしている。こうした標準時間からも、この国の東西の広がりや東西2つの世界の距離感という特徴がわかる。表現を変えれば、首都をはじめ国全体の時間がボルネオ島標準に合わせていることにも連邦とボルネオ島の2つの州との政治的関係やマレーシア連邦形成過程の特徴を見ることができる。

図　ASEAN各国の国土面積と人口の相関

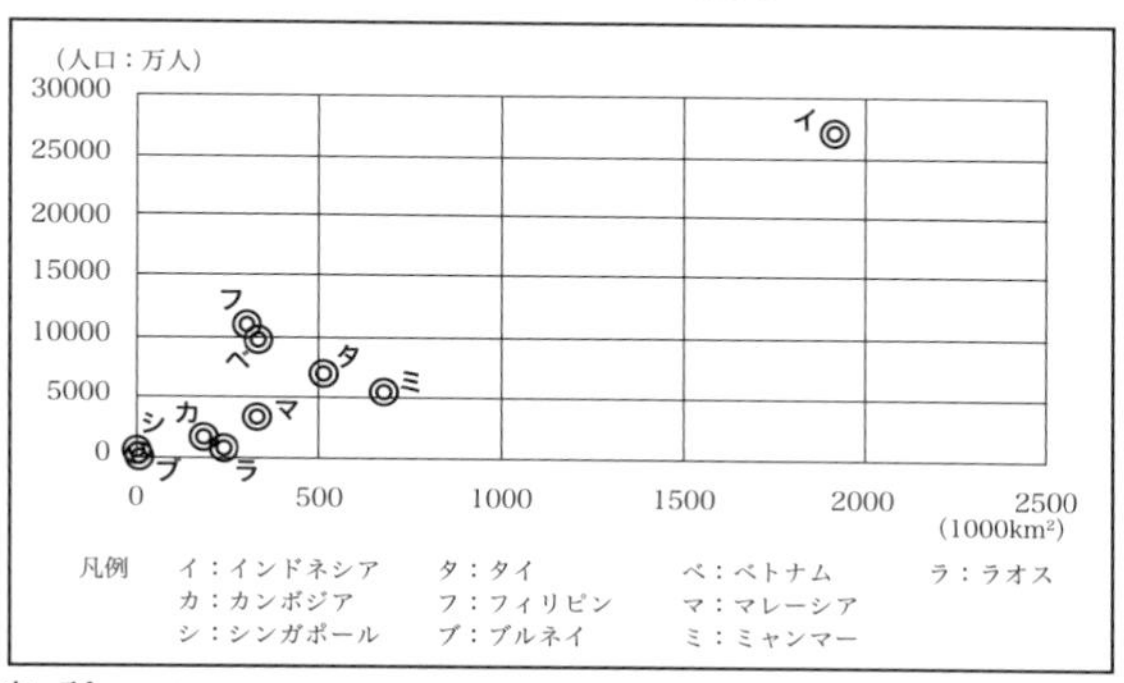

出所：Asian Development Bank,Basic Statistics 2021 (https://data.adb.org/dataset/basic-statistics-asia-and-pacific)

小規模な国

マレーシアの国土の成り立ちの特徴をもう1つ見てみよう。図は東南アジア諸国連合（ASEAN）各国の国土面積と人口規模を相関させたものである。興味深い点は、加盟国10か国の中で国土面積の点からすると、ベトナム、フィリピン、マレーシアの3か国がほぼ同程度の規模（33万から35万㎢）であるにもかかわらず、マレーシアのみ人口規模が小さいことである。要はマレーシアは人口密度が「粗」な社会であることを意味する。この違いはベトナム、フィリピン両政府とって「雇用機会の創出」——国内であろうが、フィリピンのように海外出稼ぎであろうが——という課題が重要になるのに対し、マレーシア政府の場合には、経済活動が活況を呈すると労働力不足という課題に直面することを意味する。このように労働市場の狭小さによって、マレーシアはほかの2か国とは好対照な状況になる。

「小人口世界」からの人口動態のダイナミズム

そもそも、島嶼部東南アジア、なかでもマレー半島や近隣のスマトラ島、ボルネオ島やジャワ島の一部などは年間を通じて、大量の雨が降り、熱帯雨林が茂っていた地域である。限られた沿海部の土地は高い山々と密林に遮られ、農業生産には向かず、河口における交易活動と川の中流部における森林資源の収集などの経済活動を基盤とする互いに隔てられた小さな国々が点在し、19世紀中頃までは坪内良博の言う「小人口世界」であった。

この小人口世界に移民の流入や農業生産の拡大によって、徐々に変化が訪れてくる。なかでもイギリスによる植民地支配は大きな転換期であった。それ以降、マレーシアの人口動態に1つのダイナミズムが生じてきたと言える。第一に経済活動が活性化すると労働力の不足が発生する。その結果として、労働力不足を補うための措置として、あるいは就業機会を獲得することを目的として、「外世界」からの労働者の流入が見られた。その結果、社会構造における民族間の人口バランスに変化が生じ、マレーシア全体の社会構造の変化へとつながるというメカニズムである。こうした労働市場の狭さを大きな原因とするマレー半島の人口動態のダイナミズムがこれまでの歴史の中で繰り返して起きている。

このメカニズムをこれまで大きく3回経験し、今日のマレーシア社会に行き着いたといえるだろう。

まず、最大の転機は、19世紀に始まるイギリスの植民地支配である。各民族の流入動向や背景に関しては、当該章にゆだねるが、あえて簡略化していえば、19世紀後半の錫鉱山開発ラッシュによって中国系労働者が、また1920年代の天然ゴム・ブームによってインド系労働者が流入した。さらに、こうしたイギリスによる植民地経営の下では植民地鉄道の敷設・維持、港湾労働、さらには商業活動など植民地経済活動が活発になることで、新たな就業機会を生み出し、それが一層の労働者の流入を促した。その結果、マレー人、華人、インド人を主たる構成民族とするマレーシアの原型が形成された。

1990年代後半以降、新たな外国人の流入が見られた。その中の1つスランゴール州の野菜卸売市場（Pasar Borong）で働くミャンマー出身者たち。

次に近年の大きな変化は、1985年のプラザ合意によって生じた円高傾向の中で日本企業を中心とした外資系企業の「投資ラッシュ」によってもたらされた（参照第47章）。これらの外資系企業が牽引力となり、1986年から97年まで、年平均実質経済成長率は7％を記録した。この時期の投資ラッシュと急激な社会変動の象徴的な動きがTV受像機の世界的な生産基地化であろう。当時の日本の主要TV生産メーカー（パナソニック、ソニー、シャープなど）がマレーシアに生産拠点を集中させた結果、きわめて短期間のうちにマレーシアは世界のTV一大生産基地となった。こうした外資の集中的な投資により、まずは、ボルネオ島からマレー半島への人々の移動が、さらに近隣のインドネシアや南アジアからの労働者が建設現場や大農園に流入した。

　さらに、同じような動きは1997年から98年の「アジア通貨・経済危機」以降の経済の回復期にあっては、今度はミャンマーなどさらに新しい世界からの労働者が流入し、サービス産業などを中心に従事している。これらの結果、現在のマレーシアは「多民族」のみならず「多国籍の人々」も交錯するマレーシアへとその顔を変えつつある（参照 第13章および第48章）。

　マラヤならびにマレーシアの歴史を長い視点で見ると、大量の労働力を投入することによって、経済を活発化させてきたと言える。植民地支配時代しかり、1980から90年代の高度経済成長時期しかりである。その結果、外世界からの労働者により、民族構成に代表される社会変動を経験してきた。

　1990年代以降現在に至るまで、マレーシア政府はこのような労働力投入による労働力主導型経済から、技術主導型産業や知識集約型産業への移行を試みている。この動きの成否によって、今後のマレーシア社会において、さらなる社会変動が見られることにつながるだろう。


（鳥居　高）

〈参考文献〉


末廣　昭・大泉啓一郎編著『東アジアの社会大変動――人口センサスが語る世界』（名古屋大学出版会、2017年）。

坪内良博『小人口世界の人口誌――東南アジアの風土と社会』（京都大学学術出版会、1998年）。

坪内良博『東南アジア多民族社会の形成』（京都大学学術出版会、2009年）。

3

モンスーンと豊かな森

★自然環境と植民地支配下での改変★

モンスーン

1990年代の半ば、筆者はマレー半島南部・ジョホール州のマラッカ海峡沿岸の村に2年あまり滞在していた。借りていた部屋に冷房はなかったが、1月頃には北東の風がそよそよと吹き渡り、天気も安定して、快適に過ごせる日が続くことが多かった。赤道に近いマレーシアは、マレー半島、ボルネオ島の両地域を含む国土のほぼすべてが、ケッペンの気候区分でいう熱帯雨林気候に属し、各月の平均気温はクアラルンプールで27度前後と年間を通じて高く、ほとんど変化しない。降雨も年間を通じてあり、同じ熱帯でも赤道から離れたタイに見られるような、雨がほとんど降らない明瞭な乾季というのは存在しない。こうした気候の下で、自然植生としては、種の多様性や構造の複雑さに特徴づけられる熱帯雨林が成立している。マレーシアでは、温帯のような四季の変化は存在しないが、1年の中で恒常的に吹く風の向きが180度変化するモンスーン（季節風）と呼ばれる風系が卓越している。1月頃には北東からの季節風が、7月頃には南西からの季節風が吹き、風向きの変化とともに緩やかな雨季と乾季が現れ、それがいくらかの季節感を醸し出している。

ある場所が、いつ雨季となりいつ乾季となるかは、卓越する風の向きと、海洋、陸地、山岳といった地形の配置の組み合わせで決まってくる。マレーシアでは、基本的には、南シナ海を延々と吹き渡り水分をたっぷり含んだ北東の季節風が卓越する時期が雨季となる。一方、南西の季節風が卓越する時期は、スマトラ島の島陰となり乾季となる。もっとも、場所による細かな違いはある。南シナ海に面したマレー半島の東海岸や、ボルネオ島のサラワク州沿岸は、北東の季節風が卓越する時期には、連日多量の雨がもたらされる。これに対し、マレー半島の脊梁山脈を越えた西海岸、とりわけインドシナ半島の陰に入ってくる北部は、この時期でも比較的雨が少ない。マレーシアの半島部周辺には、アンダマン海に臨むランカウイ島、南シナ海に浮かぶティオマン島という二大島嶼リゾートがある。年末年始の休暇で訪れるとしたらどちらがより好天を期待できるか。答えは自ずと明らかであろう。

モンスーンは、古来海洋の交易にも使われてきた。マレー半島西岸とスマトラ島との間に約800km にわたって続くマラッカ海峡は、ヨーロッパ、西アジア、インド方面と、中国、インドシナ半島方面、あるいはジャワ島など東南アジア海域の島々とを結ぶ東西南北の交易ルートの要に位置していた。たとえば中国方面からの船は、1月頃に北東の季節風を利用してマラッカ海峡に到達し、7月頃に南西の季節風を利用して帰って行った。主要な交易品には、絹や陶磁器など東西の多種多様な商品に加え、東南アジア海域の島々に産する香料や香木など珍奇な林産物や海産物も含まれていた。ヨーロッパ勢力が到達する前のマレー半島やボルネオ島の国々は、もっぱら海上や河川をつなぐ交易ルートの要衝を押さえ、それを支配することに経済的基盤を置いていた。マラッカ海峡一帯を押さえ、15世紀に隆盛を極めたマラッカ王国がその代表である（参照 第4章）。インドシナ半島やジャワ島のように、農業を基盤とする強大な国が成立することはなく、タイやジャワ島から米の輸入も行われていた。無論、マレー半島やボルネオ島でも、河川沿いや沿岸の平地で、また特にボルネオ島では丘陵地での焼畑により、米などの自給的な作物が細々とつくられてはいた。しかし巨視的に見れば、これらの地域の圧倒的な領域は、この時代、熱帯雨林の深い森に覆われていたのである。

植民地支配下での改変

16世紀以降、ポルトガル、続いてオランダ、イギリスといったヨーロッパ勢力が東南アジア海域に到達してからも、しばらくはこの地域の自然環境が著しく改変されることはなかった。彼らもまた、しばらくは交易の支配に力点を置いたからである。こうした状況に大きな変化が生じてくるのは、ヨーロッパ勢力が領域的な植民地支配に乗り出すようになってからである。マレー半島では、ペナン、マラッカ、そしてシンガポールに拠点を築いたイギリスが、18世紀末から内陸の領域支配に向かう。19世紀後半、マレー半島の脊梁山脈の西側では、華人やイギリス等の資本による錫鉱山の開発が大規模に進み、熱帯雨林が切り開かれ、都市や、鉄道・道路といった交通体系の整備が進められていった。さらに20世紀初頭の約30年間は、アメリカ中心に世界的な自動車産業の勃興によるタイヤ用ゴムの需要増大に呼応して、ゴム・プランテーションの開発が相次いだ。

19世紀後半から20世紀初頭にかけての、錫とゴム、この2つの国際商品の一大ブームを通じて、マレー半島西側の自然環境は大きく改変され、マレーシアの半島部の今日に至る国土構造の骨格が形

ゴム樹液の採取

成されていった。社会的にも、鉱山やプランテーション、建設現場、都市商業の事業主や労働者として、南中国、南インドから多くの移住者が流入し、民族ごとの産業別棲み分けを基調とするマレーシア社会の枠組みが形作られていった。農村でもっぱら自給的な農業に従事していたマレー人に関しては、イギリス植民地行政は、当初、米の生産を通じて、増大する非農業人口に対する食糧供給の担い手となることを期待したが、目論見通りにはいかなかった。天然ゴム・ブームのあおりを受け、マレー人農民の間でも、村落周辺に小さな農園を開いてのゴム栽培が広まるが、伝統的な生活スタイルが大きく変化したわけではなかった。イギリスはその植民地支配において、民族ごとの産業別棲み分けを温存し、民族を分断する政策を採った。マレー人保留地と呼ばれる、非マレー人の土地取引を禁止する区域を設定し、マレー人の生業基盤を保護する施策を採ったこともその一環である。マレー人保留地の規定は、独立後の憲法や土地関連法規にも引き継がれ、今日に至るマレーシアにおけるマレー人の特別な地位を構成する一要素となっている。

1930年代以降、世界不況や第二次世界大戦の混乱の中で、植民地支配下のマレー半島における鉱山開発やプランテーション開発は、減速・停滞する。マレーシアの国土の自然環境のさらなる大規模な改変は、独立後の新たな政治経済状況の中で進むことになる。

（永田淳嗣）

〈参考文献〉

加納啓良『【図説】「資源大国」東南アジア――世界経済を支える「光と陰」の歴史』（洋泉社、2014年）。
高谷好一編『講座東南アジア学　第二巻　東南アジアの自然』（弘文堂、1990年）。

4

港市国家マラッカ王国

★マレーシアの起源の１つとして★

東西世界の結節点

「マラッカ市内を巡れば、マレーシアの歴史を学べるんだ」。マラッカ出身の友人の車内講義は南北高速道路を滑走するにつれ、熱を帯びてきた。いわく、マラッカ王国の栄光と残滓、明王朝とのつながり、16世紀以降のポルトガルやオランダなどのヨーロッパ勢力の足跡、そしてイギリスからの独立の興奮。確かに世界遺産となった（２００８年）マラッカ市内を歩けば、マレー半島南部を中心とした歴史は見えてくる。また現在のパハン州やペラ州の王家はマラッカ王家のいわば「分家」であることを考えれば、マラッカは確かにマレーシアという国の起源とも言える。もっとも半島の北側の歴史は別の流れで動いているから起源の1つである、という方が適切であろう。

マラッカ王国の宮殿を再現した博物館

15世紀において東西世界の結節点として繁栄したのがマラッカ王国である。結節点であったことは明王朝時代の歴史書（鄭和に従った馬歓の『瀛涯勝覧』など）や琉球王国の『歴代宝案』、またマラッカ王国の後継王国であるジョホール王国時代にマレー人が書き記した『スジャラ・ムラユ』、さらには西方からの来訪者ポルトガル人トメ・ピレスによる『東方諸国記（スマ・オリエンタル）』と4つの異なる視点での史料が残されていることからもわかる。トメ・ピレスはマラッカが「84の言語が見いだされる社会であった」という記述を残しており、ここからも当時の国際性が見られる。

港市国家マラッカ

マラッカ（現地読みではムラカ）は一定の季節に一定の方向に吹く風、季節風（モンスーン）を〝動力〟とする帆船を用いた交易活動にあって、その立地が「風待ちの港」として最適であった。当時、海路は陸路（陸のシルクロード）よりも速く、安かった。今日、港市国家（Port City State）と称される東南アジアの国々は「港を中心として、貿易活動に必要な経済機能を有する港市ができ、さらに政治と経済の中心が重なり合う国家」として繁栄した。東南アジアの伝統的な特産品である香木や木材、鉱物やサイの角、象牙、鹿革などの植物・動物由来の森林産物が集まる港とそれらを運び込む〝物の怪の民〟（川の中流、上流の民）、それらを求めて外世界からやってくる外来商人たちを仲介する政治権力が形成されていった。アンソニー・リードがいう15世紀初頭から17世紀半ばにおける「商業の時代」である。

マラッカ王国を中心とした交易活動の動きを見ると、東側世界にあたる明からは絹、陶磁器、茶、銅などがもたらされ、モルッカ島からはクローブ（丁子）、ナツメグ・メース（ニクズク）など当時特定

ポルトガル・オランダが築いた砦

の島でしか生育していなかった香辛料、さらにはスマトラ島の金や胡椒さらには森林からの様々な産物などがもたらされた。その一方で、西側、すなわちインドのグジャラートからはヨーロッパやアラビア半島の衣類、武器などが、またインドの東海岸コロマンデルからは、東南アジアの人々にとって重要な綿製品がもたらされた。

マラッカでは錫などの特産品に加え、こうした東西世界からの交易品の「交差点」として、東のものを西へ、西のものを東へと送り出す機能を持った。また当時マラッカ王国では、さごヤシや果樹、魚類などの限られた食料しか周辺地域で調達できなかったために、食料もまた交易品として調達するという特徴を有する。特にジャワ島やタイからのコメは重要であった。いわば交易品のネットワークと農業社会とのネットワークという2重のネットワークの上にマラッカ王国は成立していたといえる。マラッカ王国の隆盛に伴いこれらのネットワークが拡大したことにより、周辺地域へのイスラームの伝播と商業用語としてのマレー語の浸透、さらには、スルタンを頂点とする統治システムの適用など、マレー世界の形成へとつながっていく。

朝貢・冊封体制と海禁政策

建国当初、マラッカ王国は周辺の強大な勢力に挟まれていた。北のアユタヤと東のマジャパイトで

2005年にマラッカ市内に開館した鄭和博物館

ある。新興国マラッカにとって、安定的な国際環境を確立することは交易国家としては必須の条件であった。この環境を提供したのが14世紀後半に統一王権を確立した明王朝である。同王朝は海禁政策（民間商人の交易活動の禁止など）と朝貢・冊封体制を1セットとした対外経済政策を展開した。この下で、マラッカ王国は明王朝から「冊封」を受けることによって、アユタヤからの脅威が取り除かれ、安定的な環境を確保した。その際に重要な役割を果たしたのが1405年に始まり1433年まで合計7回に及ぶ鄭和の「南海大遠征」である。明王朝からの冊封を受け、アユタヤからの脅威が取り除かれるだけでなく、マラッカ国王自身も加わった朝貢使節団の派遣など、その良好な関係によりマラッカは寄港地となり、交易活動や飲料水の確保に寄与した。

しかし、マラッカ王国の繁栄も1511年のポルトガルの攻撃と占領によって終わりを告げる。ポルトガルのアフリカの進出に始まる「インド世界」への進出は日本国内では「大航海時代」と表現されるものの、明王朝の対外政策とマラッカに代表される港市国家群、さらには西側世界からのムスリム商人たちにすれば、それまで築き上げた交易ネットワークの「破壊の時代」に他ならない。（鳥居　高）

〈参考文献〉


生田　滋『大航海時代とモルッカ諸島――ポルトガル、スペイン、テルナテ王国と丁字貿易』（中央公論新社、1998年）。

鶴見良行『鶴見良行著作集　第5巻　マラッカ』（みすず書房、2000年）。

トメ・ピレス『東方諸国記（大航海時代叢書第1期5巻）』（岩波書店、1966年）。

アンソニー・リード（太田淳・長田紀之監訳）『世界史の中の東南アジア――歴史を変える交差路』（名古屋大学出版会、2021年）。

コラム1

満剌加王国と琉球王国

鳥居　高

マラッカ王国は中国・明王朝（1368年から1644年）の歴史史料『明実録』に「満剌加」として記されている。同国は東アジアのもう1つの交易国家・琉球王国と深い関係にあった。両国の関係と交易の様子を琉球王国の外交文書である『歴代宝案』、さらにポルトガルによるマラッカ占領後の1512年から1515年まで同地に滞在したポルトガル人トメ・ピレスが書き残した『東方諸国記（スマ・オリエンタル）』の双方に見ることができる。

琉球では15世紀前半（1429年）にそれまで3つに分かれていた政治勢力が1つの政治勢力の下に統一され、尚氏・琉球王国が誕生した。当時の東アジアには、琉球王国に先立ち統一王朝となった明王朝の一連の対外政策が展開されていた。すなわち「海禁政策」により民間の商人による貿易活動が禁止される一方で、明王朝自身は周辺諸国との間で朝貢・冊封関係を結び、貿易活動を独占した。海禁政策と朝貢・冊封体制は1セットの政策として明王朝の対外政策として機能した。

このシステムの下で琉球王国は他の朝貢国にない「特異な役割と位置」を占めることで、東南アジア諸国との活発な交易活動を行った。特異な役割とは、まず「貢期（貢年）」に見られる。明王朝へ朝貢使が貢品を持っていくことが義務づけられていたが、その使節の派遣にあたって、日本が10年に1回、アンナン（安南）が3年に1回程度であったのに対して、琉球王国の基本的な頻度は「毎年」であった。その結果、明代270年間で琉球王国の明王朝への朝貢は170回以上に及んだ。これに対し、アン

首里城正殿（2019 年消失前 2012 年に撮影）

ナンはその約半分、シャム（暹羅）が70回あまり、マラッカは20回を超えるにすぎなかった。加えて、特異な地位として明は琉球王朝に対して、当時制限していた鉄器の輸出を認めたほか、交易活動に必要なジャンク船の提供も行っていた。こうした厚遇の背景には、明王朝が特に欲していた馬と硫黄を琉球王国に貢品として指定して納めさせていたことがある。いずれも明の建国後も北方で力を持つ勢力を抑えるために必要な物資であった。

朝貢の頻度が多ければ、琉球王国は結果的に明王朝からの「交易品」としての賞賜品を中心に中国産品をほかの国よりも大量に入手することが可能になった。それらを東南アジア諸国との交易に用いるという仕組みができていく。『歴代宝案』には琉球王国がマラッカ王国に対し、刀、扇、陶磁器、寄木細工の箱などを送り、逆にマラッカ王国からはインド産の上質な綿織物やペルシャ産やアラビア産の毛織物を入手している様子が残されている。

琉球王国の東南アジアにおける交易相手国はマラッカ王国にとどまらず、それをはるかにうわまわる頻度で暹羅（タイのアユタヤ王朝）とも行われていた。明王朝が欲する交易品を手に入れるためである。代表的なものとしては、15世紀に入り中国で大量に消費されていた赤色染料のもとである蘇木（蘇芳）、さらには香辛料の1つである胡椒である。

東西交易の中で中心的な役割を果たした交易品の１つ胡椒（ジョホール州にて）

琉球王国は明王朝による海禁政策と朝貢・冊封体制という大きな傘の下で東アジアと東南アジアを結ぶ、まさしくハブ的機能を果たした。そのことをトメ・ピレスの記述を引用して見ておこう。『スマ・オリエンタル』には「レケオ（琉球）人はシナに渡航し、マラカからシナに来た商品を持ち帰る。彼らはジャンポン（日本）に赴く。それは海路7、8日の航程のところにある島である。彼らはそこでこの島にある黄金と銅とを商品と交換に買い入れる」と記述されている。琉球王国の輝ける時代である。

〈**参考文献**〉

高良倉吉『琉球王国』（岩波書店、１９９３年）。
近藤誠司編『日本の馬――在来馬の過去・現在・未来』（東京大学出版会、２０２１年）。

5

多民族社会の基盤の形成

★イギリス領マラヤ、ボルネオ★

イギリス植民地支配の始まり

マレーシアは、マレー半島、ボルネオ島におけるイギリス植民地の統合・独立により形成された。英領期の行政や社会の枠組みは、現在のマレーシアに大きな影響を与えている。

イギリスのマレー半島進出は、個人による交易拠点の獲得から始まった。1786年に民間商人（カントリー・トレーダー）のライトがクダ王権からペナン島を獲得した。ペナンは、1819年にイギリス東インド会社のラッフルズが獲得したシンガポールとともに、英領インドから中国に向かう海上交易ルートの中継港となった。両港はイギリスの自由貿易政策のもとで交易の中心に成長し、西のインド洋、東の南シナ海を通じて到来した多様な移民により人口は急増した。

イギリスは、東南アジア海域で根を張っていたオランダとの英蘭条約（1824年）により、マラッカ海峡を境にマレー半島（イギリス）、スマトラ（オランダ）の勢力圏を分けあった。これが現在のマレーシアとインドネシアの国境の原型である。イギリスは、この条約で獲得したマラッカとペナン、シンガポールをあわせて、1826年に海峡植民地を成立させた。

1838年、シンガポールを拠点としていた商人ジェームズ・ブルックがブルネイ領だったサラワクを訪れた。現地社会の反乱を鎮圧してブルネイ王の信頼を得たブルックはサラワクの領主に任命され、自ら「白人王」となってサラワク王国を建国した（1841年）。ブルックはその後ブルネイに反旗を翻し、領土を切り取って版図を広げた。サラワクの王位は、第二次世界大戦で日本軍に軍事占領されるまで、ブルック家が三代にわたって継承した。民間商人による王国建設は、19世紀前半のイギリスの進出のあり方を象徴している。

海域から後背地へ

19世紀後半になるとイギリス国家が植民地拡大に乗り出し、海域から後背地へと支配を広げた。マレー半島部では河川ごとに小規模なマレー王権が点在していたが、19世紀中葉に中国からの移民労働者による錫採掘が本格化すると、政情が混乱した。土地の権利を持つマレー王族間の争いと鉱山を経営する華人有力者間の利権争いがからみ、西海岸の諸王権は相次いで内戦に陥った。イギリスは、それに介入する形でマレー王権を保護領として植民地化を進めた。1874年のペラを皮切りに、19世紀末までに中部のスランゴール、ヌグリ・スンビラン、パハンの各王権が保護領となり、4州は1896年に連邦（連合マレー諸州）を結成した。20世紀に入ると、イギリスはシャムとの条約（1909年）により北部4州の宗主権を獲得し、南部のジョホールとともに保護領とした。これら5州は非連合マレー諸州と総称される。マラヤとは、海峡植民地と9つのマレー州からなる英領植民地を指す。マレー州の統治形態は、マレー王権のもとに駐在したイギリス人行政顧問による間接統治であった。顧問は、

クアラルンプールの旧連合マレー諸州政府庁舎（現スルタン・アブドゥル・サマド・ビル）

「宗教と慣習」を除く事項に助言する権限を持ち、実質的な行政責任者であった。一方、9王権は実権を失ったものの、植民地体制を生きのびた。これが、現在のマレーシアの9つの州王家である。

ボルネオでも、1880年代にイギリスが支配を強めた。現在のサバは、イギリス商人デントらがブルネイ、スールー王国から獲得した地域である。彼らは1881年にイギリス政府の特許を受けて北ボルネオ会社を設立し、統治を開始した。1888年、イギリスは、サラワク王国、北ボルネオ会社、かつてこの地域を支配していたブルネイを保護領とした。この3植民地を総称して英領ボルネオと呼ぶ。マラヤ、ボルネオの各植民地は、独立したシンガポールとブルネイを除いて、現在の連邦国家マレーシアの13州を構成している。

複合社会の成立

イギリスの植民地統治の特徴は、土地の支配である。前近代の王権は王を頂点とする人的秩序であったが、植民地では土地に境界線が引かれ、領域を基盤とした行政単位となった。すべての土地は政府の管理下に置かれ、天然ゴムなどの農園や錫鉱山の開発の過程で、ヨーロッパ系企業や華人資本に土

中国からの移民を促した錫鉱山開発（ペラ州にて、鳥居高撮影）

地の権利が譲渡されていった。一方で、人の流れは自由であり、人口希薄な地域に大量の移民労働者が流入し、人口の増加、多様化が進んだ。

もうひとつの特徴は、民族を単位とする政治・行政制度である。住民は民族ごとに分けられ、頂点にはイギリス人が君臨した。半島部の華人やインド人は移民労働者として管理する法律が制定され、集団を束ねる有力者に政府が役職を与えた。一方、地方行政は現地のマレー人により担われ、ムスリム向けにイスラームの司法制度が定められた。ボルネオでも、地方行政は現地人首長によって担われた。各植民地に設置された諮問議会（参事会）には、イギリス人に加えて、マレー人、華人などの集団の代表者が選ばれた。こうした政治制度のもとで、半島部ではマレー人、華人、インド人という三民族、ボルネオではマレー人など沿岸部のムスリム、華人、内陸部の非ムスリムの現地人などの集団がまとまっていった。複数の集団が社会的に交わることなく共存する状況は複合社会とも呼ばれる。

マラヤで行政上重要な地位を占めたのがマレー人である。半島部のマレー諸州では、主権者たるマレー王権、現地人たるマレー人を外来者から守るという名分で優遇政策が採られた。王族には権力喪失の代償に年金が与えられ、宮廷は保護された。マレー人は行政官として優先的に登用され、官僚養成のためのマレー人向け教育機関（マレー・カレッジ）が1905年に設立された。マレー人の土地保有の流出を防ぐための区画を設定するマレー人保留地法（1913年）は現在まで残っている。これらは、現在のブミプトラの優遇政策の原型の1つととらえられる。

第一次世界大戦後、植民地体制は転機を迎えた。民族ごとの統治の枠組みが揺らぎを見せたのである。マラヤでは、移民労働者として到来した華人、インド人はマレー人を上回る勢いで増加し、その中から現地生まれの第二、第三世代が登場した。都市の発展に伴い出版・言論活動も盛んになり、各集団は多民族社会における自らのアイデンティティを模索し始めた。華人、インド人は宗教、言語など自文化を保持する一方、現地生まれの「マラヤ人」としてマレー人と対等な権利を要求した。マレー人も集団として決して一様ではなかったが、王権、イスラムを土台として結集を図った。結果として、マレー人、華人、インド人という民族ごとにナショナリズムが発展した。この動きは、第二次世界大戦を経て戦後の脱植民地化へと結びつくのである。

（坪井祐司）

〈**参考文献**〉

白石　隆『海の帝国——アジアをどう考えるか』（中央公論新社、2000年）。
野村　亨「イギリス領マラヤ」『岩波講座東南アジア史5　東南アジア世界の再編』（岩波書店、2001年）。
Yamamoto H et al(eds), *Bangsa and Umma: Development of People-grouping Concepts in Islamized Southeast Asia* (2011, Kyoto University Press)

6

警察機構の歴史

★イギリス植民地統治期を中心に★

マレーシアの警察の歴史の始まりをどこに求めるのかは難しい問題である。古くからスルタンなど在地の権力者が任命する、犯罪の取り締まりや治安の維持を担当する人物や、自警団のような警察が果たす業務を行う組織などは存在していた。しかし、現在のマレーシア王立警察（ＰＤＲＭ）へとつながる機構としての警察の起源は、イギリスによる植民地統治下で整備・発達した警察機構に求めることができる。ここでは、マレーシアにおける警察機構の形成と発展を、主にイギリス植民地統治期に焦点を当てて描くことを通じて、ＰＤＲＭへとつながる歴史を紐解いてみる。

海峡植民地からマレー連合州へ

現在のマレーシアに相当する地域で、最初に機構としての警察の整備が行われたのはペナンである。１８０７年、ペナンで最初の警視が任命され、巡査などが配置され、警察機構の整備がスタートする。ペナンと共にイギリス海峡植民地を形成するシンガポールでも１８１９年に、マラッカでも１８２５年に、警察機構の整備が開始される。この３つの警察機構は１８７１

年に統一され、海峡植民地の警察全体を統括する警察長官がシンガポールに配置され、ペナンとマラッカには警視総監が配置された。警察長官以下、警視までは西洋人がポストを独占し、巡査などはマレー系、インド系によって占められていた。同年、警察令が制定され、犯罪の取り締まりや集会などの規制、徴税や港湾、公衆衛生、検疫に関する法の執行、遺失物の管理、囚人の護送など17の任務が定められる。その任務の中には、迷子の動物の保護や目方や寸法の検査なども含まれていた。1881年には警察訓練学校が開校し、84年には犯罪捜査を専門とする部局が創設されるなど、19世紀を通じて海峡植民地での警察機構の整備、改革は続けられていく。

このようにペナンとマラッカの警察機構は海峡植民地での警察の整備、改革に合わせて発展していくのであるが、マレー半島部で警察機構の整備は、まず、のちにマレー連合州（FMS）を形成するペラ、スランゴール、ヌグリ・スンビラン、パハンでそれぞれ別個に、1870年代半ばから始まる。この中でイギリス系の公的な警察組織が最初につくられたのはスランゴールである。1875年、最初の警視総監が任命され、マラッカなどで警察官のリクルートが行われる。スランゴール軍事警察隊として知られるこの警察は、制服を身に着け、武器を装備していた。軍事警察隊という名がついてはいるが、この警察は犯罪の捜査と予防に活動の主眼を置いていた。次に警察機構の整備が始まったのはペラである。1876年、騒乱の鎮圧などの準軍事的任務を担うインド系警察官からなる警備隊と、犯罪の取り締まりを担当するマレー系警察官から構成されるペラ武装警察が成立し、本部がタイピンに設置される。ヌグリ・スンビランでも1870年代半ばから、パハンでは1888年から警察機構の整備が進められていく。

変容する取り締まり対象

１８９６年のＦＭＳの形成により、４州それぞれ別個に形成されてきた警察機構を統一するマレー連合州警察が設置される。連合州警察が設置されたとはいえ、実質的な統合が実現したわけではなかった。実質的な統合は１９０３年に共通の警察法規が制定され、その後、警察訓練所が導入され、将来の警察幹部候補者が一緒に訓練される仕組みが作られるなどのプロセスを経て、時間をかけて実現していくこととなる。

19世紀にその整備が始められたペナンやマラッカ、ＦＭＳの警察の主要なターゲットは、殺人や強盗などの通常の犯罪だけではなく、主に中国系住民が組織する「会」や「公司」などが引き起こす騒乱や暴動であった。現在のＰＤＲＭが準軍事的部門を持つひとつの起源は、この騒乱や暴動に対処するためにＦＭＳの警察機構が準軍事的部門を保持していたことにある。

20世紀に入り、犯罪捜査への指紋の導入、犯罪者の記録の作成と保存、イギリス本国で選抜された幹部候補生を海峡植民地、ＦＭＳの警察に配置するキャデット制度の運用も始まる。またマレー系住民の警察イメージ改善と、優秀な人材のリクルートが大きな課題であったが、これはペラ州のスルタンの息子が連合州警察の副長官に任命され、彼が警察訓練所に配属され、マレー系警察官のリクルートと訓練を担当するようになったことにより、大きく改善することになる。

１９２０年代、30年代の大きな出来事として、ナショナリズム運動や共産主義運動などの高まりゆく政治運動に対処するため、政治情報の収集をになう政治情報警察が設立されたことが挙げられる。犯罪情報局、のちに高等課と呼ばれるこれらの組織は、政治運動に関する情報の収集、監視、取り締

警察の紋章（出典：マレーシア王立警察HP）

まりを担っていた。1922年には警察や軍、華人諮詢局が収集した情報を集約する組織としてマラヤ政治情報局が設立される。

ジョホール、クダ、プルリス、クランタン、トレンガヌのマレー非連合州（UMS）の警察機構の整備も1910年代に入ってから進められる。しかし、FMSや海峡植民地であったペナン、マラッカと比べると、これら5州での警察の近代化の歩みはゆっくりとしたものであった。

1941年から45年の日本の占領統治下で、イギリス主導で作り上げられてきた警察機構は崩壊し、警察への信頼も低下する。1945年の日本の敗戦後、イギリスはこの崩壊した警察機構の再構築と、失われた警察への信頼を取り戻す努力を、一から始めなければならなかった。

この立て直しのプロセスの中で生じたのがマラヤ共産党（MCP）による武装蜂起であった。1948年に非常事態宣言が発令され、警察が中心となって蜂起への対処を担うことになる。しかし立て直し途上の警察にはその人員も、ノウハウも不足しており、この不足する人員とノウハウを補うことが急務となった。まず、MCPのターゲットとされた錫鉱山やゴム農園、公共建築物などを守るために特別警察隊が組織される。訓練面でも通常の犯罪の取り締まりなどに関する訓練よりも、ジャングルでの戦闘の方法や武器の使い方などに関する訓練に重点が置かれた。こうした非常事態宣言下での共産党のゲリラ掃討への対処が求められた結果、兵站や通信、諜報、工作活動、準軍事的任務を担う部門が発達する。

警察本部（ブキットアマン）（出典：マレーシア王立警察 HP）

共産党のゲリラ闘争への対処を行う一方で、１９６３年のマレーシアの独立に向けての準備も進められることになる。この準備で重要だったのは警察の「マレーシア化」であった。これは警察の指揮をイギリス人の手から現地の人の手へ移すこと、警察の人員構成をマレー系、中国系、インド系それぞれの民族構成を反映した形にすることなどを通じて進められた。もうひとつ、独立に向けての課題とされたのは、サバとサラワクの警察機構の整備と統合であった。整備については半島の警察から人員を派遣して進められることになるが、統合が完成するのは独立後、１９６７年の警察法の成立を待たねばならなかった。

（鬼丸武士）

〈参考文献〉

鬼丸武士「戦間期英領マラヤにおける政治情報機関の成立とその活動」（『歴史学研究』８６０号、２００９年）。

Patrick Morrah. 1963. The History of the Malayan Police, *Journal of the Malayan Branch of the Royal Asiatic Society*, Vol.36, Part 2, No. 202.

Zakaria Bin Haji Ahmad. 1977. The Police and Political Development in Malaysia: Change, Continuity and Institution-Building of a "Coercive" Apparatus in a Developing, Ethnically Divided Society, Doctoral Thesis submitted to the Massachusetts Institute of Technology.

7

マラヤ連合からマラヤ連邦へ

★外来系住民の市民権をめぐって①★

1957年8月31日、マラヤ連邦初代首相トゥンク・アブドゥル・ラーマンはマレー語で自由を意味するムルデカを宣言した（参照 写真）。それまでイギリスの支配下にあったマラヤ連邦が独立を遂げたのである。ただ、同国の独立は東南アジア諸国の中では遅い方に属した。そうなったことにはさまざまな理由があったが、先住系のマレー人のほかに外来系の華人、インド人ほかの住民もそこに多く暮らしていたことはその中でも深刻な理由であった。当時の人口は630万人弱で、うちマレー人310万人強、華人230万人強、インド人70万人、その他10万人強であった。それら外来系住民には英語もマレー語も話せない人々も多く、彼らの忠誠心がどこにある

マラヤ連邦の独立を宣言するトゥンク・アブドゥル・ラーマン（提供：TopFoto/ アフロ）

のか定かではないところがあったのだ。それゆえ、国家を担う市民とはいったい誰になるのか合意がなかなかつくれなかったし、そのことはマラヤ共産党（ＣＰＭ）による蜂起の遠因にもなって、問題が大変に拗（こじ）れたのだ。

本章・次章では、この問題に焦点を当てながらマラヤ連邦の独立への道のりを振り返る。

マラヤ連合論争

物語をイギリスが戦後復帰を果たした頃から始めよう。当時、イギリスは支配者としてマレー半島に帰ったものの、統治の回復で迷走を続けていた。当初、彼らが持ち込んだのはマラヤ連合というスキームであった。これはかつて保護下に置いていたマレー半島首長国９か国に旧海峡植民地のうちペナン、マラッカを新たに加えたイギリスの保護国マラヤ連合をつくろうというものであった。スルタンたちの主権がとりあげられて中央集権的な政府が創設され、市民権取得の基準には出生地主義（自国に出生した者に対して自動的に市民権を与える市民権付与の方式）が採り入れられて外来系住民にもこれを広く平等に付与していくことになっていた。戦時中から練られていた案で、より強力な植民地国家をつくり、将来の国家を担う市民的地位を外来系にも広く許容していこうとしたのである。脱植民地化を視野に入れた政策ともいえた（この頃までに、イギリスは各地の植民地を将来的には独立させることを宣言するようになっていた）。しかし、外来系住民への市民権の開放は、日本軍政下にあった時代にスルタンやマレー人たちが華人に比べれば占領に協調的であったことへの意趣返しがあったことも否定できなかった。当然、このスキームはマレー人たちから反対を受けることになったが、問題はそれがイギリスの想定をはるかに上回る規模となったということであった。1946年初頭、マラヤ連合案の全容が明らかになると、マレー人たちは激しい抗議行動を起こすようになり、各地のマレー人組織は全国会議を開催して統一マレー人国民組織（UMNO）を結成した。さらにマラヤ連合発足の式典にはスルタン全員が欠席するという異常事態に陥ったのである。

イギリスが、急転直下、統治方針を正反対に転換したのはそうした中のことであった。スルタン代表、UMNO代表らと協議を行って政体改変を図り、新たにマラヤ連邦を設立することにしたのである。マラヤ連邦はイギリス人高等弁務官の統治するイギリスの保護国であったが、スルタンの地位は大幅に回復され、出生地主義による市民権取得も例外的な場合に限られることになった。また高等弁務官は「マレー人の特別の地位」を保護するものと定められた。イギリスは植民地支配の伝統的な支持基盤であるマレー人王族・貴族層とそれに連なる民衆の支持を失うこと、さらにイギリス統治を脅かすマラヤ共産党やマレー人左派勢力がこれに乗じて伸長することを恐れたのであった。1948年2月1日、マラヤ連邦が設立されたが、もちろん、この動きは外来系住民に大きな失望を与えるものであった。彼らには連邦設立に反対する運動を起こす者もいたが、当局は運動を危険視するだけでその主張を一顧だにしなかった。不満は充満したが、最大の帰結は表面的にであれ政府に協力してきたCPMに再び武器をとる素地を与えたことであった。同党は主に華人から構成された組織で、戦時中は日本軍に抵抗し、終戦直後にはマラヤを実効支配したこともあった。その彼らが武装蜂起によって植民地支配を打倒するとの方針を固めたのである。

非常事態

1948年6月、マラヤ連邦政府は非常事態を宣言し、CPMの掃討を開始し、マラヤは内戦の時代に突入した。共産党は蜂起を「マラヤ人民民主共和国」の設立を目指すエスニック集団の壁を超えた「マラヤ人民」の闘いと位置付けた。同党の下にあった民族解放軍は中隊・小隊規模でのゲリラ攻撃を仕掛けて政府を苦しめ続けた。攻撃の対象はゴム農園主、スト破り労働者から錫鉱山、工場、鉄道などに及んで経済基盤も打撃を受けた。政府軍兵士たちは自分たちが殺されるより多くのゲリラ兵の殺害に成功したが、ゲリラ側は殺された数を上回るリクルートに成功し、兵力を増したかのようであった。このような現象が起きたのは、支配者が外来系住民（特に華人）からの支持を得ることができなかったからであった。外来系住民の多くはCPMの唱える「マラヤ人民の闘い」に信を置いたわけではなかったが、かといって自分たちを疎外する政府を積極的に支持するわけもなく、「無関心」の態度をとった。とりわけ問題となったのは、不法占拠者と呼ばれた華人たちの存在であった。当時、マラヤの山間部には権原のないまま不法占拠してつくられた華人集落が多数あり、それらの集落から党組織に食糧、資金、情報などの提供が行われる状況があったのだ。

1950年、政府はブリクス計画と呼ばれる対テロ行動計画を策定した。同計画は政府機構改革なども含めた多面的な計画であったが、そのもっとも枢要なプロジェクトは不法占拠者を強制移住させることであった。政府は彼らからゲリラへの支援を断つべく、およそ50万人（その8割以上は華人）の不法占拠者をおよそ400の「新村」と呼ばれる新設の集落に移住させ、これを監視下に置いたのである。それは巨大な国土改造計画でもあった。こうして、1951年後半、非常事態は最悪期を迎えることになった。マラヤ連邦政府は海外からも派兵を受けて兵力4万に達しようとしており、これで8000にも膨れたゲリラに激しい攻勢をかけた。守勢に回りつつあったマラヤ共産党もすぐには攻撃の手を緩めず、10月には高等弁務官ヘンリー・ガーニーを殺害した。政府軍の兵士は主にマレー人から構成され、民族解放軍の兵士は主として華人から構成されたため、そのことは社会全体にエスニック集団間の緊張感を高めるばかりであった。

（鈴木陽一）

〈参考文献〉

鈴木陽一「マレーシアの創設について――半島・ボルネオ協力関係形成の過程（上下）」（『下関市立大学論集』第61巻2・3号、2017〜2018年）。
鈴木陽一「シンガポール共和国の建国について」（『アジア・アフリカ言語文化研究』第95号、2018年）。
トゥンク・アブドゥル ラーマン・プトラ『ラーマン回想録』（井村文化事業社、1987年）。
Fernando, J.M., *The Making of the Malayan Constitution* (MBRAS: Kuala Lumpur, 2002).

8

ムルデカへの道

★外来系住民の市民権をめぐって②★

前章に続き、マラヤ連邦独立の過程について見よう。1950年代初頭、内戦はいつ終わるとも知れなかったし、エスニック集団のあいだに高まった敵愾心に鑑みれば、国民統合を要するマラヤ独立などは遥か先のことのように思われた。ところが、そこに突然の転機が訪れる。

連盟の成立

連盟（Alliance）という政治枠組みが各地に登場したのはそうした頃のことであった。当時、イギリスは住民に自治導入への取り組みをアピールし、さらに住民のマラヤの市民としての意識を育てていくため、各地都市部などで地方議会選挙を始めていた。都市部には華人が多く集住しており、民心獲得の主たるターゲットは華人たちであった。また、台頭が有力視された政党はマラヤ独立党（ＩＭＰ）であった。これはマレー人有力者、華人有力者などの後援でつくられた民族横断的な政党で漸進的に独立への道を歩んでいくことを掲げ、政府の期待をになった政党であった。ところが、1952年2月のクアラルンプール市議会選挙においてマラヤ華人協会（ＭＣＡ）の実力者ＨＳリーが意外な行動に出たのであった。ＭＣＡは政府の指導の下でつくられた華人の互助団体であり、ＩＭＰを後援する立場にあるはずであった。そのＭＣＡ支部が統一マレー人国民組織（ＵＭＮＯ）支部と連盟してクアラルンプール各選挙区で事実上共通の候補者を立てることにしたのである。華人の多い選挙区にはＭＣＡ候補者、マレー人の多い選挙区にはＵＭＮＯ候補者が立ってそれぞれを応援した。作戦は奏功して連盟は12議席中９議席を獲得する大勝利を収め、ＩＭＰは大敗を喫した。

その後、ＵＭＮＯ、ＭＣＡそれぞれの本部の政策転換もあり、ＵＭＮＯとＭＣＡの各地支部は互いに連絡をとって連盟を形成し、早期のムルデカを掲げることで求心力を高めて各地地方議会選挙で勝利を続けていった。ＵＭＮＯとしては、連盟という枠組みにおいてマラヤの最大エスニック集団であるマレー人が結束して行動する仕組みを温存することで、マラヤ連邦の政治をムルデカ達成後も長く主導できることになるであろうことに大きなアドバンテージを見出したであろう。他方、ＭＣＡの政策転換の理由としてはＵＭＮＯ総裁ラーマンがＨＳリーらに市民権付与の方式として出生地主義を容認する意向を内々に伝えてあったことが大きかったと考えられる。その点、ＩＭＰには信用できないところがあったのだ。もちろん、こうした動きに対してはＩＭＰ側の抵抗もあった。それまで植民地支配と協調して来たその指導者たちは連邦立法評議会議員に任命され、アジア系議員の多数派を形成していた。彼らが立法評議会において連盟主導の早期の独立を阻止しようとしたのである。そして、彼らを背後から支えたのはイギリスであった。連邦の独立は10年以上先のことであると考えていたのである。両勢力は来たるべき立法評議会選挙の実施方法をめぐって対立を深めたが、結局、選挙によって選ばれる民選議員は全98議席中52議席とすることで妥協を見た。連盟はマラヤ・インド人会議（Ｍ

IC）を招き入れ、また自らを連盟党と称することにして選挙に備えた。

ムルデカへの道

１９５５年7月、連邦政府立法評議会選挙が実施されると、連盟党は民選議員52議席中51議席を獲得し、評議会の過半数を制した。ラーマンは首席大臣となり、内閣を組閣した。この時点で、イギリスはマラヤ連邦に早期の完全独立を許容するつもりはなかったが、その意向もすぐ変わることになった。12月、ラーマンはマラヤ共産党書記長チン・ペンとの頂上会談を開催して内戦終結の道が探ったが、このとき、チン・ペンが穏便なかたちでの和平を提案したのに対し、ラーマンはゲリラが投降・収容・尋問に応じない限り和平はあり得ないとしてこれを突っぱねた。これ以降、イギリスも連盟党を信頼できる主権移譲先と考えるようになったのである。翌年1月、連盟党一行はロンドンに赴いてイギリス側との交渉に臨み、マラヤ連邦が１９５７年8月に独立を達成すること、独立後もマラヤ連邦がイギリスと防衛条約を結んでイギリス軍の駐留を認めることなどで合意した。

独立に向けた最後の難関はやはり市民権問題であった。この点については連盟党内で取引が行われ、そこでの合意が解決策とされた。マレー人に特別の地位があることが留保なく温存され続けるかわりに、市民権付与については留保なく出生地主義が採用されることになった。こうして9割程度の外来系住民が市民権を取得しうることが確定した。また、マレー語が国語、英語が公用語とされ、英語の公用語としての地位は独立後10年で見直されることになった。現在、これらの取引は「社会契約」と呼ばれている。

こうして、マラヤ連邦は独立を遂げ、その後、同国は現在のようなかたちに発展を遂げていった。1960年には非常事態が終結した。独立の熱狂が社会を覆う中、CPMは支援を絶たれて弱体化し、事実上、半島から掃討されたのだ。さらに、1963年9月16日にはマラヤ連邦はシンガポールにボルネオ2州（サバ・サラワク）と合同してマレーシアを設立した。うちシンガポールは2年後にこれから離脱したが、ボルネオ2州はマレーシアの主要構成要素として定着した（マレーシア設立・シンガポール分離独立については前章参考文献にあげた拙稿を参照されたい）。マレー語が公用語となり、いわゆるブミプトラ政策が進められ、外来系住民の土着化が進み、急速な工業化が見られたのはさらにその後のことである。他方、この頃つくられたものには国の基盤となっているところも多い。連盟党の枠組みは政府与党・国民戦線（BN）へと引き継がれ、非常事態令も治安維持法へとかたちをかえてUMNO主導の国家を支え続けた。「社会契約」は今に至るまでマレー人の特別の地位を正当化し続けている。ムルデカは各エスニック集団が互いのあいだの苦々しい思いを乗り越えて友情を深めていく第一歩であった。

（鈴木陽一）

9

マレー人はなぜ優遇されているのか？

★特別な地位規定と政策★

「特別な地位（Special Position）」規定と仕組み

ブミプトラ政策という言葉とともに必ず言及される「マレー人の特別な地位」。これはマレーシア連邦憲法第153条として規定されている。この規定が根拠の1つとなり、マレー人を中心としたブミプトラに対する優遇政策が実施されてきている。同条は1957年の独立時に制定されたマラヤ連邦憲法でまず「マレー人に対する特別な地位」として規定され、その後1965年にサバ州、サラワク州がマレーシア連邦の一員になったことを受け、1971年の連邦憲法改正によって、特別の地位を付与する対象としてマレー人に「サバ・サラワクの先住民」が加えられ、今日の条文になっている。

まず条文を見ておこう。同条第1項では、国王がマレー人ならびにサバ・サラワクの先住民に「特別な地位およびその利益を守る責任を有す」とされ、続く第2項でその適応範囲と具体的な内容として「公務員（州政府を除く）の職、連邦政府が与える奨学金、学校給費、そのほか教育上あるいは訓練上の特権、特別な施設、さらに連邦法による取引または事業の遂行に関する許可ライセンスが要求される場合」には国王は「合理的と考える比率を彼らに留保する」ために権能を行使することができるとされた。つまり公務員としての就業機会、さまざまな教育機会、さらには公共事業などの事業機会について、国王が民族別割り当て（Ethnic Quota）を与えることができる。また連邦憲法は同様の規定を各州憲法でも制定することが可能とされ、実際に表に示したとおりペナンおよびマラッカ州を除くすべての州憲法に同様の規定がある。各州においては統治者（スルタン）が、サバ・サラワク州においては国王がそれぞれの責任を有する。むろん、立憲君主として付与された権能であるから、内閣の助言のもとに実行されると解釈され、国王やスルタンの自由意思や恣意的な行使ができるものではない。

加えて連邦憲法改正に関する関連条項によって、この特別な地位規定は厚く守られている。まず連邦憲法第159条第5項によって、この153条の改正にあたっては国会における通常の条項の改正手続きでは終了せず、さらに統治者から構成される統治者会議（Conference of Rulers）の承認が必要とされている。加えて、この159条第5項の改正そのものも同会議の承認を必要としている。また、1971年以降は連邦憲法第10条の改正によって、マレー人の特権は4つの「敏感問題」の1つとして公開の場での議論が禁止されている。

これら一連の規定は「特別な地位規定」が他の条文と異なり、議会制民主主義制度を超えた存在となっていることを意味する。

表　各州憲法における「特別な地位」規定

ペラ州憲法	第 27 B 条
スランゴール州憲法	第 91 条
ヌグリ・スンビラン州憲法	第 75 条
パハン州憲法	第 47 条
クダ州憲法	第 70 条
プルリス州憲法	第 72 条
クランタン州憲法	第 27 B 条
トレンガヌ州憲法	第 25 B 条
ジョホール州憲法	第 3 部第 1 条
サバ州憲法	第 41 条
サラワク州憲法	第 39 条

（出所）各州憲法より作成

このようにマレー人の特別な地位とその保護者である統治者とは切り離すことができない構造になっている。特別な地位に関する変更は、その「擁護者」である統治者の権威に関わる問題になるからである。

153条制定のプロセス

では適応範囲が限定的とはいえ、特定の民族に対して特別な地位が付与されたのはなぜであろう。そもそも連邦憲法には第8条に「法の前に平等」規定が盛り込まれており、153条と8条という相反する規定が同じ憲法に盛り込まれていることになる。このこと自体153条が「政治的妥協の産物」であることを明確に示している。実際にこの153条の規定は独立憲法制定時に民族間のいくつもの争点——市民権の付与条件、国語やイスラームの位置づけの規定など——の中の1つであり、最終的に各政治勢力、特に連盟党内（Alliance Party）の政党間の交渉の中で結着されたものである。

英領マラヤの独立への動きは1946年にイギリスが示した「マラヤ連合（Malayan Union）」案に始まる。この案はスルタン制の廃止や出生地主義による市民権の付与などを柱としたことから、スルタンのみならず王族・貴族を中心とするマレー人保守層の強い反対にあった。このためにイギリス政府は方針を転換して、2年後の1948年に新たにマラヤ連邦協定（Federation of Malaya Agreement）を提示した。その19条において、政府がマレー人の特別な地位を保護する規定が盛り込まれた。これが153条の源流と位置づけられる。

1956年に設立された憲法起草委員会（委員長の名を取り、いわゆるリード〔Lord Reid〕委員会）が連盟党代表などから提出された「覚書」などをもとに独立憲法の草案をとりまとめた。その中でマレー人の特別の地位規定も盛り込まれた。この策定過程において連盟党を構成する華人政党・マレーシア華人協会（ＭＣＡ）やインド人政党・マレーシア・インド人会議（ＭＩＣ）は「マレー人の経済的後進性が独立後の社会の安定にかかわる重要課題である」という共通認識をもつ一方で、マレー人の特別な地位規定によって、華人やインド人に不利益がもたらされないことや適用期間を時限的にすることなどを主張した。このため市民権など他の民族間の争点とともに、マレー人政党・統一マレー人国民組織（ＵＭＮＯ）やリード委員会と議論、交渉と妥協を重ねた。最終的に民族間で取引が行われ、いわば民族間「社会契約」（social contract）のような形で連邦憲法は結実していく（参照 第8章）。肝心の8条と153条は相矛盾することから、同委員会起草時においてはマレー人の特別の地位規定は「暫定的で、過渡的な規定――15年をその期限――とすること」でマレー人とその他の民族代表は妥結したものの、最終案ではこの時限規定は撤廃され、現在の条文となった。

新経済政策（ＮＥＰ）と153条

この153条の規定を1つの大きな根拠として、1970年代に始められる新経済政策（ＮＥＰ）の実施過程では、マレー人に対する優遇政策が政府の手によって積極的、また強力に推し進められた。また、その適用範囲もまた各種の補助金政策、住宅政策、さらには民営化政策など幅広い分野において「割り当て制度」が実施されたため、マレーシア社会に大きな影響を与えた。またときには、ＮＥＰの資本再編目標の数値目標「30％ルール」（参照 コラム2）が他の政策などにも拡大適用され、これが社会の中に浸透していくことになった。

この１５３条を盛り込むに際し、ＵＭＮＯのある有力な指導者は「（割り当て政策）適用範囲を厳格にする必要性」に加え、そもそも特別な地位規定は「マレー人がほかの民族よりも能力的に劣っていることを自ら認めることを前提している」ことを認識していたとされる。このように当時のマレー人指導者の中には、この規定の運用の難しさと意味を認識していたものもいる。

「特別な地位規定」はマレー人の経済的地位を引き上げ、民族間格差を是正する必要性を大前提として盛り込まれた。しかし現在、中所得国から高所得国入りが議論されるというマレーシアの経済状況において「豊かになったマレー人の出現」という現実の前に、マレー人という特定の民族のみを対象にした特別な地位の付与は以前よりも説得力を持たなくなっている。また、平等な人権の尊重という国際社会の規範ルールの前に曲がり角を迎えている。

（鳥居　高）

〈参考文献〉
堀井健三「ブミプトラ政策の歴史的性格と国家資本の役割」（堀井健三編『マレーシアの社会再編と種族問題――ブミプトラ政策20年の帰結』所収、アジア経済研究所、１９８９年、第1章）。
Gordon P. Means, "Special Rights as a Strategy for Development: The Case of Malaysia" *Comparative Politics*, Oct,1972.
Andrew Harding, *The Constitution of Malaysia: A Contextual Analysis* (Second Edition). London, Oxford University Press.
Joseph F. Fernando, *The Making of the Malaysian Constitution*. Kuala Lumpur, Malaysian Branch of Royal Asiatic Society, 2002.

コラム2

30%ルール

鳥居　高

30%、これは新経済政策（NEP）の諸目標の中で、もっとも国内外の注目を集め、また長期にわたって論争の的になっているブミプトラによる資本所有比率目標である。アブドゥル・ラザク率いる当時の政府は民族間の経済格差、特に資産ベースでの格差に関して株式の所有状況に注目した。1970年当時、ブミプトラの株式所有比率はマレーシア全体のわずか1・9%であったのに対し、「その他のマレーシア人」が37・4%、もっとも圧倒的な比重を占めていたのが旧宗主国のイギリスを中心とした「外資」で、その比率は60・7%であった。こうした民族間における富の偏在を是正し、NEPの最終年度である1990年目標値として、それぞれブミプトラが30・1%、その他のマレーシア人が40・1%、外資が29・8%とすることを掲げた。外資からマレーシア資本へ、マレーシア資本からブミプトラ資本へという2重の再編である。そもそもブミプトラの目標30%に関しては、当初考えられた50%設定ではあまりにも高すぎる、というNEP策定当時の統一マレー人国民組織（UMNO）の首脳部の政治的判断で30%に引き下げられた。しかし、30%という明確な数値目標が設定されたこと、さらには外資企業にとって出資比率にかかわるきわめて重要な目標だけに国内外の注目を集め、NEPの象徴的目標ともなった。この30・1%というブミプトラ資本所有比率目標値がそれ以外の政策においても拡大適用されるようになった。ブミプトラに対する割り当て基準としての「30%ルール」である。

現在、政府が公表している直近のデータでは、株式所有者が大きく4つに分類され、2019年時点でブミプトラが17・2%、ブミプトラでないマレーシア人が25・0%、外資が45・5%、証券信託会社（nominee company）が12・3%となっている。これらの数字をもとに、データ公表時のイスマイル・サブリ政権は「目標値が達成されていない」として2021年から2025年までの『第12次マレーシア計画』においても30%目標を継続することを公表した。

目標値は確かに明確に設定されているものの、この数字を議論することはあまり生産的ではない。それは政府が公表している資本所有比率に関するデータに信頼性が担保されていないことによる。NEP実施時代から、この資本所有比率統計に関しては主には華人政党や研究者などから、多くの疑義が呈せられていた。主な批判点としては、第1に『第3次マレーシア計画（1976～80年）』以降、連邦ならびに州政府が所有している株式が含まれていないことである。第2には証券信託会社を通じて保有されている株式は実際の所有者が隠されてしまうために、本当の所有者を特定し所有者を分類できないことである。証券信託会社を通じて、実際には株式所有者がマレー人である可能性がありながら、政府の公表データには反映されていない。このような分類に基づく政府作成のデータは、民族間格差を検討するうえで大きな問題となっている。

NEPが終了し、その継続に当たっての前提条件は「マレー人を含むブミプトラとその他の民族との間に経済格差があること」である。そのことを見極める際に1つの重要な指標になるのが株式所有比率である。このために目標が達成されているか否かは大きな論争を呼んだ。アブドゥーラ政権期（2003～09年）の2006年にシンクタンクが公表した報告書は、独自の試算により「1990年時点でブミプトラによる所有比率が45％に達している」とし、それまでになく大きな議論を呼んだ。また続くナジブ政権はこの目標の扱いをめぐって迷走した。政権発足当初は30％目標のために株式上場時に義務付けられていたブミプトラへの割り当て措置、また一部のサービス産業においてもブミプトラ割り当て義務をいったんは緩和した。これらの動きは、華人経済界を中心に「脱ブミプトラ政策」と歓迎される一方で、マレー人社会の一部からの強い反発を受け、わずか3か月後に公表した『第10次マレーシア計画書』で30％目標を逆に明示した。このようにこの30％目標は、今日でも民族間の対立を惹起する。

今日まで政府は『マレーシア計画書』で公表するデータに関する作成方法を公表していない。さらに近年では、マレーシア経済の中で以前よりもはるかに重要な比重を占める「政府関連企業（GLCs）」保有の株式に関しても、2009年にナジブ政権がいったんは公表したものの、その後は一切公表されていない。

民族間経済格差を是正し、そのことを通じて多民族からなる「マレーシア国民の統合を図る」という政治目標を掲げる以上、政府統計の根拠を公表する必要があり、その正当性を示す必要がある。さもなければ、この30％目標自体は、それを掲げるマレー系政党がマレー人社会からの支持を集めるための道具にしかならない。

10

国王は何をするのか？

★変化する国王の役割り★

輪番・5年任期・信任投票

マレーシアの人々の会話にしばしば出てくるアゴン。正式にはヤンディ・プルトゥアン・アゴン（Yang Di-Pertuan Agong）という。1957年のマラヤ連邦成立時に新設された立憲君主としての国王である。制度上の大きな特徴は「輪番制」、「5年任期」、「信任投票による選出」、「副国王」という4点である。他国の国王制度に見られる世襲、終身、皇太子を基本とする制度とは大きく異なる。

輪番制度とは9州の統治者（称号としてはSultan）が国王ならびに副国王（国王がその職務を遂行できない場合に代理を務める）に5年を任期として、順番に就任する仕組みである。具体的には1957年時点で統治者としての在位の長さに基づいて「就任予定リスト」が作成された（参照 次頁表）。しかし、この予定リストの第1位と第2位に列せられたジョホール州とパハン州の統治者は初代国王就任をそれぞれ「辞退する」旨を事前に統治者会議（Conference of Rules）の事務を担う国璽尚書に申し出た。このため第3位に位置していたヌグリ・スンビランの統治者が初代国王に、スランゴール州の統治者が初代の副国王にそれぞ

表　輪番制

	就任予定リスト	実際の就任リスト		2巡目
		1巡目	在位期間	在位期間
1	ジョホール	ヌグリ・スンビラン	1957.8-1960.4	1994.4-1999.4
2	パハン	スランゴール	1960.4-1960.9	1999.4-2001.11
3	ヌグリ・スンビラン	プルリス	1960.9-1965.9	2001.12-2006.12
4	スランゴール	トレンガヌ	1965.9-1970.9	2006.12-2011.12
5	クダ	クダ	1970.9-1975.9	2011.12-2016.12
6	プリルス	クランタン	1975.9-1979.3	2016.12-2019.1
7	クランタン	パハン	1979.4-1984.4	2019.1-
8	トレンガヌ	ジョホール	1984.4-1989.4	予定
9	ペラ	ペラ	1989.4-1994.4	予定

（注）2巡目のトレンガヌとペラはあくまでも予定である。本人が就任を辞退、あるいは在位前に何らかの理由で退位すれば、2巡目のリストは変形することになる。

れ選出され就任した。ヌグリ・スンビランの統治者は図らずして、初代国王となり、彼の肖像は今日まですべての額面の紙幣の表側に描かれることになった（参照 写真）。国王と副国王の地位を統治者9家に一巡させるために、リストの運用に工夫が施された。まず国王就任の順番が回ったときに統治者本人が辞退した場合は、いずれ国王への就任を求めるために、予定リストの最後尾に回した（前述のジョホール、パハンは就任予定リストの10、11番に移動した）。次に国王に就任するまでに統治者が逝去した場合は、後継の皇太子が自州において統治者としての在位年数が短いことから、やはり就任予定リストの最後尾に回された。国王10代目からは2巡目に入っている。現行のリストは第1巡目の即位の順番に手を加えず運用されており、2023年現在、第16代国王はパハン州出身の統治者（2023年が最終年となる）である。

　この国王制度は連邦憲法の草案を起草したリード委員会が提案したものであるが、初代首相トゥンク・アブドゥル・ラーマンは輪番制国王の仕組みの創設について「9人すべてを国王にはできなかったし、1人を世襲の国王に任命もできなかった。解決策が〝大統領制のような〟輪番制であった」と後年に語っている。

3種類の紙幣に描かれた初代国王

制度上の特徴である信任投票制度について見ておこう。この信任投票は統治者会議の中で9人の統治者と国璽尚書と統治者会議の秘書官のみが出席を許される特別会議において実施される（平民出身の4人の州元首はこの統治者会議には出席できない）。事前に国王と副国王に就任の意思があることを表明した候補者について、「適当」か「適当ではない」と事前に印刷された無記名投票用紙にマークをつけて投票することになっている。信任投票が過半数に達した段階で投票用紙は焼却される。これらの一連のプロセスは5年に一度しか行われない選挙とはいえ、投票結果に関して、9人統治者間にわだかまりを持たせない配慮であろう。また任期制であることから、1人の統治者が国王として国政に影響を持ちえるのは任期の5年間のみであり、継続的に影響を持ち得ないことを意味する。

立憲君主とマレー人社会の長

国王は、連邦における立憲君主としての役割とマレー人社会の擁護者という2つの役割を担う。

まず国王は連邦憲法やそのほか連邦法に基づく諸任務を遂行する際に、内閣および内閣の一般的な権限のもとに行動する大臣の助言に従って行動することが求められる。この「内閣の助言」に関する規定はマハティール政権（第1期：1981年から2003年）が行った1994年の憲法改正によって、国王が「助言に従わなければならない」ことを改めて明言した条項が新設され、より強化された。

しかし、国王は連邦首相の任命権、国会解散の要請に対する同意の保留権などに関して、自由裁量権を持って行動することができる。2000年代、特に2018年の政権交代期にこの首相の任命権が注目を集めた。このほかに国王は国軍の最高司令官であり、また恩赦を与える権限、さらに国内全体に甚大な非常事態に際し、非常事態宣言を発令する権限も有する。

一方、国王は連邦レベルにおいては連邦憲法第153条における「マレー人などの特別な地位」の擁護者としての役割が与えられているほかに、統治者が存在しない4州でのイスラームの長としての役割を担う。立憲君主として連邦をまとめる存在であると同時に、マレー人社会の擁護者であるという2つの役割を担うことになっている。この二重性は国王は多民族から構成されるマレーシアの象徴でありながら、国会など多民族が集まる場においても、マレーの伝統的な衣装を身にまとい、腰にはマレー文化における権力の象徴「クリス＝短剣」を帯びた姿で参加することに象徴されている。

1957年の独立憲法制定後、国王およびそれを支える統治者を取り巻く環境は1969年「5月13日事件」（参照 第12章）によって大きく変化した。この事件を収拾するために布告された「非常事態宣言」が解除された1971年の国会において、連邦憲法第10条の改正などにより、国王・統治者の地位を含む4つの問題は「敏感問題」とされ、国会の場を含む公開の場で議論することが禁止された。このことにより統治者ならびにそれに基づく国王制度は主権者である国民の代表が集う国会ですら議論することができなくなった。

マハティール政権は1983、84年と1993、94年と、大きく2度にわたって連邦憲法改正を行い、国王の権限を再定義した。前述した「内閣の助言規定」に加え、国王の法案への裁可権を形式的な権限とし、また国王・統治者に与えていた免責特権についても縮小して今日に至っている。また1993年改正では統治者の地位の剥奪を主張しない限りは、統治者に関して「国会ならびに州議会での発言」は可能とされた。

2011年より使用されている国王宮（イスタナ・ヌガラ）

しかしマハティール政権以降、国王と連邦首相との関係に変化が見られている、その背景には、統一マレー人国民組織（UMNO）を中心とする政権与党の弱体化が主な理由として挙げられる。また統治者たちも独立後に生まれた、いわば新世代へと代替わりしたことも背景にあげられるだろう。

2018年におきた独立以降初めての政権交代、その後の政治的混乱、さらにはコロナウィルスの感染拡大の中で、国王が主体的な政治行動を取ったことが、国王制度に関する国民の議論を呼んでいる。まず国王に与えられた非常事態宣言発令権限に関し、ムヒディン・ヤシン首相（当時）が行った非常事態宣言布告要請をいったんは拒絶する一方で、下院議員に対して「政争をやめ、予算案を承認する」ことを求める声明を出した。これまでの国王にない主体的な政治への関与である。

次に国王の自由裁量権の1つとして連邦憲法で規定された「首相の任命権」に関して、やはり国王がこれまでにない行為を行い、議論を呼んだ。首相の任命に当たっては「下院議員の過半数の信任を得そうなものを任命する」と規定されている。国民戦線（BN）時代はBN所属議員が下院議員の3分の2以上という圧倒的な勢力を占めていたため「信任を得そうなもの」は時のBN総裁（＝UMNO総裁）であることは明白であった。したがって、国王が過半数の議員を見極める過程は実質的に不要となっていた。実際に総選挙後、BN総裁が国王に謁見し、首相候補を慣例的に推薦してきた。しかし、今回は与党間の政治勢力関係が流動化する中で「国会で過半数の信任を得る」下院議員を見極めることは難しく、結果、国王自ら全議員や政党代表から意向の聞き取りを対面で直接行った。「信任を得そうなもの」を見極めるために必要な措置ではあったものの、全議員の意向を確認するというプロセスが目に見える形になるだけでなく、積極的な関与がゆえに大いに国内外の注目を集めた。

これまでのBNという圧倒的な与党体制の下にあった国王の役割は、与野党間の勢力関係の流動化という新しいマレーシアの政治状況の下で、新たな方向性が模索されることになる。

（鳥居　高）

〈参考文献〉

左右田直規「マレーシアの君主制と政党政治――首相と州首相の任命に関する一考察（1）（2）」（『東京外大　東南アジア学』27号、2022年）。
富沢寿勇『王権儀礼と国家――現代マレー社会における政治文化の範型』（東京大学出版会、2003年）。
鳥居　高「マハティールによる国王・スルタン制度の再編成」（『アジア経済』39巻5号、1998年5月）。
Tun Mohamed Suffianb. Hashim, *An Introduction to the Constitution of Malaysia*, 2nd Ed. Kuala Lumpur Government Printer

11

クアラルンプール

★華人の街からマレー人の街へ★

「泥の河口」

首都クアラルンプールは1国の首都として小規模であり、その面積は63㎢余り。これは東京23区の約4割弱の面積（２４３㎢）にしか過ぎない。日常生活の中では、人々からKuala Lumpurの頭文字をそれぞれとって「ケーエル（ＫＬ）」と呼ばれる。Kualaは「河口」を、Lumpur「泥の」をそれぞれ意味し「泥の河口」という意味になる。隣国タイの首都バンコクの正式名が「天人の都、偉大なる都……」で始まる壮麗な名前とは大きな違いである。しかし「泥の河口」という名称にこそ、この都市の成立過程が見えてくる。

ＫＬの歴史を実感するためには訪れるべき場所が2か所ある。まずは市内を南北に流れるクラン川とゴンバック川の合流地点に立つマスジッド・ジャメ（Masjid Jame）である。現在はこの場所に地下鉄の駅が建設されたために、かつてのように、このモスクが2本の川の合流地点に立つ姿を確認しにくくなった。今、その姿を見るためには駅の上層階に上がるか（参照 写真）、あるいは少し北へ移動するとその合流の様子が見え、古の姿を思い浮かべることができる。

マスジット・ジャメ（モスク手前〔写真下〕が地下鉄のマスドット・ジャメ駅の屋根）

19世紀の半ば（1857年）にこの合流地点から上陸したマレー人王族が複数の中国人を率いて内陸部に分け入り、アンパン地区に錫鉱床を発見した。この発見から内陸部へと開発が本格化することになる。当初は伝統的な方法で錫鉱石を含む土砂を水洗いによって鉱石をより分けたものの、のちにイギリスが浚渫船や近代的な設備を持ち込み、本格的な開発が始まった。以後、錫鉱山開発がこの街を発展させていくことになる。その結果、もともと河口の港（クラン港）を中心とした街が川に沿って内陸部へとその中心が移っていった。これらのことから地図を眺めると、最初の上陸地マスジット・ジャメとその東南のほど近い場所に、イギリス植民地支配の象徴である旧植民地政庁、スランゴール・クラブなどがあり、これらの「近接さ」という位置関係から歴史が見えてくる。

錫鉱山開発と労働力の流入

KLの歴史を語る中で、もう1か所訪ねるべきところがある。それがチャイナタウンの一角、セントラル・マーケットからやや離れたところにひっそりとたたずむ仙師四師寺院（Sin Sze Si Ya Temple）である。中国人社会の指導者であった甲比丹（Captain China）の第3代目ヤップ・アーロイ（葉亜来）によって１８６４年に創建された。

錫鉱山の開発はマレー人王族から資金力がある中国人商人が担い、彼らの下で鉱山開発に従事する中国人労働力流入が起こった。また鉱山開発をめぐっては、いわば2重の抗争が展開された。まず土地はスルタンに帰属するものであったために、土地の所有権を有するマレー人の王族間での争いである。これに加えて、鉱山開発を実質的に担った中国人の秘密結社間の争いである。彼らはマレー人王族から採掘権を入手し、錫鉱山開発の実質を担った。スランゴールでは、マレー人王族間、中国人秘密結社間の2層で争いが起き、１８６６年から１８７３年にかけてスランゴール内乱が勃発した。これがイギリスによる植民地支配の契機となった。

ヤップ（葉）一族を祀った中国寺院

１８７４年にイギリスはまずペラ王国とのパンコール条約を締結し、マレー半島の植民地支配に着手した。同じ年にスランゴール王国も植民地となり、イギリスは駐在官を設け支配を進め、スルタンにはイスラームとマレー人の慣習法に関する権限のみを残し、そのほかの行政的な権限を掌握し、領域的支配を進めた。しかし、当初は中国語を理解するイギリス人官僚もいなかったこともあり、ＫＬに関してはヤップ・アーロイにその支配を任せていた。彼は主に同郷を基本的な紐帯とする秘密結社を通じて、中国人労働者を調達し、錫鉱山開発を進めたほか、本格的とは言えないものの道路の整備など進めた。さらに19世紀後半以降の錫需要の世界的な高まりがマレー半島における錫開発に拍車をかけていく。その結果1891年の段階でKLの総人口1万9000人あまりのうち、中国人が73%と圧倒的多数を占める街となった。それに対しマレー人、インド人はそれぞれわずか12%を占めるに過ぎなかった。この街は「華僑による錫鉱山の街」として発展を始めることになった。

この街の大きな転機は1880年にスランゴール州の州都となり、1882年にスウェッテンハムが駐在官に着任したことに始まる。ほどなくしてヤップ・アーロイはなくなり、イギリスは資源輸出に必要な鉄道の敷設と整備を本格化させ、錫鉱山開発はイギリスの資本と技術が投入され飛躍的に拡大していった。

マレー人の街へ

独立時にマラヤ連邦の首都と定められたKLは、1974年にスランゴール州から切り離され、連邦領（FT、マレー語表記ではWP）となった。さらに1995年には、国会のほか、外務省など対外関係を扱う省庁以外の連邦行政機関がKLの南方25㎞に位置する行政首都プトラジャヤに移転が始まり、KLはいわば経済首都となり今日に至っている。

1970年代以降、今日に至るまでのKLの大きな変化は「華人の街からマレー人の街へ」あるいは「錫鉱山からショッピングセンターの街へ」と表現できるだろう。この変化はいうまでもなく、1971年に始まった新経済政策（NEP）と1970年代に本格化した工業化の影響が大きい。しかし、これまでの過程は単純ではない。1970年代マレーシア政府はマレー人に関して「空間的移動を伴わない、産業間移動」を重視していた。つまり、マレー人が農村に居住したまま、商業・工業

表　KLにおける民族別人口比率の推移　（単位：%）

	1980年	1991年	2000年	2010年	2020年
ブミプトラ	33.2	40.3	43.1	46.0	47.7
華人	51.9	46.2	43.5	43.2	41.8
インド人	13.9	12.1	11.4	10.3	10.0
そのほか	1.0	1.3	1.4	0.6	0.7
マレーシア国籍保有者（人）	919,610	1,094,989	1,234,022	1,440,158	1,773,666

出所：マレーシア政府人口統計より作成

などの近代的な産業セクターに移動させることを試みた。代表的なものは、農産品加工型工業の奨励や地方への工場の誘致促進政策である。この結果、多くの途上国に見られた「首都圏一極集中」が進まず、分散型開発モデルとして国際機関からも高く評価された。

しかし、１９８５年のプラザ合意以降の時期に集中的かつ大量の外資が進出したことにより、ＫＬならびにスランゴールへの人口集中が進んだ。政府はそれまでの地域均衡型発展方針を転換して、マレー半島の西海岸を「製造業の回廊」と位置づけ、これら地域への製造業の集中を進めた。これらの結果、ＫＬにおけるマレー人人口に大きな変化が見られた。１９７０年時点では、ＫＬ総人口のうち華人人口（58%）がマレー人（24%）の2倍以上を占めたのに対し、表に示した通り２０００年には拮抗し、２０１０年以降は、マレー人がＫＬ住民の多数派となった。華人の出生率の低下という要因もあるが、ＮＥＰなどに伴うマレー人の都市部への進出状況を見て取れる。

（鳥居　高）

〈参考文献〉

鳥居　高「第8章　都市化と政治変動」（生田真人編集『アジアの大都市3巻　クアラルンプル／シンガポール』所収、日本評論社、２０００年）。
堀井健三「クアラルンプル：多人種都市の史的形成と展開」（大阪市立大学経済研究所編『世界の大都市』6巻所収、東京大学出版会、１９８９年）。
Gullick, J.M. *Kuala Lumpur, 1880-1895 : a city in the making*. Selangor, Pelanduk Publication 1989.

12

首都における「血の記憶」

★5月13日事件★

独立から12年目の1969年に首都クアラルンプールで起きた民族暴動は、マレーシア現代史の決定的な分水嶺となった。発生日から「5月13日（May 13）事件」と呼ばれるこの暴動は、多民族国家の主たる構成民族であるマレー人と華人との対立を背景に、死者196人、負傷者439人（政府発表）を出す同国史上最大の流血事件となった。この事件を契機に、従来の国民統合や経済開発の前提と方法が変わり、政治体制や政党システムにも変化が及んだのである。

このような歴史的重要性にもかかわらず、民族間の緊張や社会不安の高まりを警戒して、その実態や原因の調査、研究、議論が厳しく規制されてきたため、同事件には未解明の部分が多い。こういった中で当時の政府による解釈と評価が事件の公式の説明となり、その公定解釈は新たな政治的意味を含みながら後の政治体制や政策を導き出す根拠となっていった。

連盟党の総選挙敗北

まず、この事件の背景に触れておこう。多様な民族を国民国家として統合するにあたり、主要民族のエリート層を中心に構成された与党連合「連盟党」内では、独立過程において民族間の利害調整に一定の合意が形成された。他方、独立後に政治参加を進めた中下層などは次第にその合意内容や現状に不満を募らせていった。総じてマレー人は劣位にあった経済面での地位向上を求め、華人は華語の公用語化や華語学校の維持、さらに憲法が定めたマレー人の特別な地位に関する規定の廃止を訴えた。1960年代には各民族の野党勢力がこれら民族ごとの主張を反映して政府・与党批判の論陣を張り、特にシンガポール発祥の人民行動党（PAP）とその継承党である民主行動党（DAP）、グラカン、マラヤ労働党などの華人系野党は連盟党と真っ向から対峙した。

このような中、69年5月10日の総選挙では、華人系野党が連邦議会で大きく躍進し、州議会選挙でもペナン州で州政権を奪取、ペラ州とスランゴール州でも野党間の提携しだいでは州政権を取る可能性が生じた。首都では野党支持者が勝利を祝って気勢を上げ、一方、この動きに危機感を持ったマレー系与党の統一マレー人国民組織（UMNO）は大規模なデモや集会の準備を進めた。こうして民族間の緊張がエスカレートし、ついに総選挙の3日後、同国を揺るがす暴動が起きたのである。

事件の経緯と原因

次に、暴動の展開と原因論を2つの側面――政府による公定解釈と非政府系資料に基づく解釈――から見ていこう。

暴動発生後の非常事態令下で統治機能を担った国家運営評議会（NOC：連盟党と軍・警察の幹部が主体）は、5か月後に暴動に関する政府見解として白書「5月13日の悲劇」を発表した。この白書は事件の背景について、民族間の経済格差を構造的問題として挙げたほか、中国の文化大革命の影響を受けたマラヤ共産党が華人社会に浸透して民族感情を煽ったとみなし、国内外の毛沢東主義者、民族主義を唱える華人系野党、伝統的暴力組織である華人の秘密結社の3つの華人勢力を元凶と位置づけた。

暴動の直接的要因としては、華人系野党による毛沢東主義の主張や扇動的なデモ行進を挙げ、それらの中で「マレー人に死を」、「マレー人はジャングルへ帰れ」といった過激な言葉が叫ばれていたと批判した。一方、UMNO支持者のデモ行進に集まったマレー人は、華人の挑発的な言動に不安や恐怖を抱き、それらに対抗するために短剣や太刀で武装した者もいたとされる。彼らは華人との偶発的な小競り合いを契機に暴徒化して華人居住区になだれ込み、反撃に出た華人秘密結社のメンバーらとの間で大規模な衝突が起こったと説明された。暴動の鎮圧にあたった警察については、初動の遅れはあったものの、のちに出動した軍の精鋭部隊とともに適切に秩序回復に努めたと評価し、暴徒への発砲は武装した華人に対抗するためにはやむを得なかったとしている。

このように暴動の要因を主に華人側の挑発的行為とする公定解釈に対して、別の論拠から異なる原因や推移を唱える説明や解釈がある。現地に駐在していた欧米系・香港系報道機関のジャーナリスト、外交官、研究者などの主に外国人が、自らの経験や取材に基づいて暴動前後の状況を記録・分析した文献や資料である。これらの多くは、華人に対するマレー人の攻撃的な示威行動の計画や過度な動員、およびマレー人主体の治安部隊による民族偏向的な鎮圧活動を暴動勃発とその拡大の主要因に挙げ、むしろ華人を犠牲者とみなす傾向が強かった。

非政府系資料が共通して注目するのは、犠牲者の中で華人の比率が極めて高い点である（政府発表の死者数の73・0%、負傷者数の61・6%が華人）。このような民族的偏向の理由としては、初期の衝突時の暴徒に武装したマレー人が多かったこと、治安部隊の中でマレー人が圧倒的多数を占める軍兵士がもっぱら華人に向けて発砲したことが指摘された。全体の死者数についても、政府発表の3倍～5倍との推計が多い。また、暴動直後の数日間に、華人居住区を中心にマレー人暴徒やそれに加担した一部軍兵士による掠奪・放火および華人に対する差別的対応が多発していたとの報告も数多く存在する。

大規模な殺戮はほぼ1日で収束に向かい、首都以外へと広く波及することは抑えられたが、この事件がその後の国家運営に与えた影響は多大であった。同国の議会制民主主義はその後1年9か月にわたって停止され、暴動の責任を問われて退陣したラーマン首相を引き継いだラザク新首相を中心に、民族対立の再発防止を最優先課題とする改革が進められた。その中心は、①民族間の対立感情を煽る言動を抑止する目的で、各民族の憲法上の権利に関わる問題（「敏感問題」）を議論することを禁じた憲法改正、②民族間の経済格差是正のためにマレー人の経済・社会的地位向上を目指す新経済政策（NEP）、通称「ブミプトラ政策」の策定とその積極的な推進であった。いずれも政府白書が事件の要因として提示した点への対応であった。さらに、民族対立の制御に失敗した連盟党は、野党を広範に取り込んだ新たな与党連合「国民戦線」へと大きく再編された。

暴動の鎮圧に向かう治安部隊（写真提供：AP/アフロ）

一方、暴動の被害が大きかった華人社会では、前述の非政府系資料に沿った暴動の解釈と認識が広く浸透し、後世に語り継がれていった。民族暴動自体への恐れと国家の強制力（軍・警察）をマレー人が掌握しているという事実認識は、後の華人の政治的態度に少なからぬ影響を与えたといえる。

このように事件の捉え方には民族間で差異が生じ、さらに71年の憲法改正で事件の実態解明が凍結されたことによって、その溝を埋める機会も閉ざされた。現在でも政府は事件に関する情報開示を行っておらず、歴史教育の中でも、「5月13日の民族暴動」は事件としては示されているが、「NEPによる民族格差是正策の契機となった」といった表記以上の説明はない。一方、海外や民間レベルでは開示された外交資料や事件当時の状況の聞き取りなどに基づく検討や情報公開が徐々に進められている。2007年に国内では初めて事件の実態解明を目的に出版された『5月13日——機密解除された文書による1969年暴動』（英文）もそのひとつである。また、政治の世界では、さまざまな思惑を背景にひとつの強力な政治的レトリックとして「May 13」は現在に至るまで幾度となく使われてきた。

5月13日の「血の記憶」は、民族融和の必要性を示す「教訓」として、また民族対立を抑止する「歯止め」として、未解明の部分を残しながらマレーシアの現代史に刻まれているのである。（金子芳樹）

〈参考文献〉

金子芳樹『マレーシアの政治とエスニシティ——華人政治と国民統合』（晃洋書房、2001年）。（第6章で「5月13日事件」について詳述）

Kua Kia Soong, *May 13: Declassified Documents on the Malaysian Riots of 1969*, Suaram Komunikasi, 2007.（本文で『5月13日——機密解除された文書による1969年暴動』として紹介）

II

人々の生業と生活

13

マレーシアには誰が住んでいるのか？

★多民族・多国籍社会の横顔★

マレーシア政府観光局のポスター
「マレーシア、まさにアジア」

異なる民族衣装を着て微笑む5人の女性、そして「マレーシア、まさにアジア」というキャッチフレーズ。マレーシア政府観光局のポスターである。ここには、文化的多様性に恵まれた「アジアの縮図」であることを、マレーシア観光の最大の魅力として発信しようとするねらいが映し出されている。中央にマレー人、両脇に華人とインド人、両端にサラワク州とサバ州のそれぞれを代表する先住民族の女性が配置されている構図に、マレーシアの諸民族・地域の代表性と民族・地域間関係のバランスを見てとることもできる。マレーシアの住民の多様性は、民族、地域、言語、宗教、文化、性別、階層、さらに国籍など様々な側面で現れる。この章では、特に多民族性と多国籍性という観点からマレーシア社会の輪郭を描いてみたい。

表1　マレーシアの人口（1991-2020年）

（単位：人、カッコ内は%）

年	マレーシア国民	外国人	総人口
1991	16,812,307 (95.7)	751,113 (4.3)	17,563,420
2000	20,971,538 (94.5)	1,226,738 (5.5)	22,198,276
2010	25,230,574 (91.8)	2,254,022 (8.2)	27,484,596
2020	29,756,315 (91.7)	2,691,070 (8.3)	32,447,385

出典：Department of Statistics Malaysia, *Key Findings: Population and Housng Census of Malaysia 2020*: *Urban and Rural*, 2022, p. 267より筆者作成

多民族社会マレーシアの現在

多民族社会として知られるマレーシアでは、日常生活でしばしば民族を基準に人びとが識別されるだけでなく、憲法や法律の上でも民族による区別がなされることがある。マレー人およびその他の先住諸民族からなる「ブミプトラ」（「土地の子」の意）が一定の優遇を受ける一方、華人やインド人などの「非ブミプトラ」にも相応の権利が認められている。

２０２０年のセンサス（国勢調査）によれば、マレーシアの人口は３２４５万人に達している。そのうち91・7%がマレーシア国民、８・３%が外国人である（参照 表1）。マレーシア国民の民族構成比は、ブミプトラ69・４%（うちマレー人57・2%、その他のブミプトラ12・2%）、華人23・2%、インド人6・7%、その他0・7%となっている（参照 表2）。マレー人以外のブミプトラには、主に、サラワク州やサバ州の先住諸民族や、半島部のオラン・アスリと総称される先住民が含まれる。全国民の４分の１弱を占める華人は、多くが福建系、客家系、広東系など、華南出身者の末裔である。全国民の７%弱のインド人は、タミル系を中心とする南インド出身

者の子孫が多い。

ボルネオのサラワク州とサバ州では、半島部とは異なる民族構成が見られる。2020年のセンサスによれば、両州の国民の民族構成比は、サラワク州でブミプトラ75・7%、華人23・8%、インド人0・2%、その他0・3%、サバ州ではブミプトラ88・7%、華人9・5%、インド人0・2%、その他1・5%である。ブミプトラの大半をマレー人が占める半島部とは異なり、多様な民族がブミプトラを構成している。ブミプトラのうち最大の人口を持つ民族はサラワク州ではイバン人、サバ州ではカダザン/ドゥスン人であり、いずれの州でもマレー人は最大の集団ではない。各州の住民のより詳細な構成については、後続の章を参照されたい。

変わりゆく多民族性

多民族性が卓越するマレーシアだが、それぞれの民族は一枚岩でも固定的でもない。多様な出自や重層的な帰属意識を持つ人びとがひとつの民族として分類されており、民族範疇も時代によって変化してきた。また、「プラナカン」と呼ばれる集団のように、移民の子孫が通婚や文化的な適応を通じて現地化し、異種混淆的なアイデンティティを形成することもある。民族は歴史的に生成され、その境界や範疇も変わるのである。

植民地化以前においても、東南アジア海域世界の港市国家群は多様な外来者を受け入れてきた。1510年代にムラカ(マラッカ)に滞在したトメ・ピレスは、ムラカ港では84もの言語が話されているという話を書き記している(参照 第4章、コラム1)。そうした海域世界の多様性という土壌の上に、

第13章

マレーシアには誰が住んでいるのか？

植民地開発のために中国、インド、蘭領東インドなどから大量の労働移民を受け入れて今日の多民族社会の原型を作ったのは、イギリスによる植民地統治だった。

「マレー人」「華人」「インド人」の三大民族からなるというマレーシアのイメージは、半島部（マラヤ）の民族分類によるところが大きい。英領時代にセンサスなどを通じて三大民族分類が形成され、植民地政府が導入した民族単位の統治と代表の制度や、民族別に組織された自発的結社などを通じて、徐々に実体化されていった。マラヤ連邦独立の直前に実施された1957年のセンサスによれば、当時のマラヤ連邦の人口は628万人であり、その民族構成比は、マレー人49・8％、華人37・2％、インド人11・3％、その他1・8％だった。マレー人が最大集団とはいえ約半数にとどまり、華人人口が3分の1を超えていたことが分かる。

1963年にマラヤ連邦、シンガポール、サラワク、サバが合併してマレーシアが誕生した（1965年にシンガポールが分離独立）。その際にも民族構成のバランスが重要な論点のひとつとなった。当初、イギリスはマラヤ連邦とシンガポールのみを合併させる案を持っていた。しかし、この案だと華人人口がマレー人人口をやや上回ることなどから、マラヤ連邦のマレー人指導者たちは難色を示した。彼らマレー人指導者たちは、民族構成の点からも、サラワクとサバ（北ボルネオ）の新連邦への参加を必要としていた。両地域でマレー人は最大集団ではなかったが、マレー人以外の先住諸民族も広義のマレー系諸民族だとみなせば、マレー系住民の数的優位が確保できると考えたからである。マレーシア形成以降、マレー人とその他の先住諸民族は、「ブミプトラ」という総称でくくられるようになる。

1970年のセンサスによれば、当時のマレーシアの人口は現在の3分の1程度の1044万人であ

表2　マレーシア国民の民族別人口構成（1991-2020年）（単位：人、カッコ内は%）

年	ブミプトラ			華人	インド人	その他	合計
	マレー人	その他のブミプトラ	合計				
1991	8,521,906 (50.7)	1,777,997 (10.6)	10,299,903 (61.3)	4,623,882 (27.5)	1,302,580 (7.7)	585,942 (3.5)	16,812,307
2000	11,322,282 (54.0)	2,442,864 (11.6)	13,765,146 (65.6)	5,365,847 (25.6)	1,711,459 (8.2)	129,086 (0.6)	20,971,538
2010	13,760,455 (54.5)	3,239,718 (12.8)	17,000,173 (67.4)	6,193,381 (24.5)	1,853,098 (7.3)	183,922 (0.7)	25,230,574
2020	17,033,190 (57.2)	3,616,343 (12.2)	20,649,533 (69.4)	6,892,367 (23.2)	1,998,778 (6.7)	215,637 (0.7)	29,756,315

出典：Department of Statistics Malaysia, *Key Findings of Population and Housing Census of Malaysia 2020: Urban and Rural*, 2022, p. 267 より筆者作成

り、その民族構成比は、ブミプトラ55・4％、華人34・1％、インド人9・0％、その他1・5％だった。

民族構成比の推移を見ると、ブミプトラの比率が高まっていることに気づく。センサスによれば、マレーシア国民に占めるブミプトラの比率は61・3％（1991年）、65・6％（2000年）、67・4％（2010年）、69・4％（2020年）と年々上昇している（参照 表2）。反面、非ブミプトラの比率は縮小している。華人の比率は27・5％（1991年）、25・6％（2000年）、24・5％（2010年）、23・2％（2020年）と下降し続けている。インド人の比率も7・7％（1991年）、8・2％（2000年）、7・3％（2010年）、6・7％（2020年）と縮小傾向にある。こうした民族構成比の変化をもたらす最大の要因といえるのは、民族間の出生率の相違である。マレーシアでは少子化が進みつつあり、2021年の全住民の合計特殊出生率が1・7に低下しているが、民族別に見ると、マレー人が2・2、マレー人以外のブミプトラが1・7であるのに対して、インド人は1・1、華人に至っては0・8と非常に低くなっており、民族間で大きな開きがある。

多国籍社会マレーシア

民族構成に焦点を当てた以上の説明は、主にマレーシア国民を念頭に置いたものだが、多様な外国人住民を抜きにして今日のマレーシア社会を語ることはできない。つまり、現在のマレーシアは多民族社会であると同時に多国籍社会でもある。外国人は社会の各層に見出されるが、とりわけ、マレーシア経済を底辺で支えている低賃金の非熟練労働者の多くが外国人である。町へ出れば、レストランや建設現場などで外国人労働者を恒常的に見かける。中間層以上の家庭でしばしば目にする家事労働者もそのほとんどが外国人である。

センサスに基づくと、人口のうち外国人が占める比率は1991年に4・4%、2000年に5・9%、2010年に8・2%、2020年に8・3%と上昇している。特にサバ州は外国人比率が高く、2020年の人口の23・7%を外国人が占める。センサスで捕捉されない外国人住民の存在を考慮に入れると、外国人の実際の比率はより高い可能性がある。2010年のセンサスによれば、外国人住民の国籍は、インドネシアが47・7%と半数近くを占め、以下、フィリピン（15・4%）、バングラデシュ（5・4%）、ミャンマー（3・5%）、ネパール（3・1%）、インド（2・7%）、中国（2・3%）、タイ（2・1%）と続く。2000年以降の増加が特に著しいのは、ミャンマー、ネパールならびに中国を出身国とする外国人住民である。

多様な人びとの共存はしばしば緊張や葛藤を伴う。マレーシアでも、民族間・宗教間の緊張が高まったり、州の自治権の要求が強まったりするなど、社会的亀裂が顕在化することがある。とはいえ、マレーシアの人びとは、これまで、そうした様々な問題が決定的な対立や暴力的な紛争に至らないように注意深く折り合いをつけ、多様性が自らの魅力や活力の源となるような社会を築くことにそれなりの成功を収めてきたように見える。そうしたマレーシアの経験から我々が学べることは多いだろう。

（左右田直規）

〈参考文献〉

加藤　剛「民族と言語」綾部恒雄・石井米雄編『もっと知りたいマレーシア（第2版）』（弘文堂、１９９４年）。
鳥居　高「マレーシア――崩れ行く民族構成と増える外国籍人口」末廣昭・大泉啓一郎編『東アジアの社会大変動――人口センサスが語る世界』（名古屋大学出版会、２０１７年）。
Department of Statistics Malaysia, *Population and Housing Census of Malaysia 2010: Population Distribution and Basic Demographic Characteristics*, Putrajaya: Department of Statistics Malaysia, 2011.（他２０１０年センサス各種報告書）
Department of Statistics Malaysia, *Key Findings: Population and Housing Census of Malaysia 2020*, Putrajaya: Department of Statistics Malaysia, 2022.（他２０２０年センサス各種報告書）
Department of Statistics Malaysia, *Vital Statistics Malaysia 2022*, Putrajaya: Department of Statistics Malaysia, 2022.

コラム3

あいまいさを持つ「ブミプトラ」

鳥居　高

マレーシアを理解する上で避けて通ることができないのがブミプトラ（Bumiputera）という言葉である。文字通りはブミ＝大地、プトラ＝子ども、すなわち「大地の子ども」を意味する。

この言葉は大きく2つの機能を持つ。第一は、この言葉によってマレーシア国民を2分化する機能である。「この地に住んでいた人々（とその子孫）」と後になって（主にイギリス植民地支配以降）「遅れてやってきた人々（とその子孫）」とを区別する。マレーシアで日常的に用いられるブミとノン・ブミという2分法である。第二はブミプトラにマレー人だけではなく、半島部やサバ、サラワクにおける先住民を含め、より広い概念として用いることによってブミプトラ＝マレー人という意味を薄くさせる機能である。

このように広義でブミプトラを用いると、「ブミプトラ政策」はマレー人のみを支援対象とする政策ではなく、貧困層が相対的に多い先住民も含めた政策をも意味することになる。つまり、マレー人は主要な政策対象であることに変わりがないが、対象の中の1つという意味合いを持つことになる。特に政府は1980年代以降になると『マレーシア計画書』などでこの用法を積極的に用いている。

そもそもブミプトラという言葉は1920年代に既に用いられている。しかしマレーシアで大きな意味を持つようになったのは1965年、68年に政府が開催した「ブミプトラ経済会議」以降であろう。両会議ではマレー人を中心としたブミプトラへのさまざまな政府支援策が提案・議論され、その決議の1つとして実現したのがブミプトラのための銀行「ブミプトラ銀行」

の創設（1966年）である。これらの会議以降、ブミプトラとマレー人は同じものを指しているかのようにして使われる。

マレー人に関する定義が連邦憲法に規定されているのに対し、ブミプトラというカテゴリーには今日に至るまで定義が存在しない。初代首相トゥンク・アブドゥル・ラーマンは、その民族融和的な姿勢を反映し、法的定義がないことを明言した上で「マラヤに生まれ、数世紀にわたって居住するものは皆ブミプトラである」とまで述べているとされる。

ところが、1970年代に新経済政策（NEP）が開始され、ブミプトラがその政策の対象となったことから、この名称の定義が民族間で重要な争点になってきた。NEPによる支援政策対象に誰が、あるいはどこまで「含まれるか、否か」という事柄に関わってくるからだ。しかもNEPが本格的に実施された1980年代初めにおいてさえも、国会でマハティール・モハマド副首相（当時）が「ブミプトラには今日まで法的定義はない」と答弁している。このために誰がブミプトラに含まれるか、というのは民族的にマージナル人々――たとえば、インド系ムスリムやポルトガル人の子孫など――にとっても重要な関心事となった。

今日、マレーシア政府は大きく3種類の文書でブミプトラを明示している。第一が10年ごとに行われる人口センサスでの分類である（参照巻頭資料2）。1970年、80年の2度の人口センサスでは半島部においてブミプトラという大区分を設けて公表していない。1991年の人口センサスになって、半島部の民族分類において、初めて「ブミプトラ」という分類を行い、その下位グループとして「マレー人」と「そのほかのブミプトラ」と区分した。

第二が、『マレーシア計画書』と呼ばれる五か年計画書である。１９８０年代以降マレー人に加え、そのほかの先住民（半島部・サバ・サラワクを含む）を「ブミプトラ」と分類し、関連統計などで示している。換言すれば第五次計画以降（1986～90年）、ＮＥＰの対象としてのブミプトラが拡大したことになる。

人口センサスの作成過程において、統計上の定義を明確にするという技術的な必要性によって定義が明確になった。その上で政府がブミプトラを支援対象と明確に位置付けたと言えよう。こうした政府の姿勢は、２０２２年末に初めてブミプトラに特化した統計 *Bumiputera Statistics* を公表したことにも表れた。彼らの人口動態、住宅や衛生状況などの生活水準のみならず、経済活動（就業部門、職種など）、さらには教育水準まで既存統計を活用し、ブミプトラとそうでないものの現況を明示した。

しかし第三の用法がもっとも重要である。それはＮＥＰなど一連の優遇政策への申請対象者に関わる規定である。ブミプトラの保有資産を向上させる方策の１つとして信託投資スキームが１９８０年代以降実施されている。たとえば国営信託投資（ＡＳＮ）である。これらの信託投資に申し込むに当たって、資格を有する「ブミプトラ」には、タイ系のムスリム、ポルトガル人の子孫、ブミプトラではないがムスリムに改宗したもの、インド系ムスリムなどを含めている。しかし、あくまでも運用規定である。

マレー人の定義のように連邦憲法などの法律で明示することなく、その時の社会状況などから拡大用法や運用規定で、あいまいなままブミプトラという用語を用いるところに、マレーシアの妙があるのかもしれない。

14

マレー人とは?

★その多様性と混淆性★

統一マレー人国民組織（ＵＭＮＯ）は、マレー人の権利と利益の擁護を目指して１９４６年に結成された。マラヤ連邦が内政自治を獲得した１９５５年から国政史上初の政権交代が起こった２０１８年に至るまで、ＵＭＮＯはマラヤ連邦とマレーシアの与党陣営の中核政党だった。マレーシアの歴代首相は、離党した者も含めると全員がＵＭＮＯの幹部だった経歴を持つ。

興味深いことに、マレー人政党を標榜するＵＭＮＯの歴代総裁は全員が外来の祖先をもつ。初代総裁オンの母はトルコ出身のチュルケス人であり、オンの息子で第４代総裁（第３代首相）であるフセインの祖母にあたる。第２代総裁（初代首相）のトゥンク・アブドゥル・ラーマンは、母がシャム（タイ）人である。第３代総裁（第２代首相）のアブドゥル・ラザクとその息子で第７代総裁（第６代首相）のナジブは、スラウェシ島のブギス人の先祖を持つことで知られる。第５代総裁（第４代・第７代首相）マハティールの父方の祖父は、インドのケーララ出身だとされる。第６代総裁（第５代首相）のアブドゥッラーは、父方にアラビア半島南部のハドラマウト出身のアラブ人、母方に中国・海南島出身のムスリムの祖先を有する。最後に、第８代総裁（第

11代・第14代副首相）のアフマド・ザヒドはジャワ人の両親を持つ。

連邦制の立憲君主国であるマレーシアは、13州のうち9州に存在するマレー人の統治者（王）たちが互選で国家元首たる国王（任期5年）を選ぶという独特な制度を持つ。この統治者の中にも外来の出自を持つ者がいる。例えば、スランゴール州の統治者はスラウェシ島のブギスの王家、ヌグリ・スンビラン州の統治者はスマトラ島のミナンカバウの王家の血筋を引き、プルリス州の統治者はハドラマウト出身のアラブ人の氏族の血統を持つとされる。

UMNO歴代総裁

マレー人の多様性と混淆性

UMNO歴代総裁や統治者たちの事例から垣間見えるのは、「マレー」――マレー語では「ムラユ」――という概念が、血統や文化の同質性や純粋性よりも多様性や混淆性を特徴としていることである。そのような出自の多様性や混淆性はエリート層に限られるものではなく、庶民にも当てはまる。外来者ないしその子孫が「マレー人化」し、その結果、しばしば、「ジャワ系マレー人」「アラブ系マレー人」のように重層的な帰属意識が形成される。インド系や中華系の先祖をもつマレー人も少なくない。また、マレー概念の多様性は、マレーシア国内の地域性によってももたらされる。例えば、「クランタン・マレー人」「ジョホール・マレー人」「サラワク・マレー人」のような州ごとのマレー人意識は、現在でも重要性を持っている。2020年のセンサス（国勢調査）によれば、マレー人は全国民の57・2％を占める多数派であるが、その内実はこのように複雑な様相を呈しているのである。

マレー概念は多義的で重層的である。マレーシアの連邦憲法第160条では、イスラームを信仰し、マレー語を習慣的に話し、マレーの慣習に従っているという3つの条件を満たし、なおかつ出生地や居住地などに関する付帯条件にも適う者が「マレー人」と定義されている。主要な3条件のうち言語や慣習に関する要件は曖昧であり、イスラームへの信仰がマレーシアでマレー人として公認されるための最も重要な条件だといえる。この憲法上の定義には血統や出自の要件がないため、多様な背景を持つムスリムが公的なマレー概念に包摂される余地がある。例えば、国内の先住諸民族出身のムスリムや、ジャワ人やブギス人などの島嶼部各地に出自を持つムスリムや、アラブ人やインド人などの島嶼部外に起源を持つムスリムも、「マレー人」に含まれうる。ただし、現実のマレー概念は、必ずしも憲法上の定義通りではない。例えば、マレー語を日常的に話さず、マレーの慣習にあまり従っていなくても「マレー人」として公認される者がいる。また、公式の民族分類と日常の民族認識がずれる場合もある。なお、学術的にはより広義のマレー概念も存在する。島嶼部東南アジアとその周辺地域に在住し、（マレー語を含む）オーストロネシア諸語を母語とする先住諸民族が、宗教や信仰の違いに関わらず、「マレー系」とみなされることがある。

なお、「土地の子」を意味する「ブミプトラ」は、マレー人とその他の先住諸民族を指す総称である。連邦憲法では、マレー人、サバ州とサラワク州のそれぞれの先住民、およびマレー半島部の先住民オラン・アスリについて個別に定義がなされているが、「ブミプトラ」一般についての定義はなされていない。とはいえ、マレー人、サバ州とサラワク州の先住民、および半島部のオラン・アスリは、マレーシアの「ブミプトラ」として公認されているといえる。その他、シャム人など、一部の少数民族が「ブミプトラ」として公認される場合もある。

多民族国家マレーシアでは、ブミプトラ、なかでもマレー人に公的な優位が与えられている。連邦憲法において、連邦宗教としてのイスラーム（第3条）、国家元首（国王）（第32条）、国語としてのマレー語（第152条）など、マレー・イスラーム的諸要素が統合の象徴とされていることに加え、マレー人およびサバ州とサラワク州の先住民が「特別な地位」を保証され、様々な優遇措置を受ける権利を持つ（第153条）。

マレー概念の歴史的展開

現在のマレーシアの領域におけるマレー（ムラユ）概念は、地域ごとに異なる歴史的展開を見せてきた。植民地化以前の半島部のマレー諸王国では、ムラユはもっぱら王族・貴族やその忠臣を指す概念だったといわれるが、イギリスの植民地支配が進むにつれて、民族としてのマレー概念が重要性を持つようになった。1910年代以降に半島部の各州で制定されたマレー人保留地法における「マレー人」の定義を相互に比較すると、一部の州ではアラブ人の子孫を「マレー人」に明示的に含めるなど州ごとに微妙な違いも見られるが、マレー語を日常的に話し、ムスリムの宗教（すなわちイスラーム）を信仰することを条件としている点では共通していた。第二次大戦後の1948年に締結されたマラヤ連邦協定では、ムスリムの宗教を信仰し、マレー語を習慣的に話し、マレーの慣習に従う者を「マレー人」と定義していた。このマレー語・イスラーム・マレーの慣習の三要素からなるマレー人の定義は、1957年のマラヤ連邦独立時に制定された連邦憲法においても継承された。マレー人の「特別な地位」も、1948年のマラヤ連邦協定で明記され、1957年の連邦憲法に受け継がれている。

ボルネオのサラワクとサバでは、マレー概念がそれぞれ独自に形成されてきた。サラワクでは、1841年以降の「白人王」ブルックによる植民地国家の建設に伴い、沿岸部に住むムスリムが出自にかかわらず「マレー人」として括られたが、ムスリム住民がマレー概念に完全に包摂されたわけではなく、マレー人以外にも、ムラナウ人やカダヤン人など、ムスリムを主体とする集団の民族範疇が複数存在してきた。1881年にイギリスが北ボルネオ会社に特許を与えて影響下に置いた北ボルネオ（サバ）の場合も、沿岸部にムスリムが多く居住していた。有力な民族のひとつにブルネイ人ないしブルネイ・マレー人と呼ばれる集団が存在したが、ムスリム住民を包括するマレー概念が支配的になることはなく、バジャウ人やスルック人など、ムスリムを主体とする諸集団が並存した。1963年のマレーシア形成の際に、サラワクとサバの主要なムスリム指導者たちは、半島部のマレー人指導者たちと連携することで自らの集団の地位の向上を図りつつも、半島のマレー人と一体化するのではなく、一定の自律性を保とうとした。なお、1971年の連邦憲法の改正に伴い、同憲法第153条も改正され、マレー人に加えてサバ州とサラワク州の先住民にも「特別な地位」が保証された。

マレー概念をめぐる議論

マレー概念は多様性や混淆性を内包する融通無碍さを持つが、その境界が明確ではないために、誰をマレー人とみなすかについて様々な論争が繰り広げられてきた。第二次世界大戦前の英領マラヤでは、アラブ系やインド系の出自を持つムスリム知識人がしばしばマレー人として権利を主張したが、これに対して、ムスリムであってもマレー・インドネシア諸島の外部に出自を持つ人びとはマレー人だと認められないと批判する論者も現れた。第二次大戦前から1960年代前半頃まで、マレー人左派勢力から、マラヤ、ボルネオ、インドネシアの政治統合を主張する「大マレー（ムラユ・ラヤ）」論が唱えられたこともあった。第二次大戦後には、多民族からなる左派の連合が独自の憲法草案を作成し、マラヤの国民の名称として「ムラユ」を提唱し、非ムスリム住民もムラユ概念に包摂することを提案したこともあった。しかし、左派勢力が提唱したこれらの構想が実現することはなかった。

「マレー人とは誰か？」にまつわる議論は近年でも見られる。冒頭に挙げたＵＭＮＯ歴代総裁も論争に加わっている。２０１7年7月、アフマド・ザヒド副首相（当時）が、野党陣営に転じたマハティール元首相のインド系の血統を揶揄する発言をし、論議を呼んだ。同年10月、今度はマハティールがナジブ首相（当時）を「ブギスの海賊」と呼び、批判を受けた。こうしたマレー人性をめぐる論争が時折生じる一方で、出自の外来性を問題視すべきではないという考えも根強い。外来の出自を持つ者も包摂することでマレー人は多数派を形成してきたのであり、出自の相違をことさらに強調することは内部に亀裂を生じかねないからだ。

このように、マレーシアにおける「マレー人」とは、時として議論を生みながらも、歴史的に生成し変容する多義的で重層的な民族概念である。それは、イスラームという共通性を基盤としながらも、出自や文化の多様性と混淆性を内包しうる懐の深い概念だといえよう。

（左右田直規）

〈参考文献〉

石川　登『境界の社会史――国家が所有を宣言するとき』（京都大学学術出版会、２００８年）。
加藤　剛「マレー人」（桃木至朗他編『新版　東南アジアを知る辞典』平凡社、２００８年）。
立本成文『地域研究の問題と方法――社会文化生態力学の試み（増補改訂版）』（京都大学学術出版会、１９９９年）。
Milner, Antony, *The Malays*, Chichester: Wiley-Blackwell, 2008.
Roff, William R., *The Origins of Malay Nationalism*, second edition, Kuala Lumpur: Oxford University Press, 1994.

華麗なる一族とオスマントルコ

鳥居　高

冒頭の4枚の写真を見てもらおう。上段、下段の左右ともに大変によく似ていることに気が付くであろう。ともに実の親子である。上段は左が第二代首相のアブドゥル・ラザク（在職1970～75年）、右が第六代首相ナジブ・ラザク（同2009～18年）である。下段は左が第三代首相フセイン・オン（同1976～81年）、右がその息子のヒシャムディン・フセイン（1995年以降現在まで下院議員。外相、国防相などを歴任）である。マレーシアのムスリムはアラブ風に姓を持たず、自分の名前の後に父親の名前が来るので新興のリーダーについては名前の後ろを確認すれば、その人物に関するさまざまな情報や背景が入手できる。

マレーシアは独立後、すでに半世紀以上経ている。この間にさまざまな政治指導者が出てきた。マハティール・モハマドやそのライバルであったトゥンク・ラザレイ・ハムザのように1960年代から近年に至るまでの50年間以上も下院議員を務めた例外的な存在もいるものの、多くの議員は3期から4期（任期は1期5年）で入れ替わっていく。その意味で現在は第六世

図

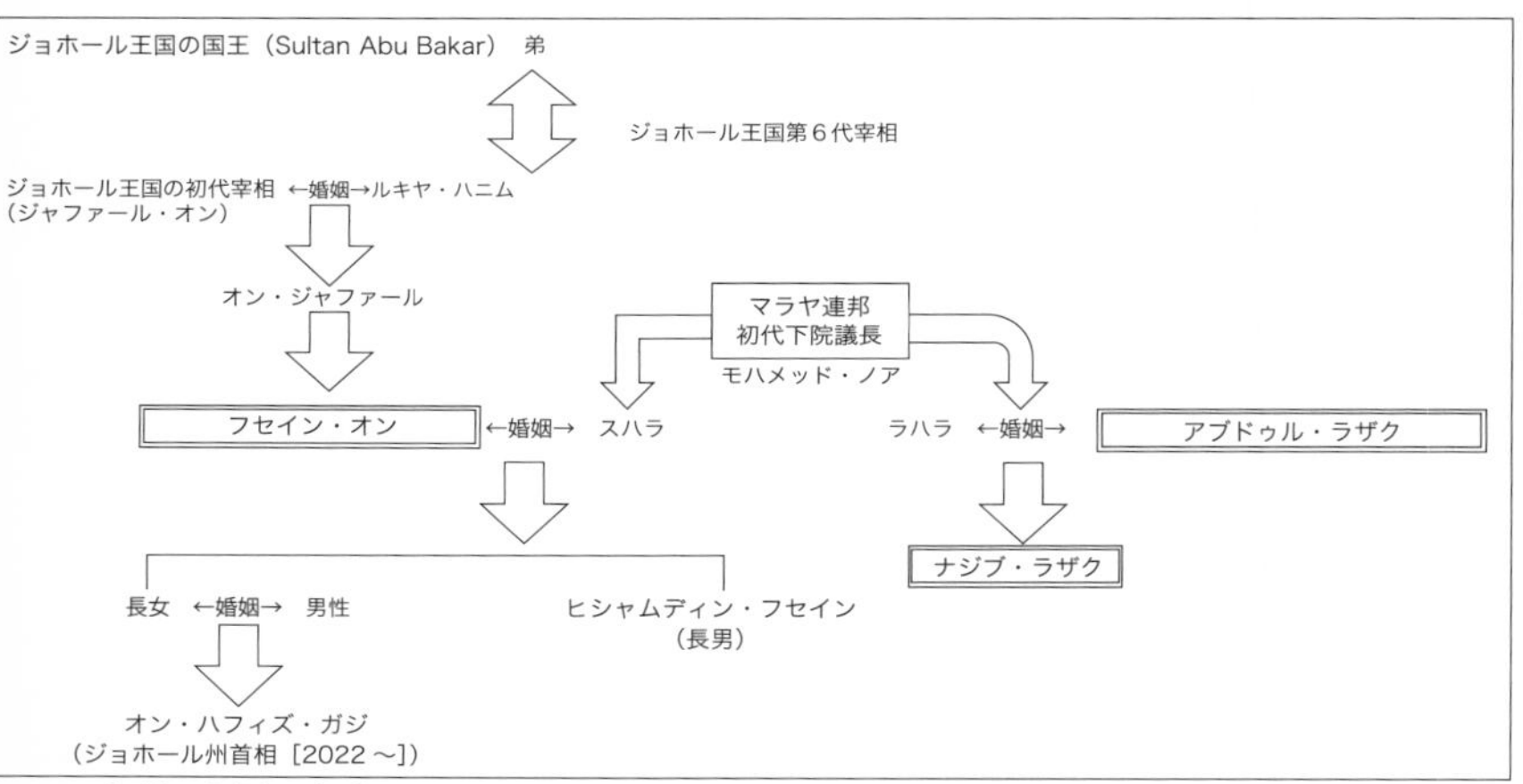

出所：鳥居　高「マハティールによる国王・スルタン制度の再編成」（『アジア経済』Vol.39 No.5）p.22 の図を基に修正

代、あるいは「NEP世代」とでも表現できよう。この世代のマレー人に関していえば、出生した時点ですでに、マレー人優遇を基調とする新経済政策（NEP）が実施されており、その恩恵に多かれ、少なかれ浴したものとなる。したがって、マレー人ではない民族の中には、その逆の立場に置かれた人々がいる世代である。

マレーシアおいてに長らく与党の中心的な座にあった統一マレー人国民組織（UMNO）にも2世議員、世襲議員が目立ち始めた。冒頭で触れた2人のみならず、マハティールもその子息が政界に身を投じているほか、1960年代、70年代にUMNOの党指導部に名を連ねた政治家の子弟を今日の議員名簿に見ることができる。またアンワル・イブラヒム首相の父もまた2期下院議員をつとめた。

ラザク、フセインの一族をもう少し詳しく見てみよう（参照 図）。そもそもフセイン・オン

華麗なる一族とオスマントルコ

の父親はUMNOの創設を主導し、初代総裁に就任したオン・ジャファールである（第14章写真の一番右端の人物）。また、ラザク、フセインの妻の父親はマラヤ連邦の初代下院議長などを務めた。したがってラザクとフセインは義兄弟の関係になる。この一族がマラヤ連邦、マレーシアの現代史に大きな足跡を残したことになる。

もう1人忘れてはいけない人物がいる。マレーシアの近現代史においても、さまざまな女性が活躍した。その中でも異彩を放つのがルキヤ・ハニム（Rukiye Hanim：文献により異なり、英語文献では主にルガヤ（Rugayyah）とつづられる）。彼女は19世紀末にオスマントルコ王朝からジョホール王国に送られ、その3度に及ぶ結婚で政治家（なかでもUMNO指導者）、学者など、のちにマレーシアを牽引する人物をこの世に送り出すことになった。

第一回目は、図にあるジョホール国王（Sultan Abu Bakar）の弟との結婚。その子どもはのちにジョホール王国の第五代宰相（Mentri Besar）の座に就いた。

第二回目の結婚はイエメン出身の商人とである。その孫がのちにマラヤ大学副学長として、学界のみならずマレーシア社会に大きな影響を与えた。

そして、第三回目の結婚がジョホール王国の初代の宰相との結婚である。ラザク、フセインの祖父に当たるこの人物ジャファール・オンは平民の出身ながらスルタン・アブバカールの信任が厚く、両者は対岸のシンガポールにおいてイギリスの植民地化が本格化するという難しい状況を目の前にし、その脅威を感じながらジョホール王国の近代化——官僚制度や行政機構の整備——を進めた。この婚姻が、今日のUMNO指導者の家系へとつながった。しかし、ナジブは2022年に収賄などで有罪が確定し、ヒシャムディンは党を離れるなど、近年ではこの一族の終焉のようにも見える。

（なお、ルキヤはトルコ出身とされることが多いが、フセイン・オンが首相在任中に政府間ルートという公式の調査を行ったものの、確たる結論が出ずに今日に至っている）。

このように、マレーシアの指導者一族の来歴を見ると、マレーシアに対する別の見方――西方世界とのつながり――が見えてくる。

イスラーム世界の「周縁」に位置する東南アジアのイスラーム王権がその権威の確立や正統性を確保するために、西方の「正統なイスラーム」にお墨付きを求めるのは歴史的に見られることである。スマトラ島にあったアチェ王国はつとに有名である。日本社会からマレーシアを見ると、近年ではとかく「アジア」あるいは東アジア、東南アジアという関係でとらえがちである。しかし、東南アジア、なかでもイスラームが重要な位置を占める国々では、イスラーム、あるいは「横のつながり」で見ることの重要性をルキヤの存在は教えてくれているのではないだろうか。

15

華僑、華人、マレーシア人？

★多民族社会の憂鬱★

マレーシア生活は楽しい。ロングステイヤーだけでなく、邦人居住者からもよく聞くことばだ。日本と違い移民への非寛容を、この多民族社会で感じることは少ないようだ。しかし、マレーシア国民を形成する三大民族のひとつ華人からは、マレー人優先への不満が絶えることはない。自らを「非主流民族」と称する華人は、サプライチェーンの先駆である華人ネットワークを駆使し、イスラーム協力機構（ＯＩＣ）の中でも経済的には優等生のマレーシアを支えているという自負を持ち、政治や教育などで平等な権利が与えられていないと感じる。

一方、マレーシアの社会学者で民政党の初代総裁でもあった、サイド・フセイン・アラタスの主著『怠けものの原住民という神話』（The Myth of the Lazy Native）はポストコロニアリズムの先駆として１９７７年の初版以来、２０１０年台にも再版されているが、２０２２年に中国語に訳され（台湾新竹：陽明大出版社）、マレーシア出身の台湾研究者が解説を記している。帯文にも転載された「命懸けで仕事をしないと怠けものなのか」という一文は、現時点での華人によるこの書籍の読まれ方を示している。生活を楽しむ、というマレー人寄りの視点だ。

人口・言語・教育からみた華人社会

2022年2月に発表された人口センサスによると、総人口約3245万人中、華人人口は10年で1割強増えてはいるが、相対的に23・2%まで落ち込んでいる。次の10年で20%を切るのは必至で、有権者としての政治的な影響力と、中国語教育制度の死守が危ぶまれる。独立時の華人比は38%で、シンガポール合流中は40%を超えていたことを思うと半減だが、絶対数は691万人に及び、独自の華人世界を維持するだけの量的な厚みはある。華人らは中国大陸に止まらない、別項で述べるサイノフォンを含む国際的な中国語世界を背景に、国際会議で相手にされなかったマレー語と比較しつつ、中国語の英語同様の有効性を主張する。

現在、マレーシアの華人社会には紛れもなく中国語世界が存在する。それは準公立小学校から私立中高、国内華人カレッジや台湾留学まで、初等から高等教育に至る国内の中国語教育に下支えされている。憲法152条は国語をマレー語（Bahasa Melayu）と記しているが、これはマレーシア語（Bahasa Kebangsaan Melayu）とは異なり、同条1aは教育、学習での国語以外の言語の自由を認めており、2021年にはこれを支持する最高裁判決も出ている。華僑華人はさまざまな方言で分断されているのではないかという疑問もあろう。確かに地域によって偏りはあるが、華人は多い順に福建、広東（広府）、客家、潮州、海南、広西、福州らの祖籍（祖先の生まれ故郷）、方言別集団で地縁社団（会館）を形成し、本来福建人に含まれるはずの福建北部の福州を別立てにするほどの細分化は、華人も笑い話にする特徴のひとつだ。しかし、独立前後では9割が同じ祖籍同士の婚姻だったが、現在では3割を切るほど通婚が進んでいる。シンガポールのように、指導者の方針で方言殺しを断行したわけではないが、華人は方言でなく、華語という南洋中国語で結びついていると言ってよさそうだ。たとえば、ニールセンの調査によると、華字紙のひとつである『星洲日報』は、他のすべての言語による新聞の中でも、1日あたり約40万部の売り上げで1位にランクされている。

マレー人優先というアファーマティブアクションは高等教育で目立ち、政府がすでに民族別クオータ制でなくニーズに基づくメリット制に移行しているといくら言おうが、国立大学入学前資格としてマレーシア学校教育高等証書（ＳＴＰＭ）だけでなく、レベルの異なるマトリクス／ファンデーションスタディを認めるなど、後者が入学者の多数を占めるマレー人優位は揺るがない。しかし、国立大の壁のために台湾留学に依存した20世紀中に比べ、１９９６年の大学カレッジ法改正で国内高等教育の実質的な自由化以降、私立大学、カレッジが増加し、マレーシア華人協会（ＭＣＡ）によるラーマン大学、ラーマン理工大学のほか、スランゴールカジャンの新紀元大学学院、ジョホールバルの南方大学学院、ペナンの韓江媒体大学学院なども大学昇格が見込まれている。

新しい華人社会へ

政治的には２０１８年総選挙による「新しいマレーシア」以降、国民戦線に参加していた非マレー人政党は、華人リーダーのＭＣＡ、マレーシア民政運動党（Ｇｅｒａｋａｎ）が壊滅的惨敗を喫し、華人の民族の政治における国民戦線離れは顕著で、「華人の津波」と言われた２０１３年総選挙以来、止めを刺されている。以後、現在に至るまで、９割以上の華人が希望連盟（Ｈａｒａｐａｎ）を支持しているが、２０１８年選挙後「１００日公約」にも含まれていた、中国企業受注の大型事業見直しについて、マハティール・モハマド首相（当時）は選挙後の香港紙インタビューで「中国企業受注は、中国からの多額の借金。彼らは中国人労働者、中国物資だけを使い、支払いさえ中国で行う」と述べる一方、シンガポールメディアのインタビューで「マレー人へのアファーマティブアクション（いわゆるブミプトラ政策）はまだ必要」と述べたり、首相退任後も２０２１年末自著の出版記念会で、マレーシア中国語教育学校理事教師総会（董教総）を名指しで民族統合の障壁と発言している。２０１８年総選挙後のＨａｒａｐａｎの閣僚名簿では、44年ぶりの財務相をはじめ、運輸相、一次産業相、エネルギー相、首相府相など、５／29を華人が占め、副大臣を含めると人口比とほぼ同様となり、２００８年総選挙の政治津波でマレー人寄りに崩れた民族バランスが回復し現在に至っているものの、中枢を占めるマレー人指導者への華人の警戒感は変わらない。

モールの有名台湾料理支店のハラール店舗

マレー人にとってのチャイナタウン

コロナ下の３年足らずで海外渡航が奪われたのはどの国も同じだが、マレーシアでは２０２１年末から国内、22年４月からアセアン内を中心とする海外移動はほぼ回復したが、国内ではエスニックタウンの人混みが顕著だった。特に２０１０年台の大量高速輸送交通（ＭＲＴ）の新線カジャンライン建設時に、民族横断的な伝統建築保護への目覚めによって一部守られ、その後美しいリノベーションが進んだペタリンストリート（チャイナタウン）には、若いマレー人らが押し寄せた。トゥドゥンのマレー人女性が整備された路地（鬼仔巷）の豚のイラストを背にインスタ写真を撮っている光景にはハラハラさせられた。マレー半島北部では、ペナンと並んで特に市街地で華人比率の高いペラの州都イポーは、オールドタウンに19世紀末の錫ラッシュ以来のチャイナタウンの痕跡を残すが、すっかり観光地化され、マレーシア国内で外国料理でもないのに「ノンハラール」などの看板が堂々と掲げられているのに驚かされる。それでも、マレー人の観光客が大挙して訪れ、海外渡航が難しい時期でも国内で楽しめる「外国」を味わっていた。

華僑ではなく「華人」という「国籍化」された主体は、所与のものではなくパフォーマティブに構築されたものであり、内外からの働きかけによって、常に新しい構築の可能性を持つ。華人はマレー人寄りのマレーシア人に同化しなければならないのか。華人の役割がすべてマレー人へ置き換わるとしたら、誰が税金を払うの、と海外転職数年目の若い日本人が呟いた。それと全く同じせりふが、英語アカデミズムで過ごしてきた高齢の華人から飛び出したのは驚くべきだが、華人はマレー人とは今後も同床異夢を続けながら、マレーシアという多民族国家を築いていくほかないだろう。（舛谷　鋭）

〈参考文献〉

奈倉京子 編著『中華世界を読む』（東方書店、２０２０年）。
Shih Shu-mei etc. ed. *Sinophone Studies: A Critical Reader*, Columbia University Pres, 2013.

16

インド系の人々

★プランテーションの住人から都市の住人へ★

マレー半島のとある小さな町からバスに乗り、プランテーションの敷地内にある労働者用住居を訪ねて歩いたことがある。仕事から戻った家人が一息ついた頃を見計らって約束した家を目指して歩いていると、どこかの家の開け放たれた窓や戸口から、タミル映画の歌や台詞が聞こえてくることがあった。住人の多くは、インドにつながりのある人たちだとわかる風貌だ。彼らはどのようにしてこの地で暮らすようになったのか。

英領植民地期、主に英国資本によるプランテーション農業が大規模に展開されると、その労働力として求められたのが、同じく英国統治下にあったインド南部からの移民だった。その多くがタミル人だったが、若干のテルグ人とマラヤーリ人も含まれていた。彼らは当初、年季奉公制という形態で移民した。渡航費などの費用を債務として負い、一定期間働いて返済することから債務移民とも呼ばれる。労働者の死亡や逃亡が多発する過酷な労働環境が奴隷と変わらないとの批判が高まり1910年に廃止されると、これに代わってカンガーニ制が主流になった。カンガーニ（監督、親方）と呼ばれる労働者が自身の出身村へ派遣され、そこから労働者を集めて来るものだ。カンガーニは、連れ帰った労働者たちが1日働くごとに就労配当金を得たほか、物を売ったり金を貸したりすることを含めて、労働者たちの労働と生活全般を取り仕切った。これは、地縁・血縁・カースト紐帯などに基づく彼らの伝統的な支配原理を活用するものだった。移民は当初、専ら男性の短期出稼ぎ労働者だったが、のちに男女比が改善され、マラヤに定着する者が増えていった。この間植民地政府は、労働移民のリクルートを制度化し、英国資本の利益を最大化することに尽力した。インドからの移民はほかに、植民地政府やその関連部門で雇用される者（英語教育を受けた中・下級官吏と道路・港湾・鉄道建設などを担う労働者とがここに含まれる）、専門職や商業・金融業に従事する者もいた。

プランテーションの敷地内にある労働者用住居（2004年）

マラヤ／マレーシア経済を支えてきた労働と生活

プランテーションという独特の社会空間は、E・ゴフマンの「全制的施設（total institution）」という言葉でしばしば表現されてきた。プランテーションはインド人労働者に対し、その広大な敷地内に住居、ヒンドゥー寺院、雑貨店、ヤシ酒店、診療所、託児所、小学校などを用意した。とはいえ、労働者用の住居は狭く粗末なもので、診療所や託児所、小学校も多くは形ばかりのものだった。外部社会から孤立した空間に生活が丸ごと囲い込まれた労働者たちは、賃金や労働条件のみならず生活条件をも雇用者に依存せざるを得なかった。そこで働き、暮らす人々は、ヨーロッパ人経営者、英語教育を受けたマラヤーリ人やスリランカ・タミル人の管理職、タミル人労働者というように、民族、言語、宗教などの異なる人々からなる越えがたい3層の社会構造に組み込まれた。経営者が高額な給与と大きな庭付きの邸宅に象徴される生活を享受する一方、労働者は日給制の低賃金で、昇進や昇給もなく、生活費を借金でやり繰りすることも珍しくなかった。戦後プランテーションの現地化が進む中で各層の民族構成に変化はあったが、こうした構造は継承された。

労働者の子どもたちがプランテーションとそこでの貧困のサイクルから抜け出すには、学校教育が唯一の手段だといわれてきた。20世紀初頭よりプランテーションでも、インド人労働者の確保と維持を意図した雇用者によって、タミル語小学校（以下、タミル語校）が開設された。しかし、小学校といっても実際には4年生までしかなく、読み書きのできる職員や労働者が教師役を務めることも珍しくなかった。独立を控えて学校教育が制度化されると、タミル語校も母語学校として初等段階に組み込まれた。そして中等段階の学校へも、1年間の移行学級（教授言語のマレー語を習得するクラス）を経て進学することが可能になった。だがインド人生徒に成績不振や中途退学が多く、教育がより良い生活を実現する手段となっていないばかりか、むしろ安価で従順な労働者を再生産しているとの批判はその後も続いた。マレー語校が全額政府の補助で運営されるのに対し、タミル語校の多く（約7割）は部分的補助校で物理的に厳しい状況にあること、タミル語校を選択する父母の多くが貧困層で（インド人のうちタミル語校を選ぶのは半数程度である）、学校を資金面で支えたり子どもの学習環境を整えるのが難しいことなどが要因とされてきた。こうした状況から、タミル語校の存廃を巡る議論がインド人の間で幾度も浮上してきたが、タミル語校を非難して廃止を求める声には異論もあり、存続を求める声は根強い。実はインド人といっても、その内実は多様な人々からなる。多数を占めるのはタミル人（8

表　民族ごとにみた都市・農村別の人口分布

		ブミプトラ		マレー人		その他ブミプトラ		華人		インド人		その他		マレーシア国籍保有者計	
		千人	%	千人	%	千人	%	千人	%	千人	%	千人	%	千人	%
2000年	都市	7,210	50.6	6,336	54.2	874	34.0	4,892	85.9	1,339	79.7	170	63.0	13,610	62
	農村	7,038	49.4	5,344	45.8	1,694	66.0	800	14.1	342	20.3	100	37.0	8,280	37
	計	14,248	100.0	11,680	100.0	2,568	100.0	5,692	100.0	1,680	100.0	270	100.0	21,890	100
2010年	都市	10,964	62.6	9,457	66.6	1,507	45.2	5,815	91.0	1,701	89.1	127	67.2	18,607	71
	農村	6,559	37.4	4,735	33.4	1,825	54.8	578	9.0	207	10.9	62	32.8	7,406	28
	計	17,524	100.0	14,192	100.0	3,332	100.0	6,393	100.0	1,908	100.0	189	100.0	26,013	100
対2000年比	都市	3,754	152.1	3,121	149.3	633	172.4	923	118.9	362	127.1	-43	74.9	4,996	136.
	農村	-479	93.2	-609	88.6	131	107.7	-222	72.2	-134	60.6	-38	62.3	-873	89
	計	3,275	123.0	2,511	121.5	764	129.8	701	112.3	228	113.6	-80	70.2	4,123	118

（出所）Population Distribution and Basic Demographic Characteristics 2000, 2010 より筆者作成

割以上）を含む南インド出身者だが、北インドや、現在のパキスタン、バングラデシュ、スリランカ出身の者もおり、言語も各々異なっている。ヒンドゥー教徒がもっとも多く8割以上を占めるが、ムスリム、クリスチャン、シクなどもいる。タミル語校に対する考え方は一枚岩ではないが、自分たちの学校があり、そこで母語による教育が受けられることの意義は、とりわけタミル人貧困層にとっては小さくない。

「社会の問題」か「社会が問題」か

１９８０年代以降プランテーションでは、安価な外国人労働者が用いられるようになり、インド人労働者の状況は悪化した。またプランテーションの作物の転換、縮小、再開発による閉鎖も進み、多くのインド人労働者が解雇された。労働者と家族は職を失うと同時に住居からの立ち退きをも迫られ、十分なスキルも貯えもないまま都市へ移動し（表を参照）、スクオッターとなる者も少なくなかった。そのうえ、スクオッター地区のインド人青少年がギャングと結び付けてステレオタイプ化されたり、留置所で死亡するインド人が民族構成比以上に多いことが問題視されてもきた。２０００年代に入ると、地方政府や開発業者によるヒンドゥー寺院の取り壊しや強制的な立ち退きが続いた。これら寺院の多くは、インド人が雇用されて

いたプランテーションや鉄道局の敷地などに建てられ、長年信仰の場とされてきたものだった。それだけではない。ヒンドゥー教徒の著名な登山家が生前イスラームに改宗していたとして、それを否定する家族の意に反してムスリムとして埋葬されるなど、ヒンドゥー教徒の主張は聞き届けられず、その権利は擁護されないとの思いを強くする複数のケースがさらに続いた。

こうした一連の事態に異議を申し立てたのがヒンドゥー人権活動連合（以下、Hindraf）であり、2007年11月、彼らの呼びかけに応じて数万人ともいわれるインド人が首都クアラルンプールに結集した。インド系住民の代表を自任する政党マレーシアインド人会議（ＭＩＣ）は、1955年以来長きにわたって与党連合を構成する立場にあった。にもかかわらず、人々の声を代弁して利益を擁護する役目を十分果たしてきたとは言い難い。Hindrafによる抗議集会の翌年行われた総選挙以降、マレーシアの政治体制は大きく揺れ動いている。そうした中で、インド系住民のみならず、マレーシア社会を構成する誰もが等しく尊重され、正当に扱われる社会の実現を目指す人々の闘いは、今も様々なかたちで続いている。

（奥村育栄）

〈参考文献〉

水島　司「マラヤ――スズとゴム」池端雪浦ほか編『植民地経済の繁栄と凋落（岩波講座東南アジア史第6巻）』（岩波書店、２００１年）。
Kaur, Arunajeet, *Hindraf and the Malaysian Indian Community*, Silverfish Pro, 2017.
Nagarajan, S., "Indians in Malaysia – Towards Vision 2020," in K. Kesavapany, A. Mani, & P. Ramasamy eds., *Rising India and Indian Communities in East Asia*, Institute of Southeast Asian Studies, 2008.
Ramasamy, P., *Plantation Labour, Unions, Capital, and the State in Peninsular Malaysia*, Oxford University Press, 1994.

17

サバに住む人々

★定期市タムと民族間の共生★

2004年、サバ州コタキナバル市の北部に建つ仏教寺院、普陀寺を訪れた。境内のベンチにムスリム女性が被るスカーフ、トゥドンを被った制服姿の女子高校生が所在なさげに座っていた。マレー人かバジャウ人だろうか。しばらくして半袖Tシャツにジーンズ姿の同年代の女性が寺院から出てきた。仏教を信仰する華人だろう。彼女は手を振って先のムスリム女性と合流した。ふたりは手を握りあい、楽しげにその場を去っていった。

1990年代後半、マハティール政権後期のマレーシアでは、連邦政府や各州政府が主導するかたちでイスラーム主義が強められていた。当時わたしは、半島部マレーシアのスランゴール州にある大学に在籍していた。そこでは、ムスリムのマレー人と、非ムスリムで仏教等を信仰する華人、多くがヒンドゥー教徒であるインド人は、それぞれ明確に区切られた社会的な境界の内側に生きていた。大学生のあいだでも、その境界を越えた友だち関係を目にすることは稀だった。だから、サバ州で目にした光景に、あらためて心地良い衝撃を覚えたのである。

表　サバ州の民族別人口（2020 年）

	国民									
	原住民 / ブミプトラ									
民族	マレー人	カダザン・ドゥスン	バジャウ	ムルト	原住民 / ブミプトラ その他	(原住民 / ブミプトラ計)	華人	その他	マレーシア国籍を持たない	総計
人口	236,934	660,777	565,499	106,468	743,793	(2,313,471)	248,920	45,951	810,443	3,418,785
比率（対総人口）	6.9%	19.3%	16.5%	3.1%	23.9%	(67.7%)	7.3%	1.3%	23.7%	
比率（対原住民 / ブミプトラ）	10.2%	28.6%	24.4%	4.6%	32.2%	—	—	—	—	—

注：端数処理のため比率の合計はかならずしも 100%にならない。
出典：Department of Statistics, Malaysia, *Key Findings Population and Housing Census 2020*. より筆者作成

民族の概要

サバ州政府の公式ウェブサイトには、「サバ州の人口は50を超す言語と80の地方語を話す33の土着集団からなる。非土着集団では華人がその多数を占める」と記されている。

２０２０年の人口センサスによりながらもう少し詳しく見てみよう。サバ州の総人口は約３４２万人。表はサバ州の総人口の民族別内訳を示している。総人口のうち国籍を持つ人々で見ると、サバ州にもともと住むとされる「原住民（natives）」が89％、非原住民が11％になっている。民族別人口で半島部マレーシアとサバ州が顕著に異なるのは、人口に占めるマレー人の割合である。半島部マレーシアではマレー人が多数派であるが、サバ州ではマレー人は総人口の６・９％、原住民の10・２％を占めるにすぎない。

原住民で多数派になっているのは、カダザン人とドゥスン人をあわせて集計したカダザン・ドゥスン人とバジャウ（サマ）人で、それぞれ総人口の19・３％と16・５％を占める。ムルト人は、カダザン・ドゥスン人、バジャウ人と並ぶサバ州に土着の三大民族のひとつに数えられている。ただし、その人口はマ

レー人より少なく、総人口の3・1%にとどまっている。州政府のウェブサイトには、他の原住民として、ビサヤ人、ブルネイ人、ブギス人、ケダヤン人、ロトゥド人、ルンダエー人、スルク人、ミノコク人、ボンギ人、イダアン人があげられている。

カダザン・ドゥスン人は、西岸部の平地や標高4095mを誇るキナバル山の麓周辺に居住し、水稲農耕や焼畑農耕を営んできた。ムルト人の多くは内陸の山岳地帯に住み、焼畑農耕や狩猟を主な生業としてきた。両民族ともキリスト教徒が多数派であるが、ムスリムも2割前後を占める。バジャウ人の多数は、沿岸部や北西部コタ・ブルド周辺の盆地に居住し、沿岸部では漁業と商業を、コタブルド周辺では水稲耕作と牧畜を主な生業としてきた。ほぼすべてがムスリムである。いずれの集団も、現在では都市部に住みサービス業や公務員職に就く人が増えている。

非原住民の多数派は華人で、総人口の1割弱を占める。華人の下位区分では客家が多い。マレーシアの他地域同様に、サバ州でも華人は経済活動の中軸を担っている。6割強がキリスト教徒、3割強が仏教徒である。

マレーシアの他州と比べると、サバ州では隣接するインドネシアとフィリピンからの移民がきわだって多い。両国出身者を主とする「マレーシア国籍を持たない人々」は、サバ州の総人口の4分の1弱を占めるまでになっている。

祭りと共生

サバ州は、マレーシアの中でもサラワク州とならんで民族の多様性がとりわけ高い。サバ州政府は、こうした特徴に目を向け、２０００年代から、民族の多様性を観光資源とする文化観光（Cultural Tourism）に力を入れるようになっている。そうした文化観光の一部をなすのが、民族や宗教を基盤とする祭りである。州観光局のウェブサイトから主なものをとりあげてみよう（イスラーム、キリスト教は代表的な祭りのみ。日付は２０２３年の例）。

1月22日 中華正月（連邦の公休日）
3月末 ペスタ・カリマラン――ムルト人の神話に根ざした米の収穫祈願祭
4月21日 断食明け大祭――イスラームの断食月ラマダーンが明けたことを祝う大祭（連邦の公休日）
5月4日 ウェサク・デイ――仏教徒による釈迦の生誕祭（連邦の公休日）
5月末 ペスタ・カアマタン――カダザン・ドゥスン人による米の収穫祭（州の公休日）
6月～8月 マガハウ・フェスティバル――ルングス人による農作物等への感謝祭
8月18～19日 レガッタ・レパ―バジャウ人の木造船レパを主題とする祭り（＊２０２２年までは4月末開催）
11月12日 デーパワリ――ヒンドゥ教の神に感謝を捧げる祭り（連邦の公休日）
11月末 タム・ブサル――コタ・ブルド地区の諸民族による定期市を舞台とする祭り
12月25日 クリスマス――キリスト教のイエス・キリストの降誕祭（連邦の公休日）

これらの祭りのうち民族間関係の面で興味深いのはタム・ブサルである。タム・ブサルは、それ自体が民族や宗教を超えた交流の場であることを中心的なテーマとしている。

サバ州西岸の各地では、古くからタムと呼ばれる「定期市（いち）」が行われてきた。タムでは、農耕民、狩猟民、漁民、カダザン・ドゥスン人、バジャウ人、華人、ムスリム、キリスト教徒、精霊信仰の人などが入り交じって野外で商いをし、また客になる。飾り馬のパレードなどのイベントも開かれる。タムの開始前、地元の首長らは、民族や宗教等の違いにかかわらず友好的にタムを実施することを「誓いの石」の前で宣誓する。「誓いの石」は水牛など家畜の血で清め、そこにタムの安寧を護る精霊を招き入れる。こうした様式ゆえにタムは、民族間の友好を象徴する慣習として研究者や旅行者から注目されてきた。

１９５０年代、英領北ボルネオ（のちのサバ州）植民地政府は、比較的規模の大きなコタ・ブルド地区のタムをタム・ブサル、すなわち「大きな市」として年中行事化した。サバ州（１９６３年にマレーシア連邦に加盟）の観光局はそれを観光イベントとして継承したのである。

サバ州は、フィリピン、中国、東南アジア大陸部、マレー半島、インドネシア東部を結ぶ海の道の中間に位置する。古くから多種多様な集団がこの地を渡る往来を繰り返し、またここに住み着いてきた。原住民とされる人々も、数世代遡れば、サバ州以外の土地にルーツを持つことが少なくない。先に「主要な原住民」と記したバジャウ人の民族としての分布は、フィリピンのスル諸島からインドネシアの最南端、オーストラリア国境にほど近いロテ島にまで広がっている。キリスト教徒など非ムスリムのカダザン・ドゥスン人のあいだでは、同じく非ムスリムの華人との通婚が珍しくない。

サバ州の人々は、こうした地理的、社会的な移動性の高さを背景に、柔軟で多元的なアイデンティティを身につけ、タムに見られるような民族や宗教間の調和を維持してきた。冒頭で見た仏教寺院での光景もまた、そうした在地の多文化共生が息づくサバ州の日常の一コマであったといえるだろう。

（長津一史）

〈参考文献〉


鶴見良行『マングローブの沼地で——東南アジア島嶼文化論への誘い』（朝日新聞社出版局、１９８４年）。

長津一史『国境を生きる——マレーシア・サバ州、海サマの動態的民族誌』（木犀社、２０１９年）。

山本博之『脱植民地化とナショナリズム——英領北ボルネオにおける民族形成』（東京大学出版会、２００６年）。

Han San Chong and Ai Fauh Low. *The Tamu: Sabah's Native Market*. Opus Publication, 2008.

Ong, Puay Liu. *Packaging Myths for Tourism: The Case of the Rungus of Kudat*, Sabah, Malaysia. Selangor: Penerbit Universiti Kebangsaan Malaysia, 2000.

18

サラワクの人々と歴史

★流域社会の連合体からサラワクへ★

民族的所属

２０２２年、マレーシア憲法でサラワクの原住民を規定した１６１Ａ条が改正された。マレー人の特権を認めるマラヤ連邦憲法をもとに１９６３年にマレーシア憲法がつくられた際に、サラワクとサバにはマレー人ではない土着種族が多数いることから、１６１Ａ条で両州の原住民（natives）を定めていた。

サバは「少なくとも一方の親がサバの土着種族（race indigenous）であること」として、サバの土着種族は州法で決めることとされたのに対し、サラワクはマレー人を含む28の土着種族を列挙し、両親がともにこれらの民族のいずれかであることとした。このため、サラワクの土着種族とそれ以外の人々（たとえば、華人やサバの土着種族や外国人）の間に生まれた子が原住民の地位を得られないことが長く問題となっていた。この憲法改正ではサラワクの土着種族のリストを削除して土着種族は州法で決めることとされ、また、少なくとも一方の親が土着種族であれば原住民の地位が得られる道が開かれた。

人は日常的に民族的所属を意識して暮らしているわけではないが、原住民の地位の有無が社会生活を大きく左右するマレーシアでは民族的所属が重要になる。しかも、自分がどう名乗るかだけでなく、他人からどのように認識されるかも重要である。サラワクに住む人々は、古くから「海の人」「陸の人」「上流の人」などの呼び方で自他を認識していた。19世紀半ば以降にこの地を統治した西洋人はサラワクに住む人々を分類し、人々はその分類を民族名として受け入れていった。

「白人ラジャ」のもとでの人々

半島部マレーシアとほぼ同じ面積を持つサラワクは、かつてブルネイのスルタンの支配下に置かれていた。ただしスルタンの支配は間接的で、実際は川ごとに置かれた領主の多くが地元住民の抵抗に悩まされていた。１８３９年にイギリス人の探検家ジェームズ・ブルックがクチンを訪れて地元住民の抵抗を鎮圧したことにより、スルタンからサラワクのラジャ（統治者）の称号を与えられた（在位１８４１〜68年）。

このときのサラワクとは現在のクチン周辺のみだったが、川の流域ごとに領土を拡張していき、ジェームズの甥で第二代ラジャのチャールズ・ブルック（在位１８６８〜１９１７年）の統治期に現在のサラワクにあたる領域まで領土が拡大した。チャールズは１８８８年にイギリス政府と保護条約を結び、サラワクは「白人ラジャ」が治めイギリスの保護下にある独立国家となった。

ブルック王国はサラワクの土着種族を大きく「ダヤク」と「マレー」に分けた。「ダヤク」とはもともと海に対して山や内陸を指す言葉で、特定の民族集団を示す言葉ではなかった。内陸部のロングハウスに住み、焼き畑移動耕作で陸稲を作り、祖霊や精霊を信仰する非イスラーム教徒がダヤクと呼

サラワクは主要河川の流域社会の連合体として形成された

ばれた。これに対して、海岸部の町や集落に住み、水稲耕作を行うイスラーム教徒が「マレー」と呼ばれた。ダヤクは平等主義的で身分制度を持たないのに対し、マレーは王権とマレー文化によって支えられる階層社会を形成するという違いがあった。

ブルック王国はまた、ダヤクのうち海から武力で脅威を及ぼすものを海ダヤク、クチンの後背地の山地に住んで比較的従順なものを陸ダヤクと区別し、前者の海賊を退治し、後者の首狩りをやめさせようとした。

チャールズの子で第三代ラジャのヴァイナー・ブルック（在位1917～46年）は、第二次世界大戦中の日本軍による占領を経て、1946年にサラワクをイギリスに割譲して直轄植民地にした。地元住民はこれに強く反発し、1949年にはサラワクの総督として赴任したダンカン・スチュワートが地元住民に刺殺される事件が起こった。

マレーシア結成とサラワクの人々

1961年、マラヤ連邦のラーマン首相が、マラヤ連邦、シンガポール、サラワク、サバ（当時は北ボルネオ）、ブルネイから成る連邦国家の結成を提案した。サラワクとサバは州の自治を憲法に明記することを条件に1963年のマレーシア結成に参加し、これを通じてイギリスから独立した。ブルネイは参加せず、シンガポールは参加したが2年後の1965年に分離独立した。

サラワクは1つのまとまりを持つ領域であるが、その実態は河口に都市を持つ流域社会の連合体に近い。川ごとに上流の土着種族と中下流のダヤクやマレーや華人が流域社会を構成し、主な川の流域社会ごとに、第一省（クチンとサラワク川流域）、第二省（シマンガン〔現スリアマン〕とルパル川流域）、第三省（シブとラジャン川流域）、第四省（ミリとバラム川流域）、第五省（リンバンとリンバン川流域）の5つの省が形成された（現在は12の省に分かれている）。

原住民に特別の地位を与えるマレーシアの一部になったことで、民族名は人々の意識の上でも定着してきた。独立後の初の人口センサス（国勢調査）では、サラワクの約97万6000人の州人口の内訳は、ダヤクが44・2%、マレーが24・9%、非土着種族が30・7%だった。

ダヤクは、イバン人（31・0%）、陸ダヤク（8・5%）、他の土着種族（4・7%）から成る。イバン人はかつて海ダヤクと呼ばれていた人々で、居住地域は主に第二省、第三省、第四省に広がる。陸ダヤクは主に第一省に住む。ビダユー人などの4つのグループに分かれ、1950年代頃から陸ダヤクにかえてビダユー人と呼ばれるようになった。その他の土着種族はオラン・ウル（上流の人々）と総称されるカヤン人、クニャー人、ムルト人、プナン人、ビサヤ人、クラビット人などで、多くは第四省の上流部に住む。

マレーは、マレー人（18・7%）、ムラナウ人（5・4%）、クダヤン人（0・8%）から成る。マレー人は主に沿岸部に住むイスラーム教徒である。ムラナウ人は第三省のムカ地区に多く住む。1960年までにムラナウ人のおよそ4分の3がイスラーム教を受け入れ、その多くはマレー人を名乗るようになった。ムラナウ人は少数派ながら政治的なプレゼンスが高く、歴代の州首相の半数をムラナウ人が占めている。クダヤン人は主に第四省と第五省に住むイスラーム教徒である。

非原住民は主に華人（30・1％）で、人口が多い順に、客家、福州、福建、潮州、広東、興化、海南などから成る。もっとも初期にサラワクに来た華人は、インドネシア領のサンバスからクチン南西部のバウの金採掘のために来た客家で、第一省と第二省に多く住む。福州はキリスト教（メソジスト派）の農業移住者で第三省に多い。華人以外の非原住民は、インド人（0・3％）、ヨーロッパ人／ユーラシア人（欧亜混血者）（0・1％）、その他（0・2％）である。

他称に由来するダヤクにかえてグループごとの自称が使われるようになり、非ムスリムの土着種族をまとめて呼ぶ呼称が失われた。1980年代にはダヤクという呼称が再発見されてサラワク・ダヤク族党（PBDS）がつくられたが、長続きしなかった。土着種族を州で決めることになったサラワクは、サラワクの土着種族そして「サラワクの人々」をどう決めるのだろうか。

（山本博之）

〈**参考文献**〉

石川　登『境界の社会史——国家が所有を宣言するとき』（京都大学学術出版会、2008年）。

井上　真『熱帯雨林の生活——ボルネオの焼畑民とともに』（築地書館、1991年）。

内堀基光『森の食べ方』（東京大学出版会、1996年）。

奥野克巳『ありがとうもごめんなさいもいらない森の民と暮らして人類学者が考えたこと』（亜紀書房、2018年）。

金沢謙太郎『熱帯雨林のポリティカル・エコロジー——先住民・資源・グローバリゼーション』（昭和堂、2012年）。

佐久間香子『ボルネオ——森と人の関係誌』（春風社、2020年）。

Soda Ryoji. *People on the Move: Rural-Urban Interaction in Sarawak*. (Trans Pacific Press, 2007)

19

オラン・アスリと呼ばれる人々とは?

★開発・イスラーム化・先住民運動★

「マラヤのアボリジニ」

マレー半島には、昔から土着の人々が住んでいた。彼らは、基本的に精霊信仰（アニミズム）を持ち、一部、インドからの仏教やヒンドゥー教などの影響を受けていたと考えられている。しかし、15世紀にマラッカ王国が勃興して以降、マレー半島でイスラーム化が進むと、土着の人々の多くは、イスラームへ改宗した。彼らは、後に「マレー人」と呼ばれるようになる。

一方、イスラームへ改宗しない土着の人々は、イスラーム化の中で次第に少数者となっていった。彼らは、吹き矢による狩猟活動や、森林産物の採集活動を行いながら、森の奥深くの周縁の地に暮らすことが多かった。彼らの中には、スマトラ島やジャワ島などからの移住者の侵入や奴隷略奪に遭い、沿岸部の低地から内陸部の奥地に逃れた人たちもいた。いずれにしても、19世紀、イギリスがマレー半島を植民地化する頃には、彼らは原始人・野蛮人と見なされ、「奥地の人（orang hulu）」「森の人（orang hutan）」など、「マレー人」とは異なる名称で周囲から呼ばれるようになっていた。宣教師や探検家、植民地行政官や学者は、「マレー人」とは違う外見や生活様式の特徴を持つ彼らを「マラヤのアボリジニ」と見なした。

オラン・アスリの諸グループ

マレーシアの独立後、それぞれの地域でさまざまに呼ばれていた「アボリジニ」は、マレー語で「元々の人」を意味する「オラン・アスリ（Orang Asli）」と呼ばれるようになった。18の下位グループは、言語的、文化的、行政的な基準に基づいて、ネグリト系（Negrito）、セノイ系（Senoi）、ムラユ・アスリ系（Melayu Asli）という3つのカテゴリーに分けられている。人口は、約21万人（2022年現在）。

表　オラン・アスリの諸グループ

カテゴリー	グループ
ネグリト系	ケンシウ（Kensiu）
	キンタッ（Kintak）
	ラノー（Lanoh）
	ジャハイ（Jahai）
	メンドリッ（Mendriq）
	バテッ（Batek）
セノイ系	トゥミアール（Temiar）
	セマイ（Semai）
	スマッ・ブリ（Semaq Beri）
	チェ・ウォン（Che Wong）
	ジャーフット（Jah Hut）
	マー・ムリ（Mah Meri）
ムラユ・アスリ系	トゥムアン（Temuan）
	スムライ（Semelai）
	ジャクン（Jakun）
	オラン・カナッ（Orang Kanak）
	オラン・クアラ（Orang Kuala）
	オラン・スルタール（Orang Seletar）

ネグリト系の諸グループは、かつてマレー半島北部の山麓から内陸低地森林帯にかけて、移動生活を送る狩猟採集民であった。定住化が進む現在でも、狩猟採集を中心とした移動生活を好む傾向がある。セノイ系の諸グループは、北部から中央部にかけての山岳地帯に暮らす半定住性の狩猟・焼畑農耕民であった。ムラユ・アスリ系の諸グループは、南部の内陸部の川沿いから沿岸部にかけて住んでいた。彼らは、漂海民が定着し漁民となっているグループもいれば、水田耕作などの定住型農業に従事するグループもいて、その生業は多様である。

言語的には、ネグリト系やセノイ系が、オーストロアジア語族モン・クメール語派アスリ諸語であるのに対して、ムラユ・

アスリ系は、オーストロネシア語族のマレー語方言であり、マレー語に近い言語を話す。ムラユ・アスリ系は、外見上は、マレー人とあまり変わらないが、彼らがマレー人ではなくオラン・アスリであるのは、ネグリト系やセノイ系と同様に、彼らの多くがイスラーム教徒ではないからである。

「開発」と「イスラーム化」の波の中で

以上のように、オラン・アスリの諸グループは、生業形態や言語に違いがあるものの、非イスラーム教徒の土着民であり、狩猟採集や焼畑移動耕作に従事していた過去を持つという点で共通性があった。しかし、今日では、ゴム採取、紅茶やアブラヤシのプランテーション労働、日雇い労働、工場労働、都市への出稼ぎ、公務員や会社員として働くなど、生業形態もさらに多様化しており、生業に基づく民族アイデンティティも揺らぎ始めている。

1970年代以降、マレーシア政府は、オラン・アスリをマレーシアの主流社会へ統合することを目標に、ゴムやアブラヤシなどの農業開発、強制的な移住を伴う定住化政策を実施した。それらの政策が、彼らの生業が多様化した大きな要因となっている。さらには、こうした開発政策により、オラン・アスリの生活は大きく変貌し、自然と共生する中で培われてきた従来の豊かな生活文化の多くが失われていったのである。

1980年代からは、世界的なイスラーム復興の影響の下、マレーシア政府もイスラーム化政策を開始し、非イスラーム教徒であるオラン・アスリをイスラームへ改宗させようとする動きが強まっていった。以降、オラン・アスリのイスラーム教徒人口は徐々に増え、2018年現在、オラン・アスリ人口の約20%となっている。このような政策は、オラン・アスリの民族アイデンティティをマレー人のそれに変更しようとする同化政策に他ならない。

1990年代になると、開発の犠牲者となっていたオラン・アスリが、NGOなどの支援を得ながら、土地の権利を求めて、政府や開発企業に対して裁判闘争を展開するようになった。イギリス植民地政府もマレーシア政府も、移動生活を送るオラン・アスリには土地は必要ないとして、土地の所有権を認めてこなかったために、オラン・アスリは居住地でダム建設や高速道路などの大規模な開発プロジェクトが実施されると、強制的に移住させられる場合が多かったのである。

オラン・アスリの結婚式

こうした開発による生活の場の喪失やイスラーム化によるアイデンティティの危機といった事態に対して、オラン・アスリは手をこまねいていたわけではなく、一部の人たちは、自らオラン・アスリ協会というNGOを結成して先住民運動を活発化させた。国連の先住民年を契機とした世界的な先住民運動の隆盛もこうした動きを後押ししていた。

先に述べたように、そもそも、マレー半島各地に散らばり、ばらばらだった彼らをひとつの民族としてまとめたのはイギリス植民地政府であり、マレーシア政府もその考え方を受け継いだ。つまり、オラン・アスリというのは、国家から名づけられた民族名称に過ぎなかったのである。例えば、トゥムアンの人たちは、自分たちがオラン・アスリと呼ばれていることを政府の役人から聞かされて、はじめて知るという状況であった。彼らは、このように国家から「オラン・アスリ」と名づけられた存在ではあったが、先住民運動を展開していく中で、それを逆手にとって、自ら積極的にオラン・アスリと名乗るようになり、先住民としての新たなアイデンティティを模索し始めたのである。

マレーシア独立以降の統合政策の結果、言語や生業などの民族ごとの際立った特徴が薄れていき、逆に、マレー半島で唯一狩猟採集を行う人々、非イスラーム性、開発の犠牲者、先住者というオラン・アスリとしての共通性が浮かびあがってきたことが、新たなアイデンティティを模索し始めた要因として考えられる。また、学校教育の浸透により、マレー語を理解する人々が増え、マレー語を共通語としたコミュニケーションが可能になったことも、同じ民族としての一体感を強める一因となっている。

21世紀に入ると、オラン・アスリは、サバ州・サラワク州の先住民やＮＧＯとも連携し、先住民としての権利回復を求めて、運動を展開している。先住民運動が活発化していく中で、オラン・アスリ同士の一体感はさらに強まり、サバ州・サラワク州の先住民とも、同じ先住民としての意識を共有するようになっている。

（信田敏宏）

〈参考文献〉

口蔵幸雄「オランアスリの起源――マレー半島先住民の民族形成論の再検討」（『岐阜大学地域科学部研究報告』１、１９９７年）。
信田敏宏『周縁を生きる人びと――オラン・アスリの開発とイスラーム化』（京都大学学術出版会、２００４年）。
信田敏宏『ドリアン王国探訪記――マレーシア先住民の生きる世界』（臨川書店、２０１３年）。

20

人々は何を信じているのか？

★イスラームとその他の宗教★

多宗教が共存するマレーシア

マレーシアは、歴史を通して、多くの人々が世界各地から集まる場であるため、多くの宗教が共存する場でもある。２０２０年の人口センサス（国勢調査）では、マレーシアで信仰されている宗教は、イスラーム63・５％、仏教18・７％、キリスト教９・１％、ヒンドゥー教６・１％、無宗教１・８％、その他０・９％であった。

東南アジアで紀元前から広まっていた仏教、ヒンドゥー教は、マレーシアにおいても支配層を中心に受け入れられていた。イスラームが７世紀に中東で勃興して以降は、東南アジアでも徐々に広まっていった。

15世紀に繁栄したマラッカ王国は、インドと中国を結ぶ貿易の中継地点として、様々な宗教の人々が集まった。特にインド北西部、グジャラート地方から来た商人たちの経済力が際立っており、当時ムスリムの王朝が成立していたインドとの関係が強まったことで、マラッカ王国の支配層もイスラームを受け入れていった。

交易のための中継地点であったことに加えて、18世紀になると、中国人や、英国人をはじめとするヨーロッパ人が、東南アジア各地の経済活動で活躍するようになったことで、道教やキリスト教も、マレーシア社会の一部となっていった。

19世紀になると英国による植民地化が進み、蒸気船を含む交通手段の発達と、スズ鉱山や農業プランテーションなどの労働力需要から、外世界からの人の流入が増加し、マレーシア社会の宗教はさらに多様化していった。

マレーシア人の人生に密接に関わる諸宗教

1957年にマレーシアが独立するまでの過程で、問題になったのは、諸宗教の間の関係である。連邦憲法11条では、「全ての個人は自身の宗教を告白し、実践する権利を有する。」と定められた。多様な人々が、自身の宗教を保持し、実践する権利が保障されることは、マレーシアという国家が成立するうえで、必須であった。

一方で、最大多数派のイスラームを保護し、特別な地位を与えることも憲法で定められている。連邦憲法3条では、イスラームが「連邦の宗教（the religion of the Federation）」であると定められている。このことは、モスクの建設などに公的な予算が支出されること、学校教育の中にイスラーム学習の科目があること、学校外でのイスラーム学習や行事にも公的な補助金が支出されていることなどにも反映されている。

連邦政府においてはイスラーム発展庁（ＪＡＫＩＭ）や教育省、州政府においてはイスラーム宗教評議会といった機関が、モスクやイスラーム教育に対する補助を管轄している。また、各州で任命され

写真1　クランタン州のイスラーム学校（2008年）

るムフティー（教義回答官）は、教義上の質問への回答（ファトワー）を示すことで、教義についての公的な見解を示す役割を担っている。

主に婚姻や離婚、遺産相続といった民法の分野については、ムスリムの国民とムスリム以外の国民とでは、別の法律が制定されている。ムスリムの国民に適用される民法は、イスラームの教義に沿った内容になっている。ムスリムが民法分野で民事訴訟を行う場合は、各州のシャリーア裁判所の管轄となる。

諸宗教は、マレーシア人の冠婚葬祭に必須ということもあり、地域コミュニティの人々にとって、モスクや教会、寺院は、人生を通して重要な場になっている。イスラームでいえば、出生時の儀礼、男児の割礼、結婚、葬儀は、モスクを拠点として、地域コミュニティが相互扶助によって開催する。人生の節目ごとの儀礼だけではなく、各宗教の年中行事も地域コミュニティによって祝われ、国民の休日にも指定されている。イスラームでいえば、イスラームの新年、ラマダーン明けの祭日、メッカへの大巡礼が行われる祭日などである（参照 第22章）。

マレーシアでは、諸宗教は、政府の問題でもあり、地域コミュニティにとって重要な事柄でもある。そして、個人にとっても、多くの場合、もっとも大事な事柄といえる。一方で、近代化と都市化の進むマレーシアにおいて、地域コミュニティの日常的な宗教儀礼や祭礼に参加しない個人は増えてきている。「無宗教」と申告するマレーシア人も、1・8％と現在もなお非常に少数ではあるが、以前と

写真2　クランタン州の仏教寺院（2008年）

比べれば増えてきている。

１９７０年代からは都市化と高学歴化が進み、出身地の地域コミュニティとの接点が薄れる若者が増えた。新たな都市住民となったマレーシア人の一部は、新興の宗教ＮＧＯを通して生活の指針や他者との接点を得た。グローバル化する社会で、これらの宗教ＮＧＯの多くは、諸外国の団体と密接な関係を持っている場合が多い。イスラームならばムスリム同胞団や南インド系のタブリーグ・ジャマアト、仏教であれば台湾の慈済基金会や日本の創価学会、キリスト教であれば米国の福音派教会などである。ヒンドゥー教団体も、インドのヒンドゥー教復興運動の影響を広く受けている。

現在は、インターネット、特にソーシャル・メディアも宗教活動の多くの部分を占めるようになっており、時代によって変化しながらも、マレーシアは宗教が国家、社会、個人に大きな意味を持つ社会であり続けている。

（塩崎悠輝）

〈**参考文献**〉

塩崎悠輝『国家と対峙するイスラーム――マレーシアにおけるイスラーム法学の展開』（作品社、２０１６年）。
多和田裕司『マレー・イスラームの人類学』（ナカニシヤ出版、２００５年）。
William Roff. *Studies on Islam and Society in Southeast Asia*. Singapore University Press. 2010.

21

人々はどんな言葉を用いて、日常生活を送っているのか？

★国語と多言語社会のコミュニケーション★

多言語状況のあらまし：国語、英語、民族語

東南アジアは多言語社会で、複数の言語が場面によって使い分けられる。いずれの国家も、国語・公用語により国民の統合を試みてきた。しかし、国語・公用語の普及で多言語使用がなくなることはなく、多言語が混在し続けている。

マレーシアの場合、連邦憲法第152条に「国語はマレー語（bahasa Melayu）である」と明記されている。「マレーシア語（bahasa Malaysia）」という名称が提案されたこともあった。「マレーシア」という国名を冠することで、マレーシア人全体の言語へとイメージを刷新し、使用を促進しようということだったようだ。同条文はまた、マレー語が単なる国家の象徴にとどまらず、官公庁が公的な目的のために実際に使用せねばならない公用語であることも規定している。

連邦憲法152条はさらに、「何人も他のいかなる言語を（公的な目的以外で）使用し、教授・学習することを妨げられない」とし、マレー語以外の言語の話者の権利も保証している。旧英国植民地のマレーシアでは、近代的な政治・経済や教育の制度が英語により築かれた。マレーシアは現在に至るまで、英語な

表1　主な民族語とその系統・特徴（使用の詳細は、各民族の章を参照）

<table>
<tr><th>民族</th><th>主な言語</th><th>系統</th><th>他動詞文</th><th>修飾語</th><th>形態</th><th>文字</th></tr>
<tr><td>サラワク州の先住民族</td><td>イバン語、ビダユ語</td><td rowspan="2">オーストロネシア語族</td><td>SVO</td><td rowspan="3">後</td><td rowspan="3">膠着</td><td rowspan="3">ローマ字</td></tr>
<tr><td>サバ州の先住民族</td><td>カダザン・ドゥスン語、バジャウ語</td><td>VSO, VOS</td></tr>
<tr><td>オランアスリ</td><td>セマイ語、トゥミア語</td><td>オーストロアジア語族</td><td>SVO</td></tr>
<tr><td>華人</td><td>北京語、福建語、広東語</td><td>シナ・チベット語族</td><td>SVO</td><td>前</td><td>孤立</td><td>漢字</td></tr>
<tr><td>インド人</td><td>タミル語、マラヤーラム語</td><td>ドラヴィダ語族</td><td>SOV</td><td>前</td><td>膠着</td><td>インド系文字</td></tr>
</table>

しでは機能しない。

マレー語と英語以外の言語は、特定の民族内で用いられる民族語だ（表1）。華人の言語は、北京語を華語、その他の言語を「方言」と呼ぶことがある。マレー語は、起源的にはマレー人の民族語で、マレー人のほとんどがマレー語を母語とする。だが、ブミプトラ・非ブミプトラ（参照 第13章）を問わず、マレー人以外にもマレー語を母語とする人々が相当数いるので、マレー語をマレー人の民族語と位置付けるべきではない。

マレーシア人はどんな言葉を用いているか？

マレー語と民族語について、表1にまとめた特徴を中心に紹介する。まず、言語間の歴史的関係という点では、マレー語はオーストロネシア語族に属し、ボルネオ島の先住民族の言語と同系統だ。オラン・アスリの言語は別系統で、ベトナム語やクメール語と同じオーストロアジア語族に属す。タミル語やマラヤーラム語はインド南部のドラヴィダ語族の言語で、ヒンディー語などインド北部の言語とは系統を異にする。

マレー語の他動詞文の基本語順は、主語（S）動詞（V）目的語（O）だ（例：Saya（サヤ）（私）belajar（ブラジャー）（勉強する）bahasa Melayu（バハサ ムラユ）（マレー語）「私はマレー語を勉強する」）。インド人の言語は、日本語と同じSOV語順だ。サバ州先住民族の言語は、動詞が先頭に来る。これはオーストロネシア語族の伝統的な語順で、フィリピンや台湾の言語もそうだ。

マレー語では、日本語とは逆に、修飾語が被修飾語の後に来る。「私の名前」は、nama（名前）saya（私）となる。

マレー語の語は、語根に接頭辞、接尾辞などの接辞が次々と付加する、膠着的特徴を持つ。日本語と同じだ。たとえば、bel**ajar** は、語根 ajar「教」に接頭辞 ber- が付いた形で、直訳は「教わる」だ。同じ語根から、meng**ajar**「教える」、**ajar**an「教え」、peng**ajar**an「教授（すること）」といった語が派生される。

華人の言語では、ほとんどの語が語根のまま使われる。

マレー語は独自の文字を持たず、表記にローマ字を用いる。ローマ字導入以前は、アラビア文字を拡張したジャウィ文字により表記されていた（表2）。

表2　マレー語、華語、タミル語による「マレーシア」の表記

Malaysia	マレー語、ローマ字
مليسيا	マレー語、ジャウィ文字
馬來西亞	華語、繁体文字
马来西亚	華語、簡体文字
மலேசியா	タミル語、タミル文字

言語の使い分け

多言語状況において、マレーシア人は何らかの形で複数の言語を用いる。使用形態は、個々人の生活環境により大きく異なる。また、一般に複数言語話者はすべての言語を同レベルで用いることはない。1つの言語が他の言語より優勢であり、使用場面によっては1つの言語しかまともに用いることができなかったりする。複数言語を混ぜて用いることもある。

多言語使用は、都市部と村落部では事情が異なる。村落部のマレー語母語話者の場合、テレビ番組や買い物で受動的に英語に触れる以外は、マレー語だけで事が済む。非マレー語母語話者の場合、母

語に加え、マレー語を用いることになる。公的手続きや中高等学校以上の教育にはマレー語が必須だからだ（参照 第26章）。

村落を出ると、母語が異なる人々とコミュニケーションする必要が生じる。その時の共通言語は普通、マレー語だ。クアラルンプールなどの大都市では、英語が用いられることもある。これは特に、マレー語母語話者を含まない場合や話者の英語力が高い場合に顕著である。

公共放送局であるマレーシア放送協会（ＲＴＭ）では、マレー語だけでなく、英語と民族語の放送も行っている。テレビ放送は、マレー語が中心だが、英語、イバン語、カダザン・ドゥスン語、北京語、タミル語のニュース番組も放送している。ラジオ放送では、さらに多くの言語をカバーしている。

マレー語ジレンマ、英語問題

現代マレーシアの共通語はマレー語だ。国民全体に向けた情報伝達はマレー語で行わなければ、非都市部を中心に多くの人々が不利益を被る。しかし、現在のマレーシアでは、店頭で目にする商品説明、銀行のウェブサイトなど、日常生活に必要な情報が英語だけでしか提供されないケースはまれではない。

その背景には、マレー語普及における官民の格差がある。独立後、政府は行政や教育のシステムのマレー語への転換を意欲的に行った。一方、民間部門のマレー語化は進まなかった。そのため、就職すると突如、英語が必要になり、当然生じる英語力不足に産業界から不満が出るという事態が生じている。

表３　教授言語英語化政策

年	対象	科目指定など
1996	私立大学	なし
2003	小学校・中高等学校	理数科目、2012年に廃止決定
2005	国立大学	理系科目
2016	小学校・中高等学校	理数科目、一部学校に限定

この不一致の解決策は、民間部門のマレー語化を促すことだと筆者は考える。ブミプトラの経済力向上により、それは草の根レベルでは進みつつある。だが、１９９０年代以降の政策は一貫して逆の方向、すなわち、教育の英語化を目指す（表３）。その成果は芳しくない。私立大学に華人やインド人が集中し、民族分断が生じた。民間部門の英語使用により、この分断は民族間の経済格差助長も意味する。２００３年の小学校・中高等学校の理数科目英語化では、大規模な反対運動が起こり、その失敗も露呈した。

英語への固執は、根強い英語信仰とマレー語不信に起因する。英語は別格の言語であり、グローバル化や科学技術開発に関する諸問題を解決できるという主張がまかり通ってしまう。マレー語不信は、非母語話者の民族感情よりは、英語依存のせいでマレー語の使用可能領域が限定的になっていることが元凶だ。母語話者ですら「マレー語だけでは無理」という状況が頻繁にあるのだ。そのような状況を減らすのではなく、英語で埋めてしまうという選択は、言語問題を超えた、国家全体の将来に少なからぬ影響を及ぼすだろう。

（野元裕樹）

〈参考文献〉

手嶋將博「マレーシアにおける教育言語改革の課題――教育言語としての英語の導入をめぐって」（『言語と文化』16、文教大学大学院言語文化研究科付属言語文化研究所、２００３年）。
野元裕樹「英語格差を生きる」（東京外国語大学言語文化学部（編）『言葉から社会を考える――この時代に〈他者〉とどう向き合うか』白水社、２０１６年）。
ファリダ・モハメッド、山本佐永『Jom Belajar Bahasa Melayu マレー語を勉強しよう』（Universiti Sains Islam Malaysia、２０１６年）。
藤田剛正「東南アジアにおける言語政策―マレーシア・ブルネイ」（『経営と経済』66（３）長崎大学経済学会、１９８６年、http://hdl.handle.net/10069/28311）

DBP（言語図書局）

コラム5

野元裕樹

　2006年、首都クアラルンプールのターミナル駅、KLセントラル駅からモノレールで二駅目のマハラジャレラ駅近くに、一風変わった高層ビルが誕生した。その屋上には大きな本のレプリカが載っていた。DBPタワーと呼ばれるこのビルの主はDewan（デワヌ） Bahasa（バハサ） dan（ダヌ） Pustaka（プゥスタカ）、通称DBPだ。dewanは「局」、bahasaは「言語」、danは「および」、pustakaは「図書」を意味し、全体としては「言語図書局」と訳せる。

　DBPは1956年に設立された政府機関で、マレーシアの国語・公用語であるマレー語の普及と地位向上をその使命とする。日本でDBPに一番近いのは国立国語研究所だろう。国立国語研究所を知る人はそれほど多くないだろう。だが、DBPは違う。マレーシア人なら誰でもその名を聞いたことがあるし、何をやっているか具体的なイメージがわく。なぜか？――一番の理由は、DBPが公教育で使われる教科書の出版を行っていることだ。日本では教科書出版は民間出版社が行い、教育委員会や学校がいくつかの中から選定を行う。一方マレーシアでは、教育省の管轄下でDBPが出版する教科書一択しかない。教科書を開くと最初の方にDBPのロゴが載っている。だから、人生の中で必ず一度はDBPに接する。

　そのようにDBPには出版社という側面があるが、出版するのは教科書だけではない。他にも、学習書、教養雑誌、文学作品、辞書、専門書なども出版している。いずれもマレー語で書かれたものがほとんどだ。DBPの使命はマレー語の普及と地位向上だからだ。マレー語は国語・公用語としての法的地位は持つものの、出版業界で優位にあるのは実は英語と華語（北京語）だ。大きめの書店に行けば一目瞭然だ。売り場は言語ごとに分かれ、英語と華語がかなりの部分を占める。マレー語コーナーは小さい。英語や華語には海外で出版された書籍が大量にあり、それを輸入して売ることができる。しかし、マレー語の書籍はマレーシアが何とかするしかない。DBPはその重要な一翼を担っている。

今となっては、DBPは次から次へと書籍を出版できるようになったが、マレー語による出版には当初いくつもの壁があった。DBPはその壁を乗り越えねばならなかった。まず、マレー語自体を整備する必要があった。ローマ字使用の歴史が短いマレー語は、正書法のレベルから手を付けなければならなかった。現在の綴りは1972年にようやく確立したものだ。語彙のレベルではさらに致命的な問題が存在した。英国植民地時代の英語使用の影響で、マレー語では近代的な事柄を語るための語彙が発達してこなかったのだ。国語・公用語たるマレー語は、科学技術を含むあらゆる分野で使えるものでなければならない。そこでDBPはさまざまな分野の専門家たちとともにマレー語による専門用語作成の一大プロジェクトを遂行した。マレー語によるマレー語辞典の編纂もDBPに与えられた大きな仕事だった。1970年に初版が出版されたDBPのマレー語辞典はKamus（カモス）

Kamus Dewan と DBP の出版物

Dewan（デワヌ）と呼ばれ、マレーシアでもっとも権威のある辞書とされる。最新版は２００５年に出た第四版で、筆者もよくお世話になっている。その後長い間改訂がないので不審に思っていたら、２０２０年にKamus Dewan Perdana（プーダナ）という全く新しいマレー語辞典が突如登場した。この辞書はＡ４サイズで約２５００ページもあり、大きく、そして重たい（3・6キロ）！

書籍出版は書き手と読み手がいないと成立しない。そのためにＤＢＰは言語・文学関連の講座や各種コンテストを開催し、マレー語で創作活動を行う人材を育成したり、マレー語を使う楽しみや意義を伝えたりしている。その一環で、筆者のマレー語を専攻する学生たちがＤＢＰのＳＮＳのライブ配信に出演したりしている。昨今、ＤＢＰは政府と一丸となってマレー語の国際的地位向上に取り組んでいる。外国人に対するマレー語教育にも積極的な関与をし始めた。

最後に、ＤＢＰの担ってきた役割で忘れてはならないのが「正しいマレー語」の提示だ。設立当初、人々はローマ字綴りにまだ慣れておらず、華人など非母語話者のマレー語力も今よりかなり低かった。また、教育や行政でのマレー語使用が始まったばかりで、必要な語彙や言い回しが定着していなかった。そのような状況下で、ＤＢＰはマレー語に関する質問に対して正解を示す存在となり、人々もＤＢＰをそのような存在として認識するようになった。マレー語が近代言語として発達し、広く用いられるようになった現在、設立当初の規範の提示者としての役割は終わりつつあると思われる。だが、その認識は当のＤＢＰにはないようだ。最近のＤＢＰは誤用やことばの乱れを取り締まる「ことばポリス」的なことをしたり、語彙や文法に対して人為的な規則を提案したりして、規範の提示者であり続けようとしている。冒頭で紹介したDBPタワー屋上の本のレプリカだが、2019年に取り壊しとなった。理由は老朽化により人々の安全を脅かしかねないためとのこと。時代が変わり、人々がレプリカを見上げることがなくなっても、DBPはマレー語の発展のために必要であり続けるだろう。

22

人々の1年と祝日

★暦と暮らし★

3種類のカレンダー

「机の前には最低でも3種類のカレンダーを常に置くように」。マレーシア研究を始める際に先輩から最初に受けたマレーシア研究の心得である。当時は現在のようにWeb上に「暦の換算サイト」などがない時代の話である。マレーシアと付きあうには、グレゴリオ暦、ヒジュラ暦（イスラーム暦）、旧暦（農暦）が必要となる。多民族社会マレーシアの暦には、これらの暦に基づく祝日が混在しているからである。厳密にはヒンドゥー暦も必要だが、この暦に基づく祝日（ディパバリ）が1日しかないので日付を確認さえできれば、ことが足りることになる。

多民族社会という社会構造、連邦制という統治機構、そして植民地支配経験という歴史的条件、さらには独立国家としての「人々の記憶」を反映し、マレーシアには多種多様な祝日が存在する。なかでもやっかいなことは、連邦制度の下で、州ごとに週休制が異なる点であろう。出張でマレー半島南部のジョホール州に行ったら金曜日が休日で、日曜日が平日であった、ということも起きる。

マレーシア連邦全体の休日（2023年）

グレゴリオ暦に基づく祝日	
5月1日	メーデー
8月31日	独立記念日
9月16日	マレーシア・デー〔マレーシア連邦成立の日〕
12月25日	クリスマス
任期期間中は固定	国王の誕生日（現国王の誕生日のため、任期5年ごとに変更）
ヒジュラ暦に基づく祝日	
1月1日	新年
3月12日	ムハンマド生誕の日
10月1日～2日	断食明け祭り
12月10日から11日	犠牲祭
旧暦に基づく祝日	
1月1日から2日	旧正月
4月8日	釈迦生誕の日（Wesak Day）
ヒンドゥー暦に基づく祝日	
第7番目の月の新月の日	光の祭り（Deepavali）

連邦制度と植民地経験

連邦制度を採用していることから、連邦全体の祝日と州独自の祝日の2種類が存在する。2023年のカレンダーを見ると、連邦全体の祝日は14日間〔表参照〕、州独自の祝日は13州平均で4日となっている。大きな特徴は自州の統治者〔Sulatn、スルタンのいない4州では知事〕の誕生日を必ず含んでいることである。州の休日がもっとも多いのはトレンガヌ州で7日間もある。逆にもっとも少ないの州では3日間となる。旧マラヤ連合州（FMS）を構成したペラ州、スランゴール州、ヌグリ・スンビラン州、パハン州に加えて、マラッカ州と連邦領のクアラルンプールとプトラジャヤである。つまり旧FMSとペナン州を除いた海峡植民地がこれに当てはまる〔ペナン州は世界遺産認定を祝し、世界遺産の日〔7月7日〕を加えたために1日多い〕。残りの州、つまり旧・非マラヤ連合州（UMS）に属した州では、ムハンマドの昇天祭が祝日とされる一方で、グレゴリオ暦の1月1日が休日となっていないことからもわかるように、他のFMSよりもイスラーム色が濃く反映されている。

また、州の祝日の大きな特徴は当該州における民族構成や宗教分布状況を色濃く反映していることである。たとえばサバ州とラブアン島〔1984年に連邦領になるまではサバ州に所属〕にのみ、先住民族の収穫感謝祭がもうけられている〔詳しくは第17章を参照〕。換言すれば、多民族社会という基本構造の下で、連邦の祝日はマレーシア「国民統合」を進める方向に機能するのに対し、州の祝日はそれぞれに州の歴史、民族構成に基づく、州——かつてのマレー人王国——単位での独自性や歴史経験を再認識させる力学を持つといえるだろう。

多様性と対照作業が必要なカレンダー

マレーシアと付き合うと、毎年1年の初めは冒頭で述べた3種類のカレンダーの「対照作業」で始まる。連邦全体の祝日を見ると、グレゴリオ暦で毎年固定されているのがメーデー、独立記念日、マレーシア・デー、クリスマスの4日間しかなく、これらは毎年確認する必要はない。ただし、国王は5年間の任期制であるために、任期期間中は固定されているものの、国王が交代することで自ずと変更されることになる。したがって5年に1度は確認する必要がある。

一方、グレゴリオ暦では固定されない祝日が多数存在する。それらはイスラーム、キリスト、ヒンドゥーなどそれぞれの宗教に基づく〔祝日一覧を参照〕。イスラームではヒジュラ暦の新年に始まり、ムハンマド生誕の日〔ヒジュラ暦3月12日〕、断食明け〔ヒジュラ暦第9番目の月である断食月が開けた10月1日から2日〕、そして犠牲際〔ヒジュラ暦第12番目の月の10日から〕である。キリスト教ではクリスマス、ヒンドゥ教ーではディパバリとなる。

そもそもイスラーム社会が採用しているヒジュラ暦は純粋な太陰暦である。1年を354日とし、12か月に分け、29日と30日の月を交互にして運用される。月の満ち欠けに伴う暦であるが故に、毎年グレゴリオ暦と11日のずれが生じる。このために両者の暦の対照が必要となる。特に断食月の始まりと終わり、断食明けを確認することがマレーシア、なかでもムスリムと付き合う上で重要になってくる。暦のずれは太陰太陽暦である旧暦にもあてはまるので、旧暦の正月〔いわゆる春節〕や釈迦生誕の日もまたもまたグレゴリオ暦で確認する必要がある。

マレー人街で断食明けを祝う飾り物を作成・販売している様子

ライオン・ダンスで「春節」をお祝いする人々

このように多民族社会構造を反映して、主要な宗教の祝日は設定されている。しかし、必ずしも、すべての宗教は平等ではない。たとえば、キリスト教に重要なイースターや、華人社会で重要な中秋節などは祝日になっていない。ここにも連邦の宗教としてのイスラームの優位性を見て取れるだろう。

多民族社会における祝日の意味と効能

こうした祝日を人々は思い思いに過ごすが、１つの重要な行事がオープンハウスである。国王を始め首相など社会の指導者も含め、多くの人々が文字通り「家」を解放し、人々を迎え入れ、ともに祝う行事である。多くの場合、軽食や飲み物などが用意され、「家」の一部を見学することができる。同じ行事を一般の人々も行う。友人、知人の家を訪ね、ともに交流関係の確認を行う社会的行事としてだけではなく、特に民族が異なる人々がともに食事をしたり、語り合う場となる。ともすれば、祝日の意味——背後にある宗教や社会や慣習——を意識せずに過ごしているお互いを知り合うよい場所になっている。

（鳥居　高）

〈参考文献〉

堀井健三「マレーシアの祝祭日と週休制」（小島麗逸・大岩川嫩編『「こよみ」と「くらし」——第三世界の労働リズム』所収、アジア経済研究所、１９８７年）。
Dr. Mohammad Ilyas, *A Modern Guide to Astronomical Calculations of Islamic Calendar, Times & Qibia*, Kuala Lumpur: Berita Publishing Sdn. Bhd. 1984

23

人々はどこに、どのように住んでいるのか?

★住まいと暮らし★

国民的な漫画家ラットの『カンポンボーイ』(The Kampung Boy) は、初版の刊行が1970年代末とはいえ、今も広く愛される名作だろう。1950年代のカンポン(村)の少年と家族、そして村人たちの日々の暮らしの様子と共に、マレーの村に建つ民家が活写されている。

カンポンの住まい

作中にも描かれているマレー系の民家は、高温多湿の環境にうまく適応している。強い日差しを防ぐべく庇は長く、スコールに備え屋根勾配は大きい。換気を促すために窓などの開口部は大きく開く。また湿気や害虫の対策から高床で建てられる。屋根はこれを土地毎に入手の容易な材木を用いて建てられる。屋根はアタップで葺かれている。

住まいは開放的で、隣近所との日頃の付き合いにも便利だ。建築に先立って信仰に則り儀礼が行われ、美しい木彫りの装飾なども施される(イラスト1)。

興味深いのがマレー系の民家には、地域ごとに室の配置や屋根の組み合わせなどで固有性が豊富なことだ。たとえば、マラッ

イラスト１　マレー系の民家（復元）（ペナン州）
筆者画：以下同様

イラスト２　中国系の民家（ジョホール州西海岸）

カ地方のものは中庭を持つのが特徴。ヌグリ・スンビラン州の民家は棟が反り上がる。これらの民家の形態の地域性は現代建築にも取り入れられてきた。たとえば鉄筋コンクリート造の公共建築のデザインなどにも見られる。

　カンポンの中にも中国系の民家がある。同じ村の中にあっても、こちらは平土間でマレー系の住まいとは異なる。また中国系の民家には地方ごとの固有性はない。いずれの地方でも前面に歩廊を持ち切妻屋根や入母屋の大屋根がかかる（イラスト2）。

　同じ熱帯の自然環境下にありながらも、マレー系は高床で、中国系は平土間。屋根の形から装飾まで異なる。多様な人々の暮らしが民家の形態にもよく表れている。

ショップハウス

『カンポンボーイ』の主人公の少年が、折々に訪れる街場には店舗が建ち並ぶ。中国系やインド系の人々が商売を営む店舗併設住宅のショップハウスがある。主に一階が店舗で上階が住居に用いられてきた。間口が狭く奥行きが深い。

一階の前面には5フィート程度、上階がせり出す。この部分はベランダウエイ等と呼ばれている歩廊となる。これが隣戸の歩廊とつながり街路に連なることで、雨の日でもここを通れば濡れることがない。また単に通路としての役割だけではなく、半屋外空間として各戸の家事や作業の場ともなる。

また都市部のショップハウスでは、防火のために隣戸との隔壁は煉瓦が積まれ、屋根には瓦が葺かれてきた。

ショップハウスはマレーシアだけではなく、広く中国の華南から東南アジアの各都市にも見られる。ある意味でこの地域に遍在的な住居の形態ともいえるだろう（イラスト3）。

イラスト3　ショップハウスの街並みと朝市の光景
(ペナン州ジョージタウン)

住宅団地

もっとも開発の進展と共にこれらの住まいも変貌の過程にある。『カンポンボーイ』が今も愛されるのは、こうした伝統的な住居や暮らしが、開発の進展と共に失われたため、人々の喪失感と郷愁をかきたてるからかもしれない。

マレーシアの都市開発は都心の再開発と郊外開発の両輪で進んだ。『カンポンボーイ』で描かれた1950年代にはすでに首都クアラルンプール郊外に、同国初のニュータウンとされるプタリンジャヤの開発が始まっている。首都圏への流入人口が急増し、市内各所にスラムやスクオッターが出来つつあった。これらの受け皿として郊外開発が急がれたのである。中間階級は緑が豊かで環境の良好な郊外の住まいを渇望した。都市の郊外化は首都圏やプタリンジャヤだけではなく全国的におきた。各地で都市周縁の山林を蚕食しつつ住宅団地が次々に造成された。マレーシアの人口は1990年から2010年の間で1・5倍に増加している（詳細は第13章参照）。この人口増を開発された住宅団地が受け止めた。

こうして建設された住宅団地の名には、その多くで、マレーシア語で「庭園」を意味する「タマン」(Taman) と冠された。たしかに、過密や環境悪化の進んだ都心から見て、緑豊かな郊外住宅団地は「タマン」の名にふさわしかった。

住宅団地の住まいは、コンクリートや新建材などの工業化材料が用いられる。これで火事や白蟻に悩む事も少ない。そして平土間化したことで、高床と比べて住まいへの出入りも簡単で、大型家電を載せても傾ぐことはない。

団地開発ではこれらの同じ形の住まいが大量一時期に建てられた。一見して無個性といえばそうだろう。ただし生活環境は良好といってもよいだろう。日本の多くの郊外団地のように戸別にバラバラのデザインが建ち並ぶことはなく、街並みは統一されて見える（イラスト4）。

興味深いのは工業化された、画一的な住宅団地の住戸でも、その内部ではそれぞれに民族性の豊かな起居形式を維持していることだ。住宅を好みの形に増改築し、しつらえることで、使いこなしている。これは室内だけではなく庭の使い方にも表れ、しばしば祭壇などが据えられる。個別に住まい手の個性が現れることで、街並みの統一感を有しながらも、多彩になってゆく。

これまでの生活空間であるカンポンや市街地では界隈ごとに緩やかに民族ごとに住み分けられていた。それが住宅団地では異なる民族集団の人々が入居し近隣空間を形成している。マレー人優先政策も作用した。団地開発では定められた価格帯の住宅の戸数をマレー系に割り当て、価格の減免も行われたのだ。

イラスト４　郊外住宅団地の家並（ペナン州ペナン島北部）

筆者は、団地の風景はなによりも多民族社会マレーシアを表しているとも思える。

変貌する住まい

ただ郊外団地の暮らしも万全なばかりではない。広大な都市郊外に向かうバスや鉄道などの公共交通網は充実しているとはいえない。自ずと自家用車が欠かせない交通手段となり、都市と郊外を結ぶ幹線道路の交通渋滞は年々悪化している（詳細は第24章参照）。また、急激に進む宅地造成は、年々深刻化する都心部の浸水被害の一因となっている。開発はさらに都心からさらに遠い縁辺の地に向かう。あまりの不便さに売れ残る住戸も出始めている。

同国の住宅市場はシンガポールなどからの近隣諸国の投機にも影響されている。外国人の投資や、国民の所得増を受けて都市部では30階建てを超す豪華なコンドミニアムが次々に建てられる。ジムやプールを備えるコンドミニアムは都市部を中心に人気がある。住宅価格は上昇を続け中古住戸の再販売価格も高い。これらの住宅価格の高騰は富裕層らには好機となっているが、若年層などの住宅購入を難しくしている。

近年、防犯への関心の高まりから、ゲーディッドコミュニティー（門柵に囲われた、住民のみが出入可能な団地）も人気だ。またエアコンの普及で窓を常時開けておく必要もなくなる。既存の団地の住戸でも高く塀をめぐらせる傾向にある。従前の開放的な住まいのあり方とは異なり始めた。

『カンポンボーイ』でラットが描きだした、開放的な住居がつむぎだす近隣世界は、この先、マレーシアの暮らしの風景から失われてしまうのだろうか。

（宇高雄志）

〈**参考文献**〉

宇高雄志『住まいと暮らしからみる多民族社会マレーシア』（南船北馬舎、２００８年）。
ラット（作）、左右田直規（監訳）、稗田奈津江（訳）『カンポンボーイ』（東京外国語大学出版会、２０１４年）。（Lat, 1979, The Kampung Boy, Berita Publishing.）
Lim Jee Yuan, *The Malay House: Rediscovering Malaysia's Indigenous Shelter System*, Institut Masyarakat 1987.

24

人々はどのように移動しているのか？

★LCC、高速バス、公共鉄道★

マレーシアは、タイから続くマレー半島の半島部とボルネオ（カリマンタン）島北部の2州（サバ・サラワク）からなる。マレーシアは地理的に東西に大きく分かれており、その間の人々の移動を支えるのは主に航空機である。マレーシアの主な航空会社はマレーシア航空（MAS）で、それとは別にLCCのエアアジア（Air Asia）がある。エアアジアはマレーシア以外にもインドネシア、タイ、フィリピンに系列企業があるし、インドでも2013年に系列企業を開設した。エアアジアはAir AsiaX社などを持つ多国籍企業へと成長してきた。

私的交通としての自動車

航空機から地上に降りてマレー半島の各地を見ると、そこにも多様な交通手段が人々の移動を支援している。交通手段は、私的交通と公共交通の2つに大きく分けられる。マレーシアの私的交通を見ると、自動車産業が東南アジアの中でも特異である。タイなどとは異なってマレーシアは、国産自動車の生産を追求してきた。マレーシアの首相を長く務めたマハティール・モハマド氏は、自動車産業を基軸にしてマレーシア経済を成長させようとした。

マレーシアの市街地では、プロトン（ＰＲＯＴＯ）や日本のダイハツ工業と現地資本の合弁企業のプルドゥア（ＰＥＲＯＤＵＡ）などの国民車が多く走る。プロトンは、三菱商事と三菱自動車の協力を得て１９８３年に設立された国策会社である。独自の販売戦略を採用したプロトンは、２００１年には国内市場で53％ものシェアを占めた。しかしその後の２０１６年には国内シェアが12％となって経営不振に陥り、中国企業の支援を受けることになった。プルドゥアは、日本の軽自動車に相当する小型車を販売して改良に努めたので、社会進出が進展する女性の人気を得た結果、２００６年にはプロトンを抜いて国内シェア最高の32％となった。マレーシアの日中炎天下の市街地を歩くのは、荷物がなくてもつらいものがある。このため都市交通に関しては、バイク・中古自動車等の私的交通手段が発達した。クアラルンプールなどの大都市内の公共交通は、鉄道が徐々に通勤交通へと変化しているが、中古を含め自動車を購入できない人々のための主な交通手段である。

自動車は、良好な道路があってはじめて有効な乗り物となる。この点、マレーシアの道路整備は優れており、高速道路も充実している。この国で産出される石油資源の販売を基にして道路整備を行ってきた。高速道路をつくり、工業団地を整備した。マレーシアで最初の高速道路は、首都クアラルンプールとその外港のクラン港の間をつなぐ連邦ハイウエイで１９５０年代末に完成した。首都圏の幹線道路としての地位を長く維持してきたこの高速道路は、イギリスの植民地時代に計画された。やがてクアラルンプール大都市圏には、高速道路が多様につくられた。その建設は急速で一時期は、地元の人々でもインターなどが複雑で道路を覚え切れないという時期もあった。それほど急速に首都圏の高速道路が整備された。マレー半島を南北に貫く南北ハイウエイの沿線にも多くの工業団地が造られた。

拡大する公共交通

公共交通としてはバスと鉄道がある。都市内の乗り合バスは、クアラルンプールでは１９８０年代まで、そして地方都市ペナン等ではそれよりだいぶ後まで、小型のミニバスが多かった。定員が普通のバスの半分程度しかない小さなバスである。かつてはミニバスが多く市街地内を走っていた。政府は次第にミニバス会社の統合を推し進め、普通の大きなバスに代わってきた。そしてやがてエアコンも整備され、快適に移動できるようになった。道路の整備水準が高いので、高速バスが発達している。市内の各地には都市間を結ぶ高速バスターミナルが立地する（写真1）。

写真１　半島部南部への高速バスターミナル TBS（2015 年、鳥居高撮影）

第二の公共交通としては、鉄道がある。マレーシアの鉄道は、イギリス植民地時代に貨物輸送を目的として建設された。その主な輸送貨物は、マレー半島内のプランテーションで採取される天然ゴムをシンガポールに運ぶことであった。鉄道は貨物輸送が主体であって、日本のような都市圏の通勤電車としては成長してこなかった。首都圏では公共鉄道網の建設も進んできた。そして都心部ではＫＬモノレールも整備された。

最近の動向としては、東南アジアの大都市の多くが追求している地下鉄の建設がある。クアラルンプールでも地下鉄が建設されたが、都市圏の人口規模は他の首都と比較して相対的に小さく、地下鉄需要が極めて強いわけではない。都心のブキットビンタンを経由する地下鉄が完成し、都市内交通は以前よりも便利になった。ブキットビンタン近くの屋台街として観光客によく知られるアローストリートも道路整備が進展している（写真2）。

写真２　クアラルンプールの屋台街アローストリートのプロトンタクシー
ブキットビンタンに近く、夜には屋台街となって観光客を集める

地方における交通機関

クアラルンプールの交通整備に比べれば、地方都市のペナンやジョホールバルの交通整備はやや遅れている。しかし、ペナンでもＫＬモノレールと同じようなモノレールの建設計画がある。ペナンは、マレー半島から離れた島であって、ペナン島と半島部はペナンブリッジで結ばれている。このペナンブリッジについては交通量の増加に対応するために、第二のペナンブリッジも建設された。ペナンでも写真3のようにタクシーとバスが重要で、バイクも庶民の足として欠くことはできない。

マレー半島南部のジョホールバルとシンガポールの間には通勤鉄道が建設されている。両国を結ぶ

写真３　ペナン市民の交通手段 バス・タクシーとバイク、ペナン都心部の交通手段（写真２、３は共に2016年筆者撮影）

２本の橋を越えて往来する人々の数も拡大しつつある。さらにシンガポールとクアラルンプールを結ぶ高速鉄道（約３５０㎞）の建設が決まっていたが、２０１８年総選挙による政権交代によって、計画は一旦中止となった。これらの建設計画によって、シンガポールとマレーシアの関係が新たな段階に入ろうとしている。鉄道に関しては、中国との関係強化も述べるべきだろう。中国が投資するマレー半島の東海岸鉄道は、半島東北部から海岸沿いに南下してクアラルンプールを結ぶ約６００㎞の鉄道である。中国の鉄道投資は、中国の一帯一路計画の一部である。中国は右記の高速鉄道も含んでマレー半島を縦断する鉄道の建設計画に参入しようとしている。

（生田真人）


〈参考文献〉

石川和男「マレーシアにおける自動車産業政策と流通─国民車メーカーの存在感を中心に─」（『商学論叢』（中央大学）59巻３・４号、２０１８年）。

上東輝夫『マレーシアを読み解く46題』（日本マレーシア協会（発行元）紀伊國屋書店、（販売元）、２０２０年）。

Tham Siew Yean, Global trends and Malaysia's automotive sector: ambitions versus reality, *Journal of Southeast Asian Economies*, 38-2, 2021, pp.187-206.

25

人々は外出時に、また家の中で何をまとっているのか？

★衣類と暮らし★

マレーシアを歩いていると、カラフルな服装に身を包んだ人をよく目にする。オフィスで働く人たちは、ワイシャツにパンツやタイトスカートを着ていたり（熱帯の国なので、ジャケットを着たり、ネクタイを締めている人はあまり多くない）、Tシャツやポロシャツにジーンズなどカジュアルな格好している人など、私たちが普段、日本の街中で目にするのと同じような服装の人も多い。しかし、特にマレー系やインド系の女性は、外出の時に、それぞれの民族衣装を着ることも多い。インド系であれば、サリーやサルワ・カミス（salwar kameez）（パンジャビ・スーツとも呼ばれる、ふくらはぎぐらいまでの長いチュニックの下に、だぼっとしたパンツを合わせたもの）、マレー系は、長袖のゆったりとしたひざ下丈のワンピースの下に、さらにくるぶしまでのスカートを履くバジュ・クロン（baju kurung）と呼ばれる服装だ。どちらも、赤、青、緑など原色の生地だったり、カラフルな模様がプリントされていて、熱帯の強い日差しに映えて、目に鮮やかだ。

ムスリム女性とトゥドン

バジュ・クロン姿の女性の多くは、頭に被り物をしているかもしれない。この被り物は、マレー語では元々「トゥドン（tudung）」と呼ばれてきたが、最近は世界的によく使われる「ヒジャブ（アラビア語で「覆うもの」という意味）」と呼ばれることも多くなってきた。イスラームでは、身体の隠すべき場所のことをアウラと呼び、一般的には女性は顔と手以外の体全体、男性はへそから膝までを、マフラム（親子や兄弟姉妹など結婚が禁じられる関係）以外の異性の前で見せることはよくないと考えられている。そのためイスラーム教徒の女性の多くが、外出するときはトゥドンを被る。

多くが、と書いたのは、トゥドンを被るかどうかは強制ではなく、本人の意思に委ねられているから（ただし家族や配偶者などに半ば強制されて被っている例はあるかもしれない。またクランタン州では、イスラーム教徒の女性は公の場に出る際はアウラを覆わなければいけないと州の条例で決められている）。イスラーム教徒の女性でも、人前で頭髪を覆っていないことがある。また若い頃は被らず、その後被るようになる人もいる。たとえば、人気歌手のシティ・ヌルハリザは、デビューした時は髪を隠していなかったが、やがて前髪は少し見せているものの、ゆったりとした布で頭を覆うようになり、現在は前髪もすべて隠している。一般的に、年をとるにつれトゥドンを被るようになる人は多いが、中にはずっと被らない人ももちろんいて、マハティール・モハマド元首相の妻シティ・ハスマ夫人は、今でも被り物はしていない。

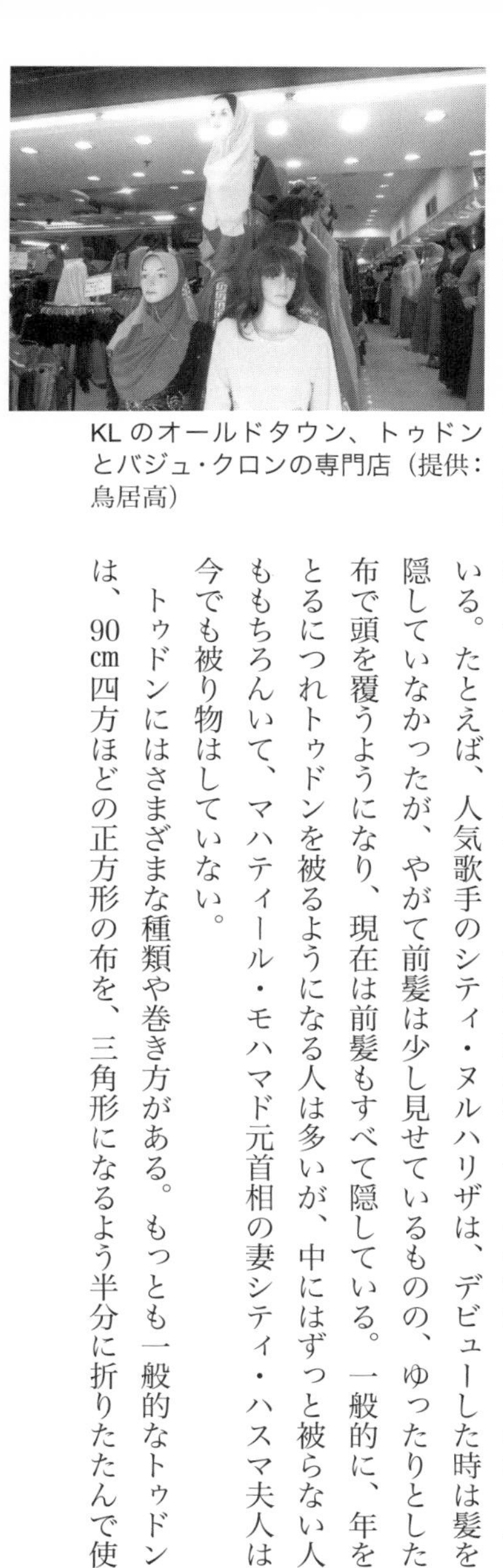
KLのオールドタウン、トゥドンとバジュ・クロンの専門店（提供：鳥居高）

トゥドンにはさまざまな種類や巻き方がある。もっとも一般的なトゥドンは、90㎝四方ほどの正方形の布を、三角形になるよう半分に折りたたんで使うトゥドン・バワル（tudung bawal）で、基本の巻き方としては、三角の長い辺の真ん中が額にくるように当て、顔の線に沿って両側を下ろし、あごの下でピン留めするが、布の端を結んだり、片側をもう一方にかけてブローチで止めるなど、多様なアレンジがある。トゥドン・バワル以外にも、さまざまな形のトゥドンがあり、アナッ・トゥドン（anak tudung）（トゥドンの下に被る薄手のニット帽のようなもので、髪を抑える）の上から細長いスカーフで頭をくるむように巻く、アフリカ女性の被り物のようにも見えるスタイルもある。（インターネットで「hijab malaysia」「tudung」などのキーワードで動画検索をすると、トゥドンの巻き方を紹介する動画がたくさん出てくるので、興味がある方は、検索してみてください。）

マレーシアでも最近は、黒やグレーのブルカ（顔を含む全身を完全に隠す被り物）やニカブ（眼以外を隠す被り物）を着ている女性を時々見かけるようになったけれど、大多数の女性は、カラフルなトゥドンを服に合わせて、お洒落を楽しんでいる。

地方色に富むバジュ・クロン

トゥドンと同様、バジュ・クロンにもさまざまな種類やスタイルがある。元々小さな王国が複数存在していたマレーシアでは、同じマレー文化といっても、方言や芸能、食べ物や服装など、地域によって違いがあり、バジュ・クロンにも州の名前がついたものがある。たとえば、バジュ・クロン・クダ（バジュ・クダとも呼ばれる）は、上に着るワンピースがヒップぐらいまでと短く、袖も太めで短い。そこにバティックなど大柄な腰巻サロン（sarung）を合わせる。一方バジュ・クロン・パハンはゆったりとした身幅で、腰から下にかけて広がるAラインの形になっている。以前バジュ・クロンは、布を買って、テーラーで自分の体形に合わせて縫ってもらうのが一般的だったが、最近都会ではお気に入りのテーラーを見つけることが難しく、既製服を買うことがほとんどだという。

マレー人女性の民族衣装としては、バジュ・クロンのほかに、前開きの上衣に長いスカートや腰布を合わせるバジュ・クバヤ（baju kebaya）もある（バジュ・クロンよりフォーマルな場所で着られることが多いように思う）。マレーシア航空（ＭＡＳ）の女性客室乗務員の女性の制服のように体にぴったりとしたバジュ・クバヤもあれば、よりゆったりとして、丈が長いものもある。また、華人とマレー人の文化が融合した華やかな文化で知られるプラナカンの女性たちが着るニョニャ・クバヤは、上衣にとても美しい刺繍がほどこされている。

バジュ・クロンもバジュ・クバヤも、その年ごとに流行りのスタイルがあるようだ。最近は、バジュ・クダのように短い上衣に、モダンなデザインを加えたものや、ウエストを絞ったスタイルが、都市部の女性たちに人気があるという。若者向けに、ヒップスターと銘打ったバジュ・クロンも話題になっている。

一方、マレー人男性の民族衣装はバジュ・ムラユと呼ばれる。長袖シャツ（薄手のテラテラした布で作られていることが多い）に、同じ生地で作られた長いパンツを合わせたもので、少しフォーマルなイベントの時には、サンピン（samping）と呼ばれる腰布を巻く。男性は日常生活でバジュ・ムラユを着ることはあまり多くないが、祭りの日や結婚式などの際に着られている。

イスラームの主な祝いには、断食明け大祭と巡礼中に祝われる犠牲祭があり、マレーシアではハリ・ラヤと呼ばれ盛大に祝われる（第22章参照）。ハリ・ラヤが近づくと、家をきれいにしたり、帰省する家族や親戚、訪問客を迎えるためのご馳走や菓子作りに忙しくなるが、その際、新しくバジュ・クロンやバジュ・ムラユを作ることも多く、バジュ・ラヤと呼ばれる。多くの人が作るので、人気のテーラーは、数か月前に頼まないと、ハリ・ラヤには間に合わないこともあるという。最近では、ハリ・ラヤの時や結婚式の時など、家族や親戚でテーマ・カラーを決めて作る（または買う）ことも多くなった。同じ色のバジュ・クロンやバジュ・ムラユを着た人たちが集まっているのを見るのは、なかなか壮観である。

ハリ・ラヤの時の家族写真（撮影：Iqbar Mansor）

ここまで外出着について触れてきたが、家の中では、Tシャツや短パン、またはゆったりしたパンツなど、私たちが夏に着るような部屋着を着ることが多い（家族以外の異性がいない家の中では女性もトゥドンを脱いでいる）。それ以外にサロンと呼ばれる腰巻布もある。丈1m、周囲2mほどの筒状に縫った布で、男女ともウエストに巻きつけて履く（巻き方は男女で異なる）。女性はろうけつ染めのバティック（やバティック柄のプリント布）を使うので、カイン・バティッ（kain batik）とも呼ばれ、男性用の格子模様や縞模様の布はカイン・プレカッ（kain pelekat）と呼ばれる。慣れないと動いている時にずれてしまったり、寝ている間に脱げてしまうこともあるが、体型に関係なく着ることができるので、訪問先で着替えを貸してもらう時に便利で、風通しもよく涼しいので、今でも好んで着られている。

（戸加里康子）

26

人々は何を、どのように学ぶのか？

★教育制度と教育内容★

マレーシア人を育てる教育の多様性

写真は「公民および市民性の教育」科目の教科書である（小学校は２０１３年、中等学校は２０１６年に廃止）。マレーシアには、マレー語、華語、タミル語を教授言語とする公立小学校がある。小学校の「公民および市民性の教育」には3言語の教科書があるが、教育内容はナショナル・カリキュラムに基づいているため、言語ごとに差異はない。

３言語で書かれた小学校の教科書

この教育を受けた多様な民族の児童たちは、「愛国心」を表現するポスターを描くとき、民族の差なく「主要三民族（マレー人、華人、インド人）が各自民族の伝統衣装を着て、友好的な関係を築いている姿」を国旗などのナショナル・シンボルと共に描く。子どもたちのこのような姿からは、たとえ別々の学校で異なる言語で教育を受けたとしても、マレーシア人として共通の学びを得ていることが示されている。

主要三民族（マレー人、華人、インド人）の民族語の小学校は、マレーシアの半島部がイギリスの植民地支配下だった頃から存在し、当時は英語を加えて4言語の学校が存在した。独立後は、全民族の子どもたちを同じ学校で学ばせることが構想された。1961年教育法の第21条2項では「教育大臣は他の言語の学校を国民学校（マレー語の学校）に転換する権限を持つ」とされ、将来的に華語やタミル語の学校が廃止となる可能性があること、その権限をマレー人の教育大臣（マレー人以外の民族の教育大臣は現在までいない）が持つことが、長らく華人やインド人の不安となってきた。結局、英語学校は全教育段階で廃止され、中等学校以降はマレー語学校のみとなった（私立として華語学校がある）が、第21条2項は1996年教育法からは削除され、今日に至るまで3つの民族語の小学校は維持されている。

マレーシアの教育の多様性は民族だけではなかった。ボルネオ島にある2州（サバ、サラワク）は、それぞれ英領マラヤとは異なるイギリスの植民地で、独自の教育制度を持っていた。マレーシア結成時の交渉でサバとサラワクは、英語を州の公用語とすること、英語を主要な教授言語とする教育制度を持つことを求めた。この要求は認められたが、1969年の民族衝突（いわゆる5月13日事件）を契機に1970年から開始された英語学校の漸次的なマレー語学校への転換政策にサバも同調し（サラワクは1977年より開始）、それ以降サバとサラワクの教育は徐々に中央集権化の下に置かれた。近年ではこれらボルネオ2州が英語学校の復活を求める動きがある。2018年に実施された総選挙では選挙公約として当時の与野党両陣営ともにボルネオ2州における英語学校の復活に言及したが、実現には至っていない。

第26章

人々は何を、どのように学ぶのか？

【現在の教育制度】

教育段階		年齢			
高等教育		22(23)	大学（私立／国立） ※専攻によって就学年数は異なる		
		21(22)			
		20(21)			
		19(20)			
中等後教育		18(19)	マトリキュレーション／ フォームシックス	カレッジ／ポリテクニク	
		17(18)			
中等教育	後期	16(17)	後期中等学校 （全日制、全寮制、宗教、技術など）	職業訓練	
		15(16)			
	前期	14(15)	前期中等学校		
		13(14)			
		12(13)			
初等教育		11	国民学校 （マレー語）	華語 国民型学校	タミル語 国民型 学校
		10			
		9			
		8			
		7			
		6			
就学前教育		5	幼稚園／就学前教室（小学校付属）		

教育動向

小学校は6年制で、マレー語を使用する国民学校が５８７６校、華語およびタミル語を使用する国民型学校が１２９９校（華語）、５２７校（タミル語）ある（２０２０年統計）。中等学校は、３年制の前期と２年制の後期に分かれている。中等学校は全部で２４３９校、その大半が普通科（１９８６校）である（２０２０年統計）。その他の中等学校のタイプとしては、全寮制、宗教（イスラーム）、技術、職業訓練などがある。１９７０年代半ばには小学校の総就学率はすでに95％程度となり、２０１０年には総就学率約１００％を達成している。中等学校の総就学率に関しては２０１９年に中等教育全体で約84％（前期中等学校段階で約90％、後期中等学校段階で約78％）となっている。

比較的早い段階から高い総就学率を達成し、１９６０年代には小学校と前期中等学校の授業料は無償となったが、義務教育導入は２００３年だった。義

サバ州の離島にある小学校

務教育導入の目的は、遠隔地に住み小学校への就学が困難な状況に置かれている「ラスト数%」の子どもたちの就学を促進することであった。これにより小学校の6年間が義務教育となったが、教育省は中等教育の義務化も検討していると国内メディアでは報じられている（2022年の段階では実現されていない）。義務教育導入背景には都市と地方の教育格差があったが、男女の間の教育格差を見ると女性の教育水準が高く、教育段階が上がるほど女性の比率が高くなる「リバース・ジェンダー・ギャップ」が見られる。前期中等学校までは、全就学者に占める女性の割合は、人口に占める女性の割合とほぼ同率（49%程度）だが、後期中等学校以降は男女比が逆転し、2020年の統計によると、後期中等学校は女性が占める割合が51・0%、中等後教育になると57・5%、大学教育になると61%となっている。

1983年に導入されたKBSR（小学校統合カリキュラム）、1988年に導入されたKBSM（中等学校統合カリキュラム）のもとで、さまざまな教育政策が実施されたが、特徴的だったのが国の経済発展に資する人材育成を目的として2003年より導入された「英語で理数科目を教える」政策であった。これは、すべての民族語の小学校および中等学校、中等後教育および高等教育で導入された（華語とタミル語の学校では民族語と英語の2言語使用）。しかし、「授業が円滑に進まず児童生徒の学力が低下している」との批判を受けて、早々に廃止となった。２０１６年からは「ＤＬＰ（2言語学習プログラム）」として、一部の選ばれた学校で理数科目が英語またはマレー語で教えられている。２０１１年に小学校では、約30年にわたり使用されてきたＫＢＳＲに代わってＫＳＳＲ（小学校標準カリキュラム）が、２０１７年には中等学校でＫＢＳＭに代わりＫＳＳＭ（中等学校標準カリキュラム）が導入された。

試験社会

マレーシアでは、各教育段階修了時に全国統一の修了試験が実施されてきた。幼い頃から試験や競争が身近に存在して、試験でよい成績をあげるために多くの児童生徒たちが放課後に塾に通う。２０２０年頃から世界的に広がった新型コロナウイルスは、多大な影響力を持ち続けてきたこれらの修了試験に変化をもたらした。小学校修了時の試験である小学校到達度試験（ＵＰＳＲ）は２０２０年の中止を経て、２０２１年には廃止が決定した。前期中等学校修了試験はＰＭＲ（前期中等教育評価試験）が長らくあったが、学校成績に基づいた評価（ＰＢＳ）への切り替えを２０１４年に予定し準備が進んでいた。結局、試験は廃止にできず、ＰＭＲの代わりにＰＴ３（中等学校3年次評価試験）が現在に至るまで実施されているが、新型コロナウイルスの影響で2年連続（２０２０年、２０２１年）中止となっている。

修了試験でもっとも重要なのは後期中等学校修了時に受けるＳＰＭ（マレーシア教育資格）試験だ。ＳＰＭはコロナ禍でも実施されている。ＳＰＭから先は、実力だけでは越えられないマレーシア特有の「壁」が存在してきた。ＳＰＭの成績に基づいて選抜される公的な奨学金はブミプトラに優先的に開かれ、国内の公立大学への進学がほぼ確約されるマトリキュレーション・コースへの進学の機会はブミプトラに限定して与えられてきた。そのため、SPMでマレー人の同級生より良い成績を取っても華人やインド人の生徒はマトリキュレーション・コースには進めず、フォーム・シックスに進み難易度の高いSTPM（マレーシア上級教育資格）試験を受けて公立大学を目指さざるを得なかった。現在はマトリキュレーション・コースに非ブミプトラも進学が可能になったが、定員全体の10％にとどまる。ブミプトラ政策下の国立大学入学定員割り当て（クォータ）制度も、2000年代にはメリトクラシー（能力主義）制へと転換したが、その変化を実感しているマレーシア人はいまだ少ないのではないだろうか。

（金子奈央）

〈参考文献〉

鴨川明子「イスラムの教えを映す成長著しい国の学校――マレーシア・ブルネイ」（二宮皓『新版　世界の学校――教育制度から日常の学校風景まで』学事出版、2013年）。
杉本　均『マレーシアにおける国際教育関係――教育へのグローバル・インパクト』（東信堂、2005年）。
村田翼夫編著『東南アジア諸国の国民統合と教育――多民族社会における葛藤』（東信堂、2001年）。

27

高等教育のハブへ

―★私立高等教育機関による挑戦★―

高等教育の「ハブ」を目指して

クアラルンプール国際空港（ＫＬＩＡ）に到着し、入国審査の列に並ぶと、電子掲示板に次々に映し出される広告が目に入る。「××大学は大学ランキングで○○位に入りました！」「△△大学はあなたの未来を一緒に作ります」。そんな謳い文句の大学の広告を、空港だけでなく、空港からＫＬセントラル駅までのＫＬＩＡエクスプレスの車内、市内を走るモノレール、ショッピングモールの壁面、新聞など、ありとあらゆる場所で見かける。いつの間にか、高等教育が一大産業になったかの様相だ。

実際、２０００年代に政府がマレーシアをアジアの高等教育のハブにする構想を掲げてから、留学生の数は急激に増加した。政府は、マレーシアの多民族性、穏健なイスラーム化のマレーシアであることを特色として押し出し、さらに、英語によるカリキュラム、海外大学の学位が取得できる教育プログラムを売りに、イスラーム圏やアジア・アフリカ諸国からの留学生獲得を目指してきた。その結果、２０２２年6月に公開されたＱＳ大学ランキングのQS Best Student Citiesランキングによると、対象となる164都市のうち、クアラルンプールが28位となった。このランキングは留学生にとって魅力のある都市を示すもので、大学のランキング、学生の構成、住環境、就職事情、物価事情、学生の評価、というカテゴリーによって評価されている。

このように高等教育のハブとしての存在感を着々と構築することができた背景には、高等教育への要求が高まる中で生まれたイノベーティブな教育プログラムを提供する数々の私立高等教育機関によるところが大きい。実際、高等教育省の統計によると２０２１年段階で約13万１０００人の留学生が各種教育機関に在籍しており、その内、国立大学に在籍するのは25％で、40％以上が私立高等教育機関で学んでいる。しかし一方で、高等教育関連法の整備や質保証の枠組みの中で、私立高等教育機関の柔軟性や自律性は失われつつもあるともいえる。そこで、本章と第28章では、無法状態の中で誕生した民間による高等教育を提供しようとする試みから、近年高等教育政策において謳われるひとつのマレーシア高等教育システムに至るまでを概観する。

民間による高等教育提供のはじまり

マレーシアは、独立以降、民族間の経済的な不均衡を是正し、ナショナル・アイデンティティの形成を促進することを国家発展のための中心課題とし、国家開発戦略が施行してきた。その中でも、ナショナル・アイデンティティの涵養と人材育成において重要な役割を担う高等教育については、マレー語を教育言語とし、入学定員や教員構成においてはエスニック・クオータが導入されるなどさまざまな部分において国家の介入の対象となっており、１９９０年代に入るまで、限定された数の国立大学しか存在しなかった。そのため、優秀であってもエスニック・クオータのために国立大学に入学できない層や、中等教育段階で華語・タミル語を教育言語とする独立中学で学んだために国内の国立大学の受験資格を与えられなかった層などには、大学進学を諦める、あるいは、海外留学するという選択肢しかなかった。当時、マレーシアからの非マレー系留学生が大挙したオーストラリアでは、彼ら・彼女らは教育難民と呼ばれることもあった。

しかし、1970年代半ば頃から欧米各国では経済発展の停滞、大学進学率の上昇、公財政の逼迫などを背景とし、教育への市場原理の導入と政府による教育投資の制限といった教育改革が議論され、高等教育関連法や政策、制度の見直しが始まった。その結果、留学先として人気のあったイギリス・オーストラリアの両国において、留学生に対する授業料の大幅な値上げが実施されることになった。このことは、非マレー系住民にとって、高等教育を受けることが、国内でも国外でも困難になることを意味した。

このような状況を打破すべく、特に華人を中心とする非マレー系起業者が、新たなモデルの高等教育を生み出した。それが、職業スキルや大学入学試験の受験準備コースを提供していた民間のカレッジという制度を活用し、海外の高等教育機関と連携して、マレーシアの中で海外大学の単位の一部を取得できるというトランスナショナルなプログラムである。

トランスナショナルなプログラムを提供するという試みを最初に行ったのは1983年に設立されたＫＤＵ（Kolej Damansara Utama）である。ＫＤＵでは十分な学力があるにもかかわらず、さまざまな条件のために大学に進学できない層に対し、高等教育の機会を提供することを目的とした。構想の過程で参考にされたのが、２年制カレッジで習得した単位を４年制大学に移行し、残りの２年間のみ大学で修学し、学位を取得するというアメリカの仕組みである。海外大学と連携し、学士課程教育プログラムの2年間分をマレーシアで提供し、その単位を移行することで、留学期間を2年間に短縮することができれば、高等教育機会の拡大に貢献できるのではないか、と考えられた。ツイニング・プログラムの誕生である。現在では、国境を超えた単位の互換や移行はさまざまな形で実施されているが、当時、国を超えて教育機関が連携し、他国の大学の学位取得ができる、という仕組みは存在しておらず、まさしくマレーシア固有の文脈から誕生したイノベーティブなモデルといえよう。

KDUのプログラムを皮切りに、PJCC（Petaling Jaya Community College）、INTIカレッジ、サンウェイ・カレッジなど同様のトランスナショナルなプログラムを提供する民間カレッジが次々に現れ、2＋2（国内2年、海外2年）だけでなく3＋1（国内3年、海外1年）、1＋3（国内1年、海外3年）といったバリエーションや、提携先大学もアメリカ、イギリス、オーストラリアの各国に広がっていった。

1990年代以降の高等教育政策の転換で増加した私立大学

もうひとつのトランスナショナルなプログラムが、フランチャイズ・プログラムと呼ばれるものである。これは、学外学位プログラム（いわゆる通信プログラム）を持つ海外大学から協力機関として認定を受け、国内に教室を設置して、そこで、支援をしながら通信プログラムや遠隔学習プログラムの履修をさせる、というものである。HELPインスティテュートが始めたロンドン大学のディプロマコースが人気を集めるようになると、海外の大学もこれをビジネスモデルとして積極的にマレーシアの民間カレッジと提携するようになっていった。

このようにして、1990年半ばには200校以上の民間カレッジが設立され、12万人以上の学生が在籍するなど、急成長していった。提供されたコースの多くはITやビジネス、医療関係といった実用的なものが多く、また、英語が教授言語であったため、民間カレッジの卒業生は企業等にも重宝された。しかし、こういったカレッジの質を保証する法的仕組みがなかったため、中にはビルの一部屋で運営され学習するための施設が整っていない環境や、指導のできる教員の不在など、粗悪な質のプログラムについて社会問題化されるようになった。

（佐藤万知）

〈参考文献〉
佐藤万知、チャンダー・ワン「多民族国家のアイデンティティ形成と大学教育——マレーシア」（米澤彰純，嶋内佐絵、吉田文編著『学士課程教育のグローバル・スタディーズ：国際的視野への転換を展望する』第4章　明石書店、2022年）。
杉本　均『マレーシアにおける国際教育関係——教育へのグローバル・インパクト』（東信堂、2005年）。
Sato, M. *Dilemmas of public university reform in Malaysia*, Monash University Press, 2007.

28

ひとつの高等教育システムへ

★マレーシア高等教育構想★

本章では、前章に引き続き、民間の高等教育を取り上げ、いわば制度整備の試みと課題を見ていく。

法整備と成長する私立高等教育機関

マレーシア政府は急増する民間の高等教育機関を含めた新たな高等教育システムを構築すべく、1996年から矢継ぎ早に高等教育関連法の改正と新規法の制定をした。私立高等教育機関法、国家基準委員会法、国家高等教育評議会法の設置、および、教育法、大学およびユニバーシティ・カレッジ法の改定である。

これらの法規の見直しにより、私立高等教育機関が正式に学位を授与できるようになり、政府が民間の高等教育機関が果たす役割を承認することとなった。その結果、高等教育のプロバイダーとして政府系企業や財団系組織などが新たに参入してきたほか、外国の大学も分校設立という形でマレーシアの高等教育市場に進出してきた。結果、2000年までの間に私立高等教育機関は700校を超えるほどに拡大し、マレーシアの中等後教育人口の半分がこういった機関に在籍することになった。

一方、法規により、私立高等教育機関にはさまざまな制約も

第28章
ひとつの高等教育システムへ

課されることとなった。まず質の保証のために、教員数や教育環境など一定の要件を満たすことが求められるようになった。また、私立といえどもマレーシアの高等教育機関としての公共性を持つことを求められ、たとえば、在籍するすべての学生にマレーシア研究、ムスリムの学生にはイスラーム研究、非ムスリムの学生には道徳教育の履修が必須とされた。つまり、高等教育機関として公的に認められることとの引き換えに、規制の枠組みの中に位置づけられることとなったといえる。

とはいえ、私立高等教育機関法制定からしばらくの間は、新しいスタイルの教育プログラムの開発と提供が続いた。たとえば、国内の国立大学とのツイニング・プログラムが挙げられる。これは、海外大学とのツイニング・プログラムと構造は同じで、国内の国立大学と提携し、民間のカレッジが教育プログラムの一部を提供するというものである。また、国際的なリンケージを持つ教育プログラムとしてツイニング・プログラムだけではなく、単位互換プログラム、ジョイント・プログラム、遠隔学習プログラム、先行履修プログラムなどが提供されるようになり、国際的リンケージはマレーシアの私立高等教育機関のひとつの特徴となった。

これらの結果、マレーシアには、私立高等教育機関を通じて欧米圏大学の資格や学位を取得することを目的とした国外、特に他のアジア諸国からの学生が多く留学するようになった。マレーシアの学生同様、これらの国の学生にとっても、全期間を欧米諸国で暮らすよりも、一部をマレーシアで過ごすほうが、コストを抑えることが可能になる点が魅力的であった。加えて多民族国家であるマレーシアには、モスク、教会、ヒンズー仏教院など宗教施設も充実し、街中にはさまざまなエスニック料理を出す食堂やレストランが溢れ、どこの国から来ても生活しやすいという利点もあり、留学生の増加を後押しした。このような状況を踏まえ、マレーシア政府は高等教育を新たなビジネスとして位置付け、アジアにおける高等教育のハブになることを目指すようになった。実際には、マレーシアで一時期を過ごしたあと、欧米諸国の大学に留学するというルートであったため、中継型高等教育という表現もされている。

ひとつの高等教育システムへ

さて、ここまで見てきたように、マレーシアの私立高等教育機関は、学位授与権がないという条件でありつつ、特に法に規定されていないというある種自由な環境下で、海外留学に代わって高等教育に対するニーズを満たすことを目的として、イノベーティブなプログラムを産出したことにより、大きく成長した。そして、法規改定を踏まえ、学位授与権を獲得し、高等教育システムにおける重要なアクターになった。モナッシュ大学マレーシア校やテイラー大学、サンウェイ大学などは、マラヤ大学、マレーシア理科大学といった国立トップ大学に並ぶレベルの高い学位プログラムを提供していると人気がある。国立大学で博士を取得した研究者が、私立大学の教員になるというルートもできている。国立大学の中には、教育言語を英語とする私立大学に優秀な学生を奪われていると競争意識を持つ大学も出てきている。一方で、国立大学の法人化が進み、入学者に対するエスニック・クオーターが撤廃され、英語の使用が緩和され、営利活動が可能になると、国立と私立高等教育機関がマレーシアの発展のためにどのような役割分担をし、活動を進めていくのかが問われるようになった。

マレーシア政府は2007年に国家高等教育戦略プランを発表し、知識社会、人材育成に対する政策的提言を行っている。これは、のちに、２０１３年から２０２５年までの教育のあり方を述べたマレーシア教育構想（Malaysia Education Blueprint、以下ＭＥＢ）に引き継がれた。ＭＥＢでは、私立、国立高等教育機関の双方における課題が指摘されており、多様な設置形態の高等教育機関をひとつの高等教育システムとして考えることの重要性を主張している。すなわち、ひとつのシステムとして、ナショナル・アイデンティティの構築への貢献もしつつ、国際社会での競争力強化にも貢献する、ということを強調している。現状、国立、私立高等教育機関は実態として役割分化している。たとえば、国立大学は研究や民族融合、国家構築、マレー語高度化といった点において、私立高等教育機関は市場のニーズを反映した教育、英語と専門性を武器としてグローバルに活躍する人材育成といった点において貢献している。このように、多様な役割を果たす高等教育機関の全体像を可視化し、今後のマレーシアにとって必要な部分はどこかを検証し、システムの調整をすることが、ＭＥＢの目指すところだと考えられる。

しかし、それは同時に、計画という形での政府の介入を許すことになり、高等教育機関として引き継ぐべき伝統的大学観もなく、制度や法規上の制限と自由の間でイノベーティブなやり方で突破口を作ってきた高等教育機関がそのダイナミズムを失うことを意味するのかもしれない。今後も目が離せない。

（佐藤万知）

29

女性と社会参加

★社会での活躍と課題としてのジェンダー格差★

マレーシアでは、政界・財界、そして官庁から民間企業に至るまで、各方面で女性が活躍している。1980／90年代のマハティール政権下のラフィダ・アジズ大臣（MIDAおよびMITI任期1987～2013年）は辣腕で知られた。日系デパート／ショッピング・モールのイオン・マレーシアの取締役社長（MD）（任期2011～16年）を務めたメリー・チュー・アブドゥラもフロア責任者からのたたき上げで、イオン・ベトナムの店舗立ち上げのスタッフ研修の中心ともなっていた。

官庁や民間企業の職場では、お腹の大きい女性スタッフが働いているのもよく見かける。政府が一時期、マレー系は5人の子どもを持とうといったキャンペーンもしていたが、妊娠・出産で職場で産休を数年おきに取ったりするケースも当たり前だし、男性も女性も子どもの学校の長期休暇に合わせて休みをとって家族旅行の計画を立てるのもマレーシアでは普通だ。

食事も屋台やレストランから安く手軽にテイク・アウトできるし、洗濯も（高級クリーニング店でなく）何キロいくらといった形で洗濯してきれいに畳んで渡してくれるランドリー・ショップもあちらこちらにある。仕事も残業せずに、さっさと定刻で

帰る人も多い。産休・育休の取得も定時退社も周囲に気を遣う日本に比べて、マレーシアは女性にとって働きやすい社会ともいえよう。

マレー系女性と新経済政策

マレーシアは、１９７０年代以降の経済成長の中で、社会状況も変わっていった。特に新経済政策（ＮＥＰ）によって、マレー系の雇用が優先され、都市部のみならず、農村部のマレー女性でも、工業団地の外資系の工場などでの雇用が増加した。マレーシア政府の輸出志向型工業化政策で、工業化の担い手として外資が誘致され、多国籍企業は、労働集約的工程の不熟練労働として、若年女性を大量に雇用した。

農村でのんびり暮らしていた若い女性たちにとっては、当初、職場に時間通りに通うことや長時間の作業もやったことのない初めての経験で、すぐに辞めるケースもあった。夜中のシフトでは、「集団ヒステリー」のケースも報告され、地元では霊がとりついたとも言われたが、無機的な雰囲気の工場での長時間労働やストレスから生じたとの分析もされている。

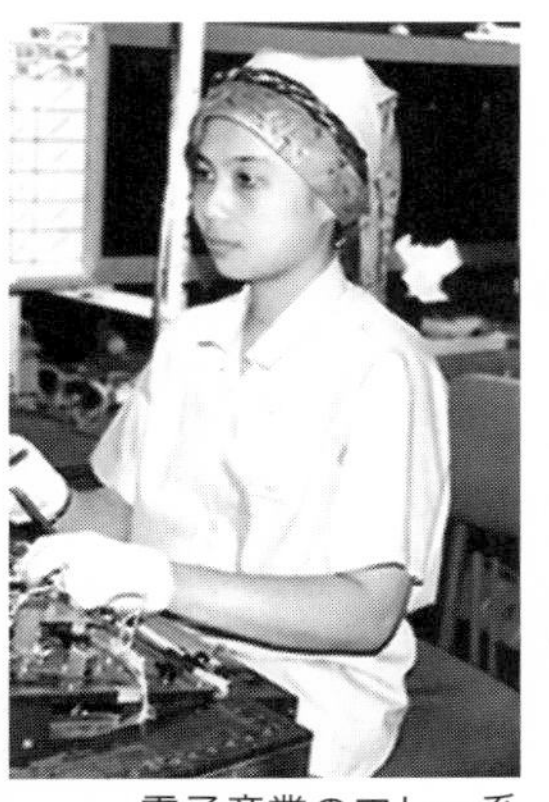

電子産業のマレー系女性工場労働者

農村出身のマレー女性も、従来であれば家庭にとどまっていたかもしれないが、工場などでの就労で実家にお金を入れ、自分で自分の欲しいものも買えるようになった。女性労働者を多く雇用する工場も女性労働者の就労意欲を引き出すために、工場内で服や化粧品のセールを催したり、美人コンテストをしたり、消費文化に触れさせるようにした。

しかし、農村でも都市でも、比較的保守的なマレー系のイスラム・コミュニティでは、若い女性が、買い物や映画などに出かけたり、町をぶらぶらするだけでも、「はしたない」と見られたり、同僚の男性と出かけたりするだけでも、「ふしだら」と言われることもあった。欧米的な派手な消費文化にふれながら、工場での単純労働ではキャリアの展望もなく、女性工場労働者が、町で派手なアルバイトをしたり、男性と付き合ってお金をもらっているといった噂が回ったり、そうした一部の女性工場労働者のケースが社会問題化して、マスメディアが「女性工場労働者は身持ちが悪く、売春をしている」といった報道をすることもあった。

１９９０年代以降は、女性が工場や会社で働くことも普通のこととなっていった。しかし全般的に、女性は工場でのオペレーター（工員）・レベルや職場の事務職が多く、管理職、専門職・技術職はやはり男性が中心となっている。また、政府の外資優遇の方針から、女性を多く雇用する電子産業では、女性の深夜就労規制が除外されたり、労働運動が規制されている。ほかにも、繊維・衣服産業での綿肺や電子産業での視力低下などの健康被害も報告されている。

ケア労働と外国人（移住）女性労働の浸透

そして、女性の社会進出が進んでも、家庭での家事・育児・介護などのケア労働を担うのは依然として女性が中心であり、中所得層以上の家庭では、外国人家政婦を雇うことも多い。

外国人家政婦は、７割がインドネシア人、２割強がフィリピン人であり、そのほか、カンボジア人、インド人、スリランカ人、タイ人など、さまざまである。フィリピン人家政婦は仕事もプロレベルで、英語での受け答えもできるが、ほかの国の家政婦は家事のやり方を手取り足取り教える場合もある。たとえば、カンボジアから来た女性は、洗濯機や電子レンジを使ったことのないケースもあり、洗濯機やアイロンの使い方など、家政婦派遣会社が事前の研修を行ったりもするが、マレー語や英語ができるわけでもなく、料理の仕方も文化も異なっており、働き始めてからのトラブルも多い。

外国人家政婦は、住み込みがほとんどで、契約書で勤務時間や週1日の休日について明記されていても、長時間労働になりがちであり、赤ちゃんや高齢者・病人などがいる場合は、24時間労働に近い労働実態になる。フィリピン人の場合は、日曜日にカソリック教会に行って友達と会うというのが通常だが、ほかの国の家政婦の場合は、休日の分は少し余分に手当てを付けるからと、雇用者が外出を規制したり、悪い友達ができるからと、同じ国の出身者と会うのを嫌がったりすることも多い。

外国人家政婦を支援するＮＧＯ（時計は24時間働く外国人家政婦を示している）

外国人家政婦については、言語や文化や宗教の違いなどからも、コミュニケーションのトラブルなども多く、さまざまな労働問題も指摘され、虐待などの事件も起こっている。その背景には、家事は誰にでもできて、家政婦は学歴のない女性が就く仕事だといった差別や偏見もあり、労働者として認識されていないことがある。そのため、外国人家政婦は、女性、外国人、使用人としての3重の差別の対象ともなっているともいえよう。

変容する女性の社会進出と課題としてのジェンダー格差

さて、２０２０年以降は、新型コロナの蔓延で、マレーシア社会にも大きな影響がもたらされている。マレーシアの働く現場でもテレワークが普及したが、そうした仕事が向く仕事と向かない仕事もある。さらには、女性は家庭での家事・育児・介護などで新たな負担も加わっている。とくにテレワークによって、家庭で仕事をすることについては、「通勤の負担もなくなり、また家や家族のことにも目を配れるとして、女性からは歓迎の声もあがっている」との指摘もあるが、実際にそうした状況で仕事が十分にできるのか、女性には負担ばかりが増えている側面もないかといった点からきちんと分析する必要があるだろう。

マレーシアでは、女性の社会進出について、各方面での女性の活躍も見られ、外国人家政婦による家事・育児・介護などの支援が得られる。女性の労働参加率も１９９０年代まで40％台であったのも、現在は55・6％（２０２２年）にまで増えている。

それでもなお、人材活用の側面から見て、女性の社会参加や人材活用は不十分だという指摘がある。まず、男性の労働参加率は80・9％（２０２２年）であるため、女性の労働参加率の引上げはまだ十分に可能である。年齢層別で見ると、マレーシアの女性の労働参加率は、日本のようなM字型ではなく、25〜34歳をピークとしてその後低下し、45〜54歳で57％、55〜64歳では27％にまで下がっている。男性の場合、25〜54歳は92％を超えており、55〜64歳で70％台に下がっている。女性の場合は40歳以

マラヤ大学の卒業式（高等教育では女性の方が多い）（提供：Universiti Malaya）

降は退職が増え、しかも再就職もしていないと推測できる（2021年）。そのため、女性の就職、子育て、キャリア形成、再就職など、構造的な支援策が必要となろう。

さらには、マレーシアでは高等教育での女性比率は大学レベルで62％（2022年）にもなっており、理系でも女性が6割以上を超える専攻もあるが、そうした人材が社会で活用されていないとの分析もある。そうした高学歴の女性たちはどこに消えたのか。高学歴の専門職・技術職になりうる人材が労働市場に参入していないとしたら、人材の活用としてももったいない話であるし、またジェンダー差別によって適切なポストへの就職や昇進ができていないとしたら問題である。高度人材の不足がいわれているマレーシアにおいて、こうした高学歴の女性を就職へのルートにつなげていくことと、人材として存分に活用するようにしていくことは、官民両方で大きな課題となるはずである。

（吉村真子）

〈参考文献〉

吉村真子「マレーシアの工業化と女性工場労働者」（『経済と社会』第8号、1997年2月）。
吉村真子「マレーシアのジェンダーと市民社会」（アジア政経学会監修、竹中千春・高橋信夫・山本信人編『現代アジア研究〈2〉市民社会』第10章、慶應義塾大学出版会、2008年）。
吉村真子「東南アジアの開発とジェンダー」（原伸子編『市場とジェンダー—理論・実証・文化—』第8章、法政大学出版局、2005年）。

30

人々はどのように情報を集め、また発信するのか？

★多様な言語環境の下でのメディア利用★

多言語国家における情報化

多民族国家における多言語状況は新聞、テレビなど従来型のメディアにも色濃く反映されている。現実空間の多民族性を反映してマレーシア人の利用するウェブメディアもそれぞれの民族的母語に沿って利用されている。フェイスブックやツイッターなど文字情報が比較的大きな割合を占めるソーシャルメディアでは特にその傾向が強い。現実空間とサイバー空間の両方で異なる民族間のコミュニケーションが行われるときは、大抵は英語や国語のマレー語を使ったものになる。

１９９０年代半ばから本格化したインターネットによる情報化の波はマレーシアでは隣国のタイやインドネシア以上に急速に進んだ。政府機関のマレーシア通信マルチメディア委員会が定期的に発表しているインターネット・ユーザー調査（ＩＵＳ）によれば、２０２０年のネットユーザー率は88・7％を記録し、ユーザーの98・7％は携帯電話を通じて常時オンライン状態にある。近年のコロナ危機とそれに伴う外出禁止措置で外出できなかったこともあって、人々のネット接続時間は伸びており、２０２０年には50％のユーザーが1日に5～12時間ネットに接続し、21％のユーザーは12時間以上接続している。大半の国民にとってネットなしの生活は考えられないものとなっている。

マレーシア人の日常生活の中にすでに深く浸透しているウェブメディアだが、インターネットの自由の観点からいえば、現状は自由と不自由が混在した状況にある。国際ＮＧＯのフリーダムハウスが２０２１年に出した世界のインターネットの自由に関する報告書では、マレーシアは「部分的な自由」に分類され、調査対象の70か国のうち上から33番目の国と評価され、ほぼ中間の位置にある。マレーシアがインターネットの自由で評価を落としている主な理由は、宗教やポルノ、性的少数者に関する海外ウェブサイトへのブロックや、民族、宗教、スルタン／国王関連の敏感な問題に触れたネット上の投稿者の逮捕のためである。

特定の対象への取り締まりと規制、政府に批判的な社会運動の活動家の逮捕、ネットニュースに対する扇動容疑での捜査や名誉棄損などでの裁判沙汰などが起こり、インターネットの自由への懸念はあるものの、これまでのところウェブメディアへの政府規制は新聞やテレビなどのマスメディアへの規制と比べると緩やかである。マレーシアのマスメディアは長年、メディア規制法と、政府機関および与党によるメディア企業の所有・経営を通じて政府に従属してきた。メディア規制法は新聞、雑誌、テレビ、映画、ウェブメディアなどメディアの種類ごとに基本法が存在する。それは、新聞・雑誌は出版機・印刷物法、映画は映画検閲法、テレビやラジオなどの放送メディアやウェブメディアはマレーシア・コミュニケーション・マルチメディア法になる。法律によるメディア規制でマスメディアとウェブメディアの最大の違いは、免許による統制である。２０００年代前半まで政府のマスメディア統制の主要な対象だった新聞は、政府の免許による規制を受け、免許の停止や剝奪の懸念から自己規制を余儀なくされてきた。テレビやラジオも同様である。

しかし、インターネットの普及はメディア環境を激変させた。ネット回線業者やプロバイダーの寡占状態への懸念はあるものの、情報産業振興政策に基づく政府のインターネットの非検閲方針や、ウェブメディアの特質である無数のコンテンツ供給者への政府の免許統制の困難さを逆手にとって、2000年代には専門職のジャーナリストが立ち上げたネットニュースが次々と登場した。1999年に政府・与党に批判的なネットニュースのパイオニアとして登場したマレーシアキニ（Malaysiakini）は現在では既存のマスメディアに匹敵する影響力を持つメディアへと成長した。

所有・経営による政府のメディア統制も近年変化が見られる。政府・与党がマスメディア企業の株式所有や人事の任命を通じて行ってきた統制は、2018年の史上初の政権交代を経て政党政治が流動化するなかで、有力政治家と親しい企業家による独占が強化され変質しつつある。なかでもマハティール・モハマド元首相と親しい企業家のサイード・モフタル・アルバフリーは、かつてマレー人政党の統一マレー人国民組織（UMNO）が所有した有力マレー語日刊紙『ウトゥサン・マレーシア』のオーナーや地上波民放局を独占し英語日刊紙『ニュー・ストレーツ・タイムズ』などを発行するメディア・プリマ・グループの筆頭株主となり、マスメディア業界の支配を固めつつある。

一方で、そもそも所有・経営を通じた政府規制になじまないウェブメディアでは、一般の人々もソーシャルメディアを利用してコンテンツの作成・拡散に携わるようになってきた。

ソーシャルメディアの浸透と変容

複数のソーシャルメディアを利用するマレーシア人にとって、ソーシャルメディアの2大巨頭はフェイスブックとワッツアップだ。ただし、多数の人々へのコンテンツ供給に優位性を持つフェイスブックと、日本で普及しているラインのように限定されたコミュニティ内部でのコミュニケーションに優位性を持つワッツアップでは利用法が異なる。

ワッツアップより早く、２０１０年代初頭にはすでにかなりの程度普及していたフェイスブックは当初から友人・知人向けに自分の動静を伝える目的で利用されてきたが、近年では全く更新されずに個人の対外的なプロフィール目的や多数の人が利用しているために当面の連絡用ツールとしてページを持っているユーザーも散見されるようになった。一方のワッツアップは家族・友人・知人間の親密なコミュニケーションに利用されてきたが、近年では日常生活の中で次第に基礎インフラ化しつつある。マレーシアで子どもを持つ筆者の友人によれば、初等学校での先生から保護者への連絡はワッツアップのグループで周知され、子供の欠席届もワッツアップを通して先生に提出されるという。筆者も知人のマレーシア人が仕事や趣味に関わるときに、まずはワッツアップのグループ作成から始める場面を頻繁に見てきた。

ＩＵＳでは、ネットユーザーのうちフェイスブック利用者は２０１８年の97・3％から２０２０年の91・7％に低下した一方で、ワッツアップ利用者は98・1％から98・7％へと微増した。詳細な結果を見ると、フェイスブックが類似する多数へのコンテンツ供給に優位性を持つユーチューブ（48・3％から80・6％に増加）やインスタグラム（57％から63・1％に増加）にユーザーを取られる一方で、ワッツアッ

マレーシア通信マルチメディア委員会によるインターネットユーザー調査（左側が表紙、右側がまとめの図）

プと機能が類似するが、より秘匿性が高くプライバシーや検閲に強いといわれるテレグラム（25％から40・1％に増加）の利用が増えている。

日本人と比べて他人にあまり隠し立てせず、情報共有にもおおらかに臨む人の多いマレーシアでは、従来からプライバシー保護や検閲に対する一般の人々の意識の低さが指摘されてきた。また、世界中で話題のフェイクニュースへの懸念もマレーシアは共有している。マレーシア通信マルチメディア委員会はファクトチェックの専用サイト（Sebenarnya.my）を立ち上げて、フェイクニュースの払拭に努めているものの、一般への認知度（ネットユーザーの20・3％）は低い。しかし他方で、IUSはネットユーザーがネット・コンテンツを他人とシェアする割合が2018年の61・8％から2020年の42・9％に低下したと報告する。上述のユーザーが利用するソーシャルメディアの種類の変化と合わせて考えれば、マレーシアでは複数のソーシャルメディアの使い分けを通じてネットリテラシーが少しずつ向上していると見ることができる。

２０２０年のコロナ危機以降は、人々は移動を厳しく規制した活動制限令によって外出を禁じられ、従来にも増してサイバー空間で過ごす時間がますます増えた。活動制限令下の政府はフェイクニュースの取り締まりを強めたが、多言語によって分断されたマレーシア社会は、ネット上の閉鎖空間で市民の間での意見の分極化が起こるエコチェンバーやネットバブルといった効果への脆弱性も懸念されており、現在のマレーシアは、市民のネットリテラシー向上とネットによる社会の分極化との間の危ういバランスのうえに立たされているといえるだろう。

（伊賀　司）

〈参考文献〉

Malaysian Communications and Multimedia Commission (MCMC). 2020. Internet Users Survey 2020.

31

人々は何を楽しんでいるか？

★主役の映画★

日々の楽しみ

マレーシアの国民的なスポーツといえばセパタクローである。手を使わないバレーボールのような競技で、今では日常的にセパタクローで遊んでいる人は多くないが、人気スポーツのサッカーとバドミントンにセパタクローの面影がある。農村では仕事帰りや休日に男たちが広場に集まってサッカーを楽しみ、都会では男女を問わずフットサル仲間がコートに集まる。サッカー観戦は男女を問わず人気で、ワールドカップ開催期間中はテレビ観戦で睡眠不足になる人が続出するほどだ。

ユナのファーストアルバム「Yuna」。ユナを真似したベールの被り方が流行した

家での楽しみといえば、コーヒーや紅茶を飲みながらのおしゃべりだろう。テレビドラマも楽しみのひとつだが、おしゃべ

りの延長のようなところがある。外国語のドラマを観ていても字幕を読まず、一緒に観ている人どうしで想像を交えながらドラマの内容についておしゃべりすることも珍しくない。

音楽や歌は民族ごとに好みが分かれる傾向がある。マレーシア出身の華人歌手は中華圏で活躍する人が多いが、民族を超えて国内で知られている華人歌手はほとんどいない。マレー人歌手で国民的歌手といえば、ジャズ世代の代表歌手のP・ラムリーとロック世代の代表歌手スディルマンの名前が上がる。マレー歌謡の歌姫といえばシーラ・マジッドだが、今日のマレーシアで民族と国境を超えて知られている歌姫といえばシティ・ヌルハリザだ。シンガー・ソングライターのユナはベールを被ってギターを弾くスタイルで注目を集め、ユナを真似したベールの被り方が流行した。

主役の映画

観るだけでなく内容を人と話したり真似したりするところに楽しみがあるのは芝居や映画にも通じる。マレーシアには伝統芸能のワヤン・クリ（影絵芝居）がある。今日では半島部マレーシアの東海岸でしか見られず、国民的娯楽の主役の座を映画に譲って久しい。もっとも、マレー語で映画のことをワヤンと呼んでおり、映画は影絵芝居の延長上で見られている。

最初につくられたマレー映画（マレー語の映画）は、イスラーム圏のロミオとジュリエットとも呼ばれる『レイラとマジュヌン』（１９３３年）だった。残念ながらフィルムは失われており、今日ではリメイク版しか観ることができない。

１９４８年に映画デビューしたP・ラムリーは俳優と歌手として人気になり、後に監督もつとめた。

1950年代から1960年代にかけてのマレー映画の黄金期を支え、「マレー映画の父」と称される。マラヤ連邦独立の前年につくられた『ハントゥア』でP・ラムリーが演じたハントゥアはマラッカ王国のスルタンの忠実な臣下で、今日まで繰り返しマレーシア映画の題材にされている。子どもたちはハントゥアごっこをしてハントゥアとスルタンの役を取り合った。

1973年にP・ラムリーが亡くなるとマレーシア映画は多彩さを失っていった。1981年設立のマレーシア映画振興公社（FINAS）は国産映画の振興につとめ、国産映画に国内劇場での上映割り当てや免税措置を与えた。ただし国産映画の条件としてセリフを国語（マレー語）にすることなどを課したため、華語やタミール語のセリフが多く入った映画は国産映画として扱われなかった。現実のマレーシアは多民族・多言語・多宗教の色彩豊かな社会だが、国産映画の中はマレー語だけの単一民族・単一言語の社会だった。P・ラムリーの時代に全盛だったお化け、お色気、ギャンブルも好ましくないものとされ、スクリーンから姿を消していった。

ヤスミンとその後の映画

2000年代に入るとデジタル技術の発展によって映画製作費が低予算化し、国内劇場での上映を前提とせずに映画を制作する人たちが登場した。国際的にも高い評価を得てマレーシア映画を牽引したヤスミン・アフマド監督は、もともとテレビCMの制作で知られていた。国営石油会社ペトロナスの祝祭日のテレビCMを物語仕立てにしたことで話題になり、それ以来、多くの企業が祝祭日に物語仕立てのテレビCMをつくるようになった。

ヤスミンの初長編映画の『細い目』は、マレー人少女と華人少年の民族と宗教の違いを超えた恋愛物語を描いた。多言語のセリフが飛び交い、常識破りの映画として観客を驚かせた。東京国際映画祭をはじめとする国際映画祭で受賞したことでマレーシアにもその価値が伝えられた。

ヤスミンは遺作となった『タレンタイム』を含む６つの長編作品を残して２００９年に亡くなった。ヤスミンがマレーシアの映画業界に与えた影響は大きく、ヤスミン没後に国産映画の条件が緩和され、マレー語以外のセリフが多く入っていても国産映画と認められるようになった。

ヤスミンと同じ頃、都会に出た華人が居場所を得られず裏社会に手を染めていく『レインドッグ』（ホー・ユーハン監督）や、インド人がゴム農園から町に出ていくことの難しさを描いた『砂利の道』（ディーパク・クマラン・メノン監督）がつくられ、民族的マイノリティの生活に光を当てたインディペンデント映画が花開いた。創作活動は国外にも広がり、台湾を拠点とするツァイ・ミンリャン、大阪を拠点に越境する作品を制作するリム・カーワイ、早稲田大学で映画制作を学んだエドモンド・ヨウなどのマレーシア出身の監督たちを生み出した。

ショッピングモールのシネコンは休日の家族連れやデートで訪れる定番の場所になっている

２０１０年以降のマレーシア映画は、ホラーやアクションなどの定番ジャンルに加えて幅広いテーマの物語が見られる。留学した恋人を追いかけてイスタンブールに飛んだ女性が繰り広げる異国情緒あるラブコメ『イスタンブールに来ちゃったの』（バーナード・チョウリー監督）。東海岸のタイとの国境地帯を舞台に伝統文化と経済開発の物語が交差するスタイリッシュな男たちの物語『ブノハン』（デイン・サイード監督）。裏社会の義理と人情を描いた『黒夜行路』（ジェームズ・リー監督）。日本への渡航費を稼ごうとして代理出産ビジネスに巻き込まれた少女に目を向けた『タイガー・ファクトリー』（ウー・ミンジン監督）。共産党員として警察に射殺された祖父の人生を家族や元マラヤ共産党員の証言から構成した『不即不離』（ラウ・ケクフアット監督）。搾取される外国人労働者と汚職に手を染める警官を描いた『それぞれの正義』（ナムロン監督）。「5月13日事件」を含むマレーシア現代史を語り直す『Spilt Gravy on Rice』（ザヒム・アルバクリ監督）。映画は娯楽の王様であるとともに、自分たちの社会が抱える問題にも目を向ける場にもなっている。

１９９０年代頃まで、映画は独立した建物の映画館で観るものだった。映画を観ながら食べるものといえばスイカの種やカボチャの種が定番で、食べかすをそのまま床に捨てていたため、床を走りまわるネズミにびっくりした観客の悲鳴が上がることも珍しくなかった。今ではショッピングモールのエアコンが効いたきれいなシネコンで、ポップコーンとコーラを買って映画を観るのが普通になり、週末や休日は家族連れでシネコンが賑わっている。人々は映画を観た後のおしゃべりまで含めて映画を楽しんでいる。

（山本博之）

〈参考文献〉

山本博之編著『マレーシア映画の母　ヤスミン・アフマドの世界——人とその作品、継承者たち』（英明企画編集、２０１９年）。

32

マレー人は何を読んでいるか？

★ヒカヤッから社会的文学へ★

多民族社会のマレーシアは、多くの言葉が飛び交う多言語社会でもある。何語で話し、何語で読むのかは、それぞれの出自や、家庭、社会環境によってさまざまである。複数の言語を話し、読み書きができる人も少なくない。

総人口約３２００万人（２０２２年）の半分より少し多くを占めるマレー人の多くは、マレー語を日常言語として育ち、マレー語の学校に通う。しかし最近では、華語の学校に子どもを通わせる親もいるし、特に都市部では、英語で会話する家庭もある。またマレー語の教育を受けた人すべてがマレー語の小説を好んで読むというわけでもない。それでも本屋に行けば、小説や実用本など数多くのマレー語の書籍が並べられ、最近はイスラームに関する本が人気だという。

読者層が厚いとはとてもいえないマレー文学だが、それでも作家たちは、それぞれの時代を反映した作品を生み出してきた。邦訳されている作品を中心に、マレー文学の歴史を紹介してみたい。

マレー語はもともと独自の文字を持たない言語で、古くは南アジア系の文字、イスラーム到来後はアラビア文字（アラビア文字によるマレー語の表記法をジャウィと呼ぶ）、そしてイギリスの植民地時代を経て、現在はローマ字で表記されている。ジャウィで記述されたマレー語の古典文学が興隆するのは、15世紀のムラカ王国とそれに続くジョホール王国の時代からだが、ジャウィの使用はもっぱら宮廷に独占されていた。

民話と古典文学

一般大衆は、書かれたものとしての文学ではなく、口承文学としての民話などを語り継ぎ、楽しんできた。そうした民話の中には、地名の由来を語るものや地域の伝承、間が抜けた主人公がさまざまな失敗をする滑稽話などがある。動物を主人公にした民話も数多くあり、その中でもよく知られているのが、マレー語でカンチルと呼ばれるマメジカが活躍する物語だ。森に住むカンチルは非常に賢く、森で起きるさまざまな問題を解決する。川の対岸の果物を食べるために、ワニを騙して川の中に並ばせ、その背を渡っていくという、因幡の白兎のような話もある。因幡の白兎では、兎は嘘がばれ毛をむしられてしまったが、カンチルの物語では、川を渡り切って安全なところに着くまで嘘がばれることはない。カンチルを食べようと襲ってくるトラやワニは、いつもカンチルの頓智にやり込められてしまう。このカンチルの物語は「Pada Zaman Dahulu（昔むかし）」というタイトルで2011年からアニメーションが放

ムラカ王国の建国神話に出てくるカンチル。マラッカ市の中央広場にそのエピソードが用いられている（撮影：鳥居高）

送され、ワニを騙して川を渡る話など初期の作品は、制作したLes' Copaque ProductionのYouTubeチャンネルで、英語字幕付きで見ることができる。また、藤村祐子、タイバ・スライマン編訳の『レダン山のお姫様』には、代表的な民話が収録されている。

15世紀、マレー半島では、ムラカ王国が東西交易の中心地として栄えた。中国、インド、アラブ、琉球などから商人が訪れ、また地域内で活発な交易が行われた（参照 第4章）。マレー語が地域の共通言語となり、イスラームの影響で、ジャウィを使用してマレー語が記述されるようになった。ジャウィで書かれた歴史物語や伝承は、アラビア語で「物語」を意味する「ヒカヤッ（hikayat）」と呼ばれる。

その中で代表的なものが、「スララトゥス・サラティン（Sulalatus Salatin/ Sulalat al-Salatin）（アラビア語で「諸王の系譜」の意）」と「ヒカヤッ・ハン・トゥア（Hikayat Hang Tuah）（ハン・トゥア物語）」である。「スララトゥス・サラティン」は「スジャラ・ムラユ（Sejarah Melayu）（マレーの歴史）」という名前でも知られ、アレクサンドロス大王の末裔による建国からポルトガルの侵略までのムラカ王国の「歴史」を描いている。「ヒカヤッ・ハン・トゥア」は、ムラカ王国の英雄ハン・トゥアの生涯を物語る。庶民の出でありながら、勇敢で武術に秀でたハン・トゥアは、やがてスルタンに取り立てられ、ラクサマナ（海軍提督）となる。スルタンに忠誠を尽くし、さまざまな活躍をするハン・トゥアは、理想的なマレー人像であるとされてきた。ハン・トゥアの物語は、何度も映画や舞台化されている。

近代文学の先駆け「ヒカヤッ・アブドゥラ」

マレー文学が、古典文学から近代文学へ移行する先駆けとなったのは、1849年に出版された「ヒカヤッ・アブドゥラ（Hikayat Abdullah）（アブドゥラ物語）」（1849）とされる。1796年にアラブとタミルの血筋を引く両親の下ムラカに生まれた、著者のアブドゥラ・アブドゥル・カディルは、ムンシ（Munshi（教師））・アブドゥラの名で知られているように、ラッフルズを含む、イギリス植民地官吏などの書記や語学教師を務めた。自叙伝「ヒカヤッ・アブドゥラ」は、アブドゥラが自分で見聞きしたこと、考えたことを、一人称「私」を使った口語体で記述しており、宮廷や英雄を賛美していたそれまでの古典文学とは異なっていた。「ヒカヤッ・アブドゥラ」は邦訳『アブドゥッラ物語――あるマレー人の自伝』（中原道子訳）で読むことができる。

1900年代に入ると、英領マラヤの中心地となっていたシンガポールで、ジャウィによるマレー語雑誌の発行が始まった。出版に関わったのは、主にアラブ諸国に留学経験のあるイスラーム改革派だった。彼らは、イスラームをテーマにした小説を発表するようになる。当初は、エジプトの小説を翻案した作品だったが、やがてマレー半島を舞台にした小説が書かれるようになった。

1930年代には、教員養成校などでマレー語教育を受けた教師やジャーナリストを中心に文学活動が活発になった。この時代の創作活動は「チュルペン（cerpen）」と呼ばれる短編小説と詩が中心で、新聞や雑誌の文芸欄で発表された。チュルペンや詩は、現在でもマレー文学の重要なジャンルになっている。

社会問題を描く現代マレー文学

第二次世界大戦と日本軍の占領が終わると、現代マレー文学が本格的に発展し始めた。その中心になったのは、１９５０年にシンガポールで結成された文学サークル「50年世代（ＡＳＡＳ50）」だった。「50年世代」は、「大衆のための文芸」をスローガンに、ナショナリズム、反植民地主義、社会的公正、貧困などをテーマに執筆活動を行った。代表的な作家としては、ウスマン・アワン、クリス・マスがいる。クリス・マスは『クアラルンプールから来た大商人』（１９８２年）が邦訳出版されている。ウスマン・アワンの作品は、残念ながら邦訳はないが、社会階層が異なる男女の悲恋を描いた短編『ウダとダラ（Uda dan Dara）』は、テレビドラマや舞台作品として、繰り返し上演されている。

１９５６年には、国語としてのマレー語の地位の向上、マレー語文学の発展、マレー語の綴りの標準化などを担う国立の機関として、言語図書局（ＤＢＰ）が設立された（参照 コラム５）。これにより、マレー語書籍の出版が活発化し、若い文学者グループが活躍するようになる。シャーノン・アフマド（シャーノン・アハマッド）、Ｓ・オスマン・クランタン、Ａ・サマッド・サイド、アディバ・アミンなどの作品は、邦訳が出版されているが、中でも第二次世界大戦直後のシンガポールの貧困地域に暮らす人々の生きざまを赤裸々に描いたＡ・サマッド・サイドの『娼婦サリナ』（１９６１）や、クダの農村で、さまざまな困難に立ち向かう貧しい稲作農民一家の暮らしをリアリスティックに描いたシャーノン・アフマドの『いばらの道』（１９６６）は、現代マレー文学の傑作として、今でも読み継がれている。

書店に並ぶマレー語小説（撮影：高橋正子）

1960年世代に続く作家としては、アヌワー（アンワル）・リドワンらがいる。アヌワー・リドワンは、東京外国語大学で教鞭をとった経験があり、日本にもゆかりのある作家だが、著書『黄金諸島物語』（2001）などを、日本語で読むことができる。

ここまで紹介した作品の多くはDBPによって出版されてきた。しかし、街中の本屋の棚に並んでいるのは、こうした純文学系の小説ではなく、表紙にハートマークが飛んでいるような恋愛小説が多い。小説を翻案したテレビドラマや映画が人気となり、再版されてその写真が表紙になっているものもある。2011年以降は、ブク・フィクシに代表される若者をターゲットにした独立系の出版社も数多く設立された。ホラー、スリラー、ミステリーの分野が人気で、ナディア・ハーンなど、若手作家が活躍している。

またこのどちらにも属さない、毛色の変わった作家としてファイサル・テヘラーニがいる。少しふざけているようにも思える軽妙な文体で、マレーシアの社会や政治を風刺する彼の作品のいくつかは、社会の治安を乱すとして、当局から発禁処分を受けたこともあるが、それがかえって話題を呼んでいる。

（戸加里康子）

〈参考文献〉

綾部恒雄、永積昭編『もっと知りたいマレーシア』弘文堂、（小野沢純「芸術と文学」）1983年。
綾部恒雄、石井米雄編『もっと知りたいマレーシア　第2版』弘文堂、（小野沢純「芸術と文学」）1994年。
宇土清治、川口健一編『東南アジア文学への招待』段々社、（舛谷鋭「マレーシア文学」）2001年。
ハスリ・ハサン「マレーシアの書籍業界をめぐるショートツアー」国際交流基金『アジア文芸プロジェクト"YOMU"』

2022年3月2日公開　https://jfac.jp/culture/features/f-yomu2-malaysia-1/

〈邦訳のあるマレー語小説・漫画〉


アブドゥッラー『アブドゥッラー物語——あるマレー人の自伝』（1849）（中原道子訳）平凡社、1981年。

藤村祐子、タイバ・スライマン編訳『レダン山のお姫様』大同生命国際文化基金、2003年。

クリス・マス『クアラルンプールから来た大商人』（1982）佐々木信子訳、井村文化事業社、1993年。

シャーノン・アハマッド『バングルの虎』（1965）星野龍夫訳、大同生命国際文化基金、1989年。

シャーノン・アハマッド『いばらの道』（1966）小野沢純訳、井村文化事業社、1981年。

S・オスマン・クランタン『闘牛師』（1976）平戸幹夫訳、井村文化事業社、1988年。

S・オスマン・クランタン『ある女の肖像』（1990）加古志保訳、大同生命国際文化基金、1998年。

A・サマッド・サイド『娼婦サリナ』（1961）星野龍夫訳、井村文化事業社、1983年。

アディバ・アミン『スロジャの花はまだ池に』（1968）松田あゆみ訳、段々社、1986年（「ほろ苦い思い出」（1983）同時所収）。

カティジャー・ハシム『白鳩はまた翔びたつ』（1977）星野龍夫訳、井村文化事業社、1985年。

アジジ・ハジ・アブドゥッラー『山の麓の老人』（1982）藤村祐子、タイバ・スライマン訳、大同生命国際文化基金、2005年。

アンワル・リドワン『黄金諸島物語』（2001）小野沢純訳、紀伊國屋書店、2012年。

ズリナー・ハッサン『港に向かいて』（2010）成田雅昭、ジャミラ・モハマド訳、日本マレーシア協会、2016年。

ラット『カンポンボーイ』（1979）稗田奈津江訳、左右田直規監訳、東京外国語大学出版会、2014年。

ラット『タウンボーイ』（1981）左右田直規訳、東京外国語大学出版会、2015年。

33

華人は何を読んでいるか？

★新しい潮流へ★

多様化する華語メディア

マレーシアの華人は何を読んでいるか。まずは華字紙だが、高級紙のうち『東方日報』は印刷版を止めてウェブに移行し、言語問わず最大部数を誇る『星洲日報』も、無料のニュース速報以外の解説記事を中心に、紙部数よりウェブのページビューが多い。大衆紙の『中国報』も広く読まれている。日本でも減っている個人宅配でなく、回し読みの習慣を持つこの国では、一覧性の高い印刷版もまだまだ捨てたものではない。

たとえばコロナ下で巣ごもり時間のできた技術職の華人たちは、この機会に地方からミニコミというにはかなり立派な雑誌を印刷版で発行している。ジョホール州のマラッカ海峡都市ムアルの『麻河時光』や『草稿』、首都を囲むジョホール州の『雪州誌』などがそれに当たる。2014年創刊の文化都市ペナンの『城視報』には英語ページもある。『好 故事』は映画製作者らによるライフマガジンだ。

東南アジアの中国語文学のほとんどは華字紙の文芸欄（副刊）に載るので散逸が激しいが、文芸誌に注目すると、日本国内の図書館でも収集されている1955年創刊の『蕉風』は通算5

ムアル近郊の地方作家丘偉栄による多文化社会の華人の苦悩図

００号を超える。『蕉風』が一時停刊した１９９９年に創刊されたのは、リアリズム系の老作家らが出版する『爝火』だ。後述する翻訳と創作協会でも活躍する碧澄は２０１３年から『風雅頌詩刊』を、医師でもある林韋地はマレーシア華語文学（馬華文学）を発表、保存するため『季節帯』を２０１６年に創刊し、クアラルンプール郊外に同名の書店を開いたが、季節風書店はシンガポールだが今はマレーシア華人が営む草根書室のような独立書店だ。

オンラインで読める文芸誌も少なくない。たとえば、ラーマン大学らが運営する馬華文学電子図書館には、北マレーシアで１９９０年から30年にわたって出版された『清流』や、ペナン州私立中高発行の『向日葵』などを読むことができる。同州ブキ・ムルタジャムのZ世代詩人鄭田靖らによるオンライン音声詩マガジン『口口詩刊』は新たな試みだ。オンラインメディア、マレーシアキニの中国語ページ「当今大馬」や「燧火評論」など、文芸・社会評論をネットで読むこともできる。東南アジアでも有数のフェイスブック大国であるマレーシアでは、フェイスブックページがこうしたメディアの入口になっている。

インドネシアやベトナムなどに比べると人口も限られ、言語も分かれ、プロ作家を支える環境のない馬華文学の出版部数は、日本で言えば児童文学に近い数千部に留まっているが、文庫版など古典を再版する出版形式もなく、公立図書館は英語やマレー語書籍が中心で、古書の流通もペナンのチョウラスタ市場などでの古紙扱い止まり。老舗の書店もなく、ありし日のシンガポール青年書局のように、古書が本棚の片隅で保存されているわけでもなく、過去の現地中国語出版物の収集は非常に難しい。

流通と出版から見た華語文学

新刊書については、クアラルンプールのセントラルマーケット付近には、以前から書店が集中していたが、特にペタリンストリート沿いは上海書局の跡地に店を構える商務印書館や、レックス映画館の内装を活かしてリノベーションされたＲＥＸＫＬでは、オーチャードにも出店した洋書のBookXcessが本棚劇場さながらだが、中国語出版部門を併せ持つメンターグループの大将書店もある。コタラヤモールの裏の階上には中国大陸書籍を中心とした学林書局が存続する。首都郊外や地方都市ではショッピング・モール内の大衆書局が中国語書籍を扱っていたが、クアラルンプール郊外ブキット・ジャリルには、マレーシア最大のネット書店、城邦閲読花園の実店舗のほか、ＴＳＵＴＡＹＡ書店も中国語書籍を置く。書籍を中心に生活雑貨を扱うＴＳＵＴＡＹＡ同様のスペースとして、日本でも東京日本橋店を持つ台湾の誠品生活が、繁華街ブキビンタンに出店したこともコロナ明けを感じさせる出来事だった。

限られた出版流通の中で、当初５０００部を刷った話題作が龔万輝の『人工少女』（２０２２）だ。黎紫書『流俗地』とともに華人文学長編小説創作発展プロジェクト（台湾国家文化芸術基金会）の助成を受け、日本文化世代の龔が「エヴァンゲリオン」にインスピレーションを得て書き上げた初めての長編小説だ。これらはいずれも有人出版社の出版物だが、同社は２００３年の創業以来、馬華文学の専門出版社として、the name等のシリーズを精力的に出版し、計２００種に及ぼうとしている。しかし、数万を超える売れ行きを誇るのはジュブナイルで、特に赤トンボ（紅蜻蜓）出版社の『七日間』『遅れてきた一通の手紙』などは20刷に迫り、マレーシア中国語出版界の奇跡と呼ばれる。

マレーシア・サイノフォンの潮流

一方、質的に中国語圏文学全体に影響を及ぼしているのはサイノフォンと呼ばれる中国語話者文学だ。日本でも新聞書評などで取り上げられることがある中国大陸文学対抗ジャンルだが、２０１３年に出版された『サイノフォン・マレーシア文学――メイドインチャイナでなく』（オレゴン大学・グロッペ著）には、黄錦樹、李永平らの台湾馬華文学ばかりでなく、李天葆らマレーシアプロパーの作家が取り上げられている。サイノフォンは馬華文学ばかりでなく、中国少数民族の中国語作品を含み、大陸を内外から包囲し相対化する概念と言える。

しかし、マレーシア文学としてより重要なのは、国立言語図書局（ＤＢＰ）での国民詩人ウスマン・アワンを中心とした多民族文学交流をきっかけとしたマレーシア翻訳と創作協会の翻訳、出版活動ではないだろうか。民族横断的という意味では、イポーの作家でカメラマンの卓衍豪によるトラベルライティング「ディスカバーマレーシア」シリーズも、可能性を秘めた試みとして見逃せない。

中国語圏文学で一般的な「微型小説」は日本でもなじみ深いショートショートだが、馬華文学作家方路はナノ小説と呼んでいる。これはSNSで発表するネット小説という創作の過程を示し、2冊のナノ小説集の三百九十篇すべてが、まずフェイスブックで公開されたいわゆる「原創小説」だ。

「てんとう虫の記」
ある日の午後。
フロントグラスにてんとう虫が止まっていた。
ゆっくり這い回っている。
(中略)
てんとう虫は実に精緻な外殻をしていた。
色鮮やかで、花模様が浮き出し、滑らかに輝いていた。
この虫は、数字と縁があり、様々な種類に異なる数が冠されていた。
七つ星てんとう
四つ星てんとう
十星てんとう
十二斑てんとう
二十八星てんとう
こうやって並べてみると、てんとう虫はまるで統制の取れた軍隊のようで、古代兵制の三旗、五旗、八旗、主君を守って天下を治めているかのようだ。

車の中、目をやりながら考え考え、雨が降って来て思わずワイパーを動かし、てんとう虫を潰してしまった。（『東南アジア文学』20、東京外国語大学）

大陸由来の世界華文文学でなく、世界中文文学を構想する陳大為はサイノフォンの先駆だが、北マレーシアから台湾へ留学した、いわゆる台湾熱帯文学（台湾馬華文学）を代表する研究者、詩人の一人で、連作叙事詩「南洋にて」の序曲（１９９８）でマレーシア華人の歴史を唱える。

南洋は　歴史の浅い痩せこけた野蛮の地
もともと長饒舌な講談本で　半頁も埋まらない
十年　樹の下に座りつづけ
通りかかる象や猿の群れに一瞥するだけ

からっぽ　ドリアンでさえ我慢できない
祈禱師が宣うに
漢人をたぶらかす物言いは　霧に向かった身振り手振り
暴風雨の手の内で必死にもがくかのよう
恐怖　猿声の止まないボルネオの土地
石斧があった

石斧よ　三百年このかた晒された首は
まだロングハウスに吊るされているだろう

量的にも質的にも、サイノフォンの潮流を牽引する馬華文学の魅力は尽きることがない。（舛谷　鋭）

〈参考文献〉


王徳威ら編著『華語文学の新しい風』（サイノフォン1）（白水社、２０２２年）。

高嘉謙、黄英哲ら編『台湾熱帯文学シリーズ１―４』（人文書院、２０１０―２０１１年）。

Groppe, Alison M, *Sinophone Malaysian Literature: Not Made in China*. Cambria Press, 2013.

34

人々は「退職後」にどのように備えるのか？

★「高齢化」を見据えて★

高齢化の特長

クアラルンプールにおいてモノレールや地下鉄など、さまざまな公共交通機関が導入され、郊外に延びるにしたがい、乗客も多様化した観がある。導入当初は若年層や観光客が目立った。次第に民族も年齢層も多様化し、特に高齢者などの利用が目に入るようになった。マレーシア全体の高齢化率（総人口に占める65歳以上人口）は２０１０年では５・３％であった。次の２０２０年の人口センサスによれば、国連が定める基準の７％に肉薄する６・８％にまで上昇した。同じ時点で隣国のシンガポールが13・４％、タイが13・０％であることを考えると、マレーシアの状況は一見すると深刻ではない。もっとも、州毎に状況が異なることもセンサスで明らかになっている。ペラ州の８・９％を筆頭に合計４州で既に７％を超えた（参照 巻頭資料１）。

しかし、マレーシア社会にとって深刻なのは合計特殊出生率の低下、すなわち少子化である。１９９０年には合計特殊出生率は３・52人であったが、その後は低下し２０１０年には現状を維持する水準を割り、２・00人となり、さらに２０２０年速報値では１・７人にまで低下した。この間の総人口は逆に増加していることを考えると、社会全体では高齢化が加速化していることを意味している。国際機関の推定では２０３０年にマレーシアは高齢化社会へ転換すると予測されていたが、これよりも速くなるであろう。この点につきマレーシア政府自身は２０１６年に公表した人口予測で２０４０年には高齢化率が14・5％に達するとしている（Population Projection (Revised), Malaysia, 2010-2040）。

マレーシア全体が高齢化社会に向かっていく中で、民族別に違いが見えている。マレー人全体では高齢化率は４・５％、インド人もほぼ同水準の４・６％と両民族はマレーシア社会全体よりもやや低い状況である。これに対し、華人社会のみが２０１０年の段階で高齢化率７・８％とすでに高齢化社会の水準を超えている。加えて華人社会の女性の高齢化率は８・０％となっている。華人社会の高齢化率が高いのは、彼らの合計特殊出生率がマレーシア全体の水準よりもさらに低い１・８人であることに加え、平均余命が長く、死亡率が低いことからくる結果である。

もうひとつ注目されるのが、高齢者の地域別分布である。２０００年の時点で「都市部高齢者としての華人と農村部高齢者のマレー人」という基本構図が明確であった。２０１０年の人口センサスでも同じ傾向が確認された。しかし、マレー人の高齢者分布には変化が見られ、都市部高齢者と農村部の高齢者の人口がほぼ拮抗してきている。このマレー人社会の変化の背景には、マレーシアにおける工業化の進展、マレー半島西海岸などへの人口移動に加え、新経済政策（ＮＥＰ）の実行に伴い、マレー人が農村から都市への移住・定住化した結果、高齢者年齢層へと変化したことがあげられる。

民間部門の退職基金EPF

マレーシアには、2012年に民間退職スキーム（Private Retirement Scheme）が導入されるまで、2つの年金システムがあった。公的部門には政府拠出による年金、民間部門には——一部の大企業における独自の年金を除けば——政府が運営する強制加入による被雇用者年金基金（EPF）である。ここではEPFを中心に見ておこう。

EPFはイギリスからの独立に先立つ1951年に設立された。その仕組みは使用者と被用者の双方に一定の拠出比率を課し、強制的に積立貯蓄を行うものである。設立当初は双方合計10％の拠出比率で発足したものの、その後拠出率はあげられ、1981年以降は20％を超え、近年では雇用主が13％、被用者が11％となっている。こうして積み立てた貯蓄と積み立て金運用利益を原則的には55歳の定年〔60歳の場合もあり〕以降に被用者に対して、一括払い、もしくは毎月均等に支払う仕組みになっている。

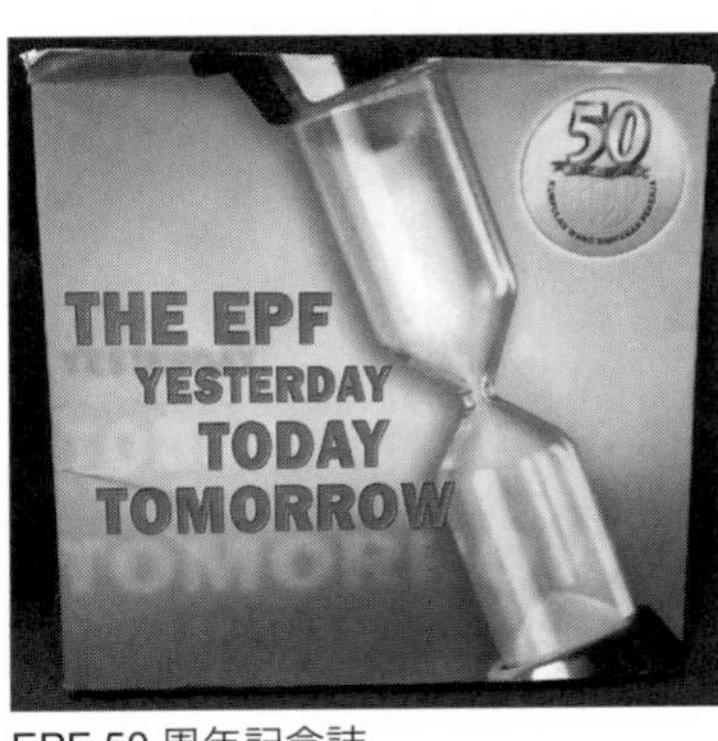

EPF 50周年記念誌

設立以降、これまでに大きな2つの制度変更が行われた。第一点が対象者枠の拡大である。1970年以降対象となる事業者規模や産業を拡大し、1987年にはマレーシア全土の被用者が対象となった。1998年には外国人労働者もその対象となり、2010年以降、自営業者、家事労働者、非正規労働者も任意に加入することができる。これらの結果、マレーシア全労働力人口の50％弱、845万人が加入している（2023年3

高齢化に向かい、十分な備えになるか（EPF HP より）

月時点）。

第二の変更は積み立て基金の使途を拡充し、その「果実」の利用に自由度を与えたことである。設立時には積み立ての目的は退職後の資金であったものが、条件つきではあるものの、住宅購入向け資金や医療向け資金としての引き出しが可能になった。具体的には、口座は55歳まで2つに分けられ（２００1年以降）、第一口座（拠出配当額の70％）は本来の目的である退職金に充てられる。本人が死亡した際や労働に従事できなくなった場合などを除き、55歳の退職年齢になるまで引き出すことができない。他方、第二口座（同30％）は住宅購入時のほか、医療向け、子弟の教育費、さらにはメッカ巡礼費用にも充てることができる。55歳に達すると、これら2つは1つの口座に統合され、一括引き出しの他、定期引き出し、年間配当などの方法で引き出して利用することが可能になった。

年金基金であることは、裏を返せば貯蓄機関、さらには投資基金として機能することを意味する。特に加盟者の年齢層に若年層が多い間は、基金へ拠出された資金よりも引き出し金額が下回っているので積立金と引き出し金の差額部分の資金を開発資金へと活用することができた。１９９０年代までＥＰＦは年投資額の70％を連邦債の購入に向けることが課せられていた。いわば、政府にとって1つの大きな「財布」として、さまざまな大型インフラ開発資金として利用されてきた。徐々にＥＰＦへの債権購入義務比率は50％までに引き下げ（１９９７年には購入義務は免除された）、現在は投資活動の自由度を上げ、海外への投資も含めて基金の活用を図っている。

世界銀行は２０１８年にＥＰＦに関して「有効な年金基金であり、多くの経験を学ぶことができる」と評価したものの、⑴拠出者の積立金が退職時に十分な水準にまでに達していないこと、⑵年金基金の加盟者の範囲が狭いことなどを指摘している。

一方、ＥＰＦを補う年金の仕組みとして注目されているのが、２０１３年に民間の退職金スキームである。コロナ禍前の２０１９年末時点で約46万人――特に30歳代を中心に――が利用するなど拡大している。しかし、ＷＨＯによればマレーシアの男性の平均寿命は72・６歳、女性が77・１歳と伸びている。高齢化の速度が加速化するだけでなく、退職後の「人生」が長くなったマレーシア国民にとって、十分な資金の確保という、大きな課題を抱えることになる。

（鳥居　高）

〈**参考文献**〉

片田順編著『高齢者福祉の比較文化――マレーシア・中国・オーストラリア・日本』（九州大学出版会、２０００年）。
鳥居　高「第８章　マレーシア――年金基金ＥＰＦの重視と制度の経路依存性」（末廣昭編集『東アジア福祉システムの展望』所収、ミネルヴァ書房、２０１０年）。
Lee Hock Lock, *Financial Security in Old Age*, Selangor, Pelanduk Publication, 2001.
Abdullah Mliam Baginda ed., *Social Development in Malaysia*, Malaysia Strategic Research Centre, 2011.

III

政治・行政の仕組み

35

マレー半島部の人々と政治

★BN優位から政権交代を経て多党乱立へ★

現在のマレーシアの国土のうち、地続きでタイに接するマレー半島部分は、マラヤ連邦として1957年に独立した。そのときまでに、憲法や議会、選挙といった政治の基本制度ができあがり、大きく変わることなく今日まで続いている。政党についても、マレー半島部では1960年代までに生まれた政党が長らく主要政党の座を占めていた。しかし、2008年選挙を境に政党の勢力図は急変し、2018年選挙では初めて政権交代が実現した。かつての長期政権をもたらしたのは民族問題を主要争点とする政党政治のあり方であり、2000年代後半からの新興野党の躍進と政権交代を可能にしたのは争点の多元化であった。

民族利益代表による連盟党時代

マレー半島部では、独立に至る過程で特定の民族からなる政党が発展した。1946年にマレー人の諸団体が集まって統一マレー人国民組織（UMNO）を結成すると、同じ年にマラヤ・インド人会議（MIC）が生まれ、1949年にはマラヤ華人協会（MCA）が設立された。マレー人、華人、インド人というマラヤの三大民族が、それぞれ自分たちの民族的利益を実現するための政党をつくったのである。この3党は、1955年に実施された連邦立法評議会選挙で共闘し、圧勝した。3党が共闘するに至った背景には、民族間協調体制の確立を望む宗主国イギリスの意向があった。3党は政党連合「連盟党」を結成してイギリスとの交渉に臨み、独立を実現する。連盟党はまた、憲法制定過程でイニシアティブを発揮し、マレー語を国語、イスラームを国教とする一方、華人、インド人にも幅広く市民権を付与し、母語使用の自由、信教の自由を保障するなど、各民族の利益に配慮した条項を盛り込んだ。

独立後、民族的利益に関して与党よりも急進的な要求を掲げる野党が台頭する。マレー人側では、汎マラヤ・イスラーム党（PAS）が1959年に実施された第1回総選挙で躍進し、人口の大半をマレー人が占めるクランタン州とトレンガヌ州で州議会選挙を制した。華人・インド人側では、1963年のマレーシア結成にともない半島部に進出したシンガポールの人民行動党（PAP）が、「マレーシア人のマレーシア」というスローガンを掲げて物議を醸した。この標語が、憲法で定められたマレー人の「特別な地位」を批判するものと解釈されたのである。シンガポールの分離独立後は、PAPの残存勢力が中心となって民主行動党（DAP）を設立し、マレー人優遇政策に反対する方針を表明した。このDAPが1969年の第3回総選挙で予想外の躍進を遂げたことがきっかけとなり、クアラルンプールで反華人暴動が発生する（参照 第12章）。

国民戦線時代のメカニズム

この暴動後、連盟党はDAPを除く主要野党を取り込み、国民戦線（BN）に改組改名した。しかし、

表　マレー半島部の州議会選挙における連盟党、国民戦線の勝敗
（○は過半数議席を得て勝利、△は半数以下（相対多数）での勝利、●は敗北）

	1959	1964	1969	1974	1978	1982	1986	1990	1995	1999	2004	2008	2013	2018
プルリス州	○	○	○	○	○	○	○	○	○	○	○	○	○	○
クダ州	○	○	○	○	○	○	○	○	○	○	○	●	○	●
クランタン州	●	●	●	○	○	○	○	●	●	●	●	●	●	●
トレンガヌ州	●	○	○	○	○	○	○	○	○	●	○	○	○	●
ペナン州	○	○	●	○	○	○	○	○	○	○	○	●	●	●
ペラ州	○	○	△	○	○	○	○	○	○	○	○	●	○	●
パハン州	○	○	○	○	○	○	○	○	○	○	○	○	○	○
スランゴール州	○	○	△	○	○	○	○	○	○	○	○	●	●	●
ヌグリスンビラン州	○	○	○	○	○	○	○	○	○	○	○	○	○	●
マラッカ州	○	○	○	○	○	○	○	○	○	○	○	○	○	●
ジョホール州	○	○	○	○	○	○	○	○	○	○	○	○	○	●

（出所）選挙委員会報告書（各年版）等にもとづき筆者作成。

１９７７年にはＰＡＳがＢＮを離脱し、マレー人、非マレー人の双方の急進野党が与党連合を挟撃するという与野党関係が復活した。

　この政党配置は、ＢＮ政権を苦しめるのではなく、むしろその安定化に寄与した。マレー半島部で多数を占める民族混合選挙区において、すべての民族から得票できるＢＮ候補に圧倒的な優位をもたらしたのである。そのメカニズムは次のようなものであった。

　選挙になると、与党各党は統一候補を擁立するため、同じ選挙区で競合することはない。マレー人の有権者が多い選挙区ではＵＭＮＯから、非マレー人が多い選挙区ではＭＣＡやＭＩＣなど華人・インド人の政党から候補を擁立する傾向が強い。野党もまた、ＰＡＳはムスリムであるマレー人が多い選挙区、ＤＡＰは非マレー人が多い選挙区を中心に候補を立てる。その結果、同じ民族を代表する政党どうしの競合になる選挙区が非常に多い。

　マレー人有権者の比率が高く、ＵＭＮＯ候補とＰＡＳ候補の1対1の競合になった選挙区にも、華人やインド人の有権者は存在する。かれらは自民族を代表する政党には投票できず、マレー人与野党のどちらかを選ぶしかない。ならば、相対的に穏健なＵＭＮＯがベターな選択肢である。同様に、非マレー人与野党間の競合になった場合、その選挙区のマレー人有権者には、相対的に穏健な与党がベターな選択肢である。異民族の候補にしか投票し得ず、そ

れゆえ与党候補の方がましだと考える有権者は、マレー人ばかり、あるいは非マレー人ばかりの選挙区よりも、民族混合区に多く存在する。このようなメカニズムのもと、1959年の第1回総選挙から2004年の第11回総選挙まで一貫して、下院選挙か州議会選挙かを問わず、半島部の民族混合区では与党がきわめて高い勝率を得てきた。この間、野党が州議会選挙を制することができたのは、マレー人が人口の9割を超すクランタン州、トレンガヌ州と、華人が人口の7割を占めていた時期のペナン州だけであった（参照 表）。

多元化した争点をめぐる政治へ

ところが、この傾向は2008年選挙を境に一変した。1999年に誕生した民族横断政党の人民公正党（PKR）を仲介役としてPASとDAPが協調し、民主化推進や所得格差是正など利害の一致する争点を前面に打ち出して議席を大幅に増やしたのである。民族混合区での与党の優位は失われた。選挙後、3党は人民連盟（PR）を結成し、5つの州で州政権を獲得した。

野党躍進の背景には、各党の政策の変化に加え、インターネット利用の普及による情報環境の変化があった。1970年代以降、新聞とテレビは政府からの干渉と与党による経営権の掌握によって極端に政府・与党寄りの報道姿勢を取るようになっていた。野党は1999年選挙においても野党連合を結成して民主化などを求める統一公約を掲げたが、この時点では主張を広める手段がなかった。その後、ブログやYouTubeが登場すると野党がこれを積極的に利用したのに加え、独立系のネット・メディアの影響力が増したことにより、野党の情報発信力は大幅に強化された。その結果、民族や州を問わず、都市部で野党支持率が大幅に上昇した。

2008年選挙以降、政治改革を求める機運は一段と高まった。その推進力となったのは、市民団体の「清廉で公正な選挙のための連合」（通称「ブルシ」）である。ブルシは選挙制度改革を求める大規模街頭デモをたびたび主催したほか、2015年に政府系ファンド「ワン・マレーシア開発公社」（1MDB）を舞台とする汚職疑惑が発覚すると、ナジブ首相の退陣を求めるデモを開催した。

2018年選挙は、汚職の嫌疑のあるナジブ首相の続投を許すか否かを問う選挙となった。ナジブと反目したマハティール元首相らがUMNOを離脱してマレーシア統一プリブミ党（PPBM）を立ち上げ、野党連合の希望連盟（PH）に合流した結果、農村部にも野党支持の波が広がり、政権交代が実現した。

しかしPH政権は、わずか2年弱で瓦解した。マレー人の支持率が大幅に低下したことに危機感を覚えたPPBM幹部らがマハティールを出し抜いて連立の組み換えを強行したためである。その後はかつてない多党乱立状況のなか、UMNOとPPBMなどによる不安定な連立政権が現在（2022年5月）まで続いている。

（中村正志）

〈参考文献〉

鳥居　高「マレーシア『国民戦線』体制のメカニズムと変容――半島部マレーシアを中心に」（村松岐夫・白石隆編『日本の政治経済とアジア諸国　上巻・政治秩序篇』国際日本文化研究センター、2003年）。
中村正志『パワーシェアリング――多民族国家マレーシアの経験』（東京大学出版会、2015年）。
中村正志・熊谷聡編『ポスト・マハティール時代のマレーシア――政治と経済はどう変わったか』（アジア経済研究所、2018年）。

36

サバ州の人々と政治

★選挙と政党★

サバの政党と半島部

２０１８年の総選挙で与党連合・国民戦線（以下ＢＮ）が敗れた数日後、サバの地元新聞に「青い水タンクが落下して車が大破」という記事が載った。選挙の前、ＢＮはシンボルカラーである青色の水タンクを各家庭に供与しており、「青い水タンク」はＢＮの代名詞になっていた。この記事にはサバの管理を強めてきたＢＮ政権の崩壊を喜ぶ気持ちがよく表われている。

サバは半島部マレーシア（以下、半島部）に複雑な感情を抱いている。その背景には、半島部（当時はマラヤ連邦）とサバが対等な立場でマレーシアを結成した１９６３年の精神が軽んじられているという思いがある。あたかもマラヤ連邦がサバを吸収してマレーシアになったかのように、半島部では法律も慣行も人々の意識も変わらなかったのに対し、サバは法律や慣行や意識を半島部に揃える圧力を受け続けてきたためである。

サバは１８８０年代にイギリス北ボルネオ会社の統治領として形成された。１９５０年代の脱植民地化の過程で、非ムスリムの先住北ボルネオ諸族こそサバの真の主人であると考えるグループと、ムスリム原住民を中心とする国を作るべきと考えるグループが生まれた。前者はカダザン人を名乗り、後者は単一の民族名を名乗らずムスリム原住民として、それぞれ統一全国カダザン人組織（UNKO）と統一サバ国民組織（USNO）という政党を結成した。また、華人の木材生産業界を中心に北ボルネオ国民党（BUNAP。後にサバ国民党〔SANAP〕）が結成された。

これらの政党はサバ連盟党を組織して、マラヤの連邦与党・連盟党（BNの前身）と連立して連邦政府を構成した。もっとも、サバと半島部は互いに内政に干渉せず、サバは州政権、半島部は連邦政府が統治することになった。

サバ政治の展開

サバではUNKO（後に全国統一パソ・モモグン＝カダザン人組織〔UPKO〕）のドナルド・ステファンが初代州首相に就任した。しかしサバはマラヤと違って民族間の境界が明確でなく、UPKOとUSNOは主導権を争って党員を引き抜き合い、互いの対立を深めた。1967年州議会選挙では、ステファンによる木材生産業の州営化に反対したUSNOとSANAPがUPKOをサバ連盟党から排除し、USNOのムスタファ・ハルンが州首相になった。

ムスタファは木材伐採権付与の権限を利用して独裁を強め、マレー語化とイスラーム化を進めた。サバ沖で産出する石油のロイヤルティの州の取り分が5％であることを不満に思ったムスタファがサバの分離独立を示唆すると、アブドゥール・ラザク首相はムスタファの排除を画策し、1976年州議会選挙ではUSNO離党者が結成したサバ大衆団結党ブルジャヤ（Berjaya）を支援した。選挙の結果ブルジャヤ州政権が発足し、これ以降、1994年までサバでは多民族政党による単独政権が続くことになる。

州首相に就任したハリス・サレー（Berjaya）は、USNO党員の移籍によって多数の支持を得て、マハティール・モハマド首相の支援を受けてサバの開発を進めた。州法を連邦法に揃える法改正を多く行い、州の権限を売り渡したと批判され、さらに、ムスリムの有権者を増やすために近隣の外国人に身分証明書を不正に与える秘密プロジェクトを黙認したことから、カダザン人キリスト教徒のパイリン・キティガンがブルジャヤ党を離党してサバ団結党（PBS）を結成し、1985年州議会選挙でパイリンを州首相とするPBS州政権が誕生した。

森林資源による収入をもとに住民の教育と経済機会の向上を促進するサバ基金局。建物は樹の幹をデザインしたもの

PBSはBNに加わったが、元ブルジャヤ党員の移籍者を取り入れて支持基盤を固め、「サバ人のサバ」を掲げて州の権利拡大を要求したため、連邦政府と対立した。1990年にPBSがBNを脱退してサバが野党州になると、半島部のBN構成政党はサバに支部を作らないという慣行を破ってUMNOがサバに進出し、サバBN（BNサバ州支部）を結成した。森林資源の枯渇により州財政が縮小していたが、連邦政府は野党州となったサバへの財政支援を拒んだ。

PBSは1994年州議会選挙で辛勝したが、BNによる議員の大量引き抜きのため、BN州政権が誕生した。民族ごとの政治という発想にとらわれたマハティール首相は、サバでほぼ9年ごとに州政権が交代して政情が安定しないのは州首相に権限が集中しすぎているためであるとして、ムスリム原住民、カダザンドゥスン人（カダザン人から改称）、華人が2年ごとに州首相職を交代する州首相輪番制をサバに課した。

２００３年の選挙区割り引き直しでは、ムスリム原住民、カダザンドゥスン人、華人のどのグループの有権者が過半数を占める選挙区も全選挙区の半数未満にするという慣行が破られた。２００４年州総選挙では、ＢＮはどの政党も過半数の選挙区に候補を立てないという慣例を破り、ＵＭＮＯが60の定数のうち32の選挙区に候補者を立てた。選挙でＢＮが勝利するとＵＭＮＯのムサ・アマンが州首相に就任し、州首相輪番制は撤廃された。ＢＮ州政権のもとでＵＭＮＯの優位が確立された。

サバのＵＭＮＯは半島部のＵＭＮＯの指示を受ける立場にあるが、選挙の候補者選定や州予算の策定で半島部の影響力は助言程度にとどまっていた。ＢＮ州政権のもと、サバのムスリム原住民にはマレー人を名乗る人が増えた。ＢＮ州政権になっても多くの人々の生活水準は向上せず、また、フィリピン人やインドネシア人の不法滞在者の増加が社会不安を招いている問題も未解決のままだった。

半島部で野党連合が勢力を伸ばし、２００８年総選挙で半島部の与野党の勢力が拮抗すると、ＢＮと野党連合（人民同盟、後に希望同盟）はどちらもサバとサラワクで支持拡大を求めた。２０１３年総選挙で野党連合が勢力を拡大すると、ナジブ首相はサバの支持拡大のために国境管理と外国人問題の対策に力を入れた。スールー王国軍を名乗る武装勢力の侵入事件を契機にサバ東海岸の国境警備を強化し、また、王立調査委員会を開いて外国人への身分証明書の不正発行の調査を行った。

２０１８年総選挙でＢＮが敗北すると、サバの地元政党は先を争うようにＢＮから脱退し、サバ伝統党（Warisan）のシャフィー・アプダルを州首相とする州政権が誕生した。しかし２０２０年に連邦議会で連立の組み換えによる政権交代が起こると、サバでも州与党の過半数割れのため州総選挙が行われ、ＵＭＮＯのハジジ・ノールが州首相に就任した。

希望連盟のＰＫＲとＤＡＰは半島部に基盤を置き、中央によるサバ支部への統制が強い。他方、ＵＭＮＯも半島部に基盤を置くが、中央によるサバ支部への統制は弱い。２０１８年総選挙でＵＭＮＯを嫌ったサバでＵＭＮＯ州政権が復活した背景には、半島部による統制を避けるには希望連盟よりＵＭＮＯの方がましだという苦渋の選択がうかがえる。

サバは政党間の移籍が多いことで知られる。都市部の有権者は議員の移籍を嫌う傾向があるが、農村部では地元の開発を約束する政党への移籍を有権者が地元選出議員に求めることも珍しくない。一丸となって権利を勝ち取るのではなく、いつでも組む相手を変える柔軟性の高さに、サバの人々が権力者を利用しようとする底力がうかがえる。

（山本博之）

〈**参考文献**〉
山本博之『脱植民地化とナショナリズム——英領北ボルネオにおける民族形成』（東京大学出版会、２００６年）。
Edwin Lee. *The Towkays of Sabah: Chinese Leadership and Indigenous Challenge in the Last Phase of British Rule*. (Singapore University Press, 1976)
Jeffrey G. Kitingan & Maximus J. Ongkili. (eds.). *Sabah 25 Years Later, 1963-1988*. Institute for Development Studies (Sabah).

37

サラワク州の人々と政治

★選挙と政党★

国際線でクアラルンプール国際空港に到着したときに出入国管理局で押される入国スタンプを見ると、「西マレーシアとサバ州に入境し滞在する許可を与える」と書かれている。そこからサラワク州のクチンに飛ぶと、国内便に乗ったはずなのにクチンの空港で再び出入国管理局を通り、パスポートに「サラワク州に入境し滞在する許可を与える」と書かれた入国スタンプを押される。クチンからクアラルンプールに飛ぶときもパスポートに出国のスタンプを押される。まるでマレーシアという国の中にサラワクという別の国があるようだが、その見方は大きく外れてはいない。サラワクは制度の上でも意識の上でも独自性が強い。

1840年代以降に川の流域ごとに領域が拡大していったサラワクは、主要な5つの川の流域社会を中心とする5つの省の連合体という性格を持つ。独立直前の1959年から1962年にかけての政党結成でも川ごとの流域社会が基盤になった。

サラワクにおける政党の始まりと展開

1959年にクチン（第一省）で華人らによってサラワク統

一人民党（SUPP）が結成され、第一省と第三省で支持を拡大すると、クチンではマレー人がサラワク国家党（PANAS）、シブ（第三省）ではマレー人やムラナウ人がサラワク民衆党（BARJASA）を結成して対抗した。サリバス川流域の第二省ではイバン人が結成したサラワク国民党（SNAP）がイバン人居住区を足がかりに他の省にも浸透していったが、ラジャン川流域の第三省ではシブのイバン人を中心とするサラワク保守党（PESAKA）の影響が強かった。SUPPは共産主義運動に同調する華人の支持を受けており、これに対抗する華人政党としてサラワク華人協会（SCA）が作られた。

PESAKA、BARJASA、SNAP、SCAはサラワク連盟党を結成した。サラワク連盟党は民族政党の連立という見かけを取りながらも流域社会の連合体でもあった。民族と流域社会が縦横に織り込まれているため、サラワクの地元政党は半島部マレーシア（以下、半島部）の政治勢力に対してまとまって対応する傾向が強い。

1963年のマレーシア結成では、民族別の政治にとらわれた連邦政府のラーマン首相がムスリムのラーマン・ヤクブ（BARJASA）を州首相にするよう求めたが、サラワク連盟党は半島部の介入をはねのけ、イバン人と華人の両親を持つカロン・ニンカン（SNAP）が初代州首相に就任した。ニンカンは慣習法に基づく土地所有を土着種族に認める法制化を試み、州内の反発を受けた。1966年、ラーマン首相は政情の混乱を理由にサラワクに非常事態を発令し、この間に反対勢力はニンカンを解任してタウィ・スリ（PESAKA）を州首相に就任させた。

1970年の州議会選挙により州首相に就任したラーマン・ヤクブは、半島部との関係強化によりサラワクの経済開発を進めるとともに、イスラーム化や教育言語のマレー語化を進めた。ラーマン・ヤクブはブミプトラ政党の統合を進め、ＢＡＲＪＡＳＡとＰＡＮＡＳを合併し、さらにＰＥＳＡＫＡを取り込んで１９７３年にサラワク統一ブミプトラ・プサカ党（ＰＢＢ）を設立した。ＰＢＢはＳＵＰＰとＳＮＡＰとともに１９７６年にサラワクＢＮ（ＢＮサラワク州支部）を結成した。これ以来、ＰＢＢは現在に至るまでサラワク政治の中心的な存在となっている。

ラーマン・ヤクブは１９８１年に甥のタイブ・マフムドに州首相職を禅譲した。タイブは木材伐採権の付与と引き換えに地方有力者の支持を集めて政権基盤を固めていき、院政を敷こうとしたラーマン・ヤクブと対立を深めた。１９８７年、ラーマン・ヤクブは過半数の州議会議員をクアラルンプールのミンコート・ホテルに集めてタイブの州首相解任を企て、タイブは州議会の解散で応じた。ラーマン・ヤクブはマハティール首相に介入を求めたが、ＵＭＮＯの内紛への対応に追われていたマハティールはサラワクの政治問題が半島部に持ち込まれることを嫌い、ＵＭＮＯはサラワクに進出しないと表明して介入を拒んだ。

１９８７年の州議会選挙で勝利したタイブは、反対勢力の木材伐採権の取り消しなどによって州首相の地位を盤石のものとし、33年間の長きにわたって州首相職に就いて権勢を誇った。

1983年に日本向け天然ガス（LNG）基地となったサラワク州・ビンツル（撮影：鳥居高）

サラワク最長の川であるラジャン川の支流でのバクン水力発電ダムプロジェクトや、木材伐採のための伐採道路の敷設は、人々の居住地や交通・流通の経路を変え、伝統的な流域社会にも影響を及ぼした。

イバン人を主体とするSNAPはBNに加入していたが、タイブの長期政権のもと、SNAPのメンバーはBNに留まるか野に下るかの選択の間で揺れ動き、分裂を重ねた。1983年にサラワク・ダヤク族党（PBDS。2004年以降はサラワク人民党〔PRS〕）、2002年にサラワク進歩民主党（SPDP）がSNAPから分裂し、それぞれBNに加盟した。SNAPは2004年にBNから除名され、2013年に政党登録が抹消された。

BN体制におけるサラワク政党の役割

サラワクが半島部からの介入を受けてこなかった背景には、州内の豊富な森林資源に担保される州財政と、サラワクが連邦与党に与える国会議席がある。連邦議会でサラワクの選挙区は定数の約15％を占める。サラワクの州与党連合は半島部のBNと連立することでBNの政権基盤を支え、それと引き換えに州の独自性を確保してきた。

半島部のBNの構成政党はサラワクに支部を作らない慣行を守ってきたが、半島部に拠点を置く野党はサラワクへの進出を試みた。ただし連邦議会では都市部で1、2議席を得たものの、州議会では苦戦を重ね、DAP（1978年進出）が州議会で議席を得たのは1996年のことだった。PKR（1996年進出）は2006年に州議会で1議席を得た。

タイプは2014年に州首相を辞任し、長期政権の時代の幕が閉じた。後継のアデナン・サテム（PBB）の死去に伴い、2017年にアバン・ゾハリ・アバン・オペン（PBB）が州首相に就任した。

2018年の総選挙でBNが連邦議会の過半数を失うと、州与党のPBB、SUPP、PRS、SPDPはサラワク連合を結成してBNとの連立を解消した。ただし、希望連盟に加わると州レベルで希望連盟を与党に受け入れなければならないため、サラワク連合は連邦野党に留まった。2018年以降は半島部の政党が離合集散を繰り返して多数派工作を重ねているが、過半数を確保するためにはサラワクの議席が不可欠であり、サラワク連合は一まとまりを維持することで半島部の政党に対する交渉力を維持している。

2022年、サラワクは州憲法を改正して州首相の名称をChief MinisterからPremierに変更した。サラワクはマレーシアという国の一部である以上、サラワクの州行政の長を首相（Prime Minister／Perdana Menteri）とは呼ばないけれど、一国の首相に匹敵するPremierであるという意識の表れである。サラワクの地元政党は一丸となることで半島部に対して交渉力を高め、州の地位を一歩ずつ高めてきた。これに伴ってサラワクの一般の人々の生活水準も向上していくことが期待される。（山本博之）

〈参考文献〉

Margaret Clark Roff. *The Politics of Belonging: Political Change in Sabah and Sarawak*. (Oxford University Press. 1974)
Michael B. Leigh. *The Rising Moon: Political Change in Sarawak 1959-1972*. (Sydney University Press, 1974)
Robert Stephen Milne & K.J. Ratnam. *Malaysia - New States in a New Nation: Political Development of Sarawak and Sabah in Malaysia*. (Frank Cass, 1974)

38

法律は
どのようにつくられるのか？

★連邦議会の役割★

二院制の連邦議会

マレーシアの連邦議会は、国王と上院、下院の二院で構成されている（憲法第44条）。法案は、国王による国璽の押印を得て法律になる。かつて国王は、両院で可決された法案に対する拒否権をもっていたが、１９９４年の憲法改正により国王の拒否権は廃止された。

上院は、各州と連邦領を代表する議員、ならびに国王が任命する議員で構成される。州選出枠の議員は州議会が選ぶ。国王任命枠の議員には、内閣の助言にもとづき、公務員や専門職、各種団体、民族集団などの利益を代表しうる人物が選ばれる。連邦領代表も国王が任命する。現在、上院の定数は70人で、その内訳は、州代表が26人（13州×２人）、連邦領代表が４人、国王任命枠が40人である。上院議員の任期は3年で、２期までしか務めることができない。

下院は、国民の直接選挙で選ばれた議員によって構成される。選挙制度は最多得票候補が当選する単純小選挙区制で、現在の定数は２２２人である。任期は5年で、満了から60日以内に総選挙が実施される。選挙後は、下院議員による首相指名選挙はなく、国王が下院議員のなかから「過半数の信任を得そうな者」を首相に任命する。その他の大臣は両院の議員のなかから選ばれる。

制度上は両院のいずれも法案を提出できるが、実際には下院の議決を上院が追認するのが慣例になっている。現実の立法過程においては、上院の存在感は希薄である。

法律制定プロセス

法案には、制度上、大臣が上程する政府法案と議員が動議提出する議員立法案の2種がある。しかし、議員立法案が議会での審議に付せられた例はほとんどない。政府案件を優先的に審議することが議事運営規則で定められており、通常は政府法案を審議するだけで会期が終わってしまうからである。事実上、政府の協力がない限りは議員立法案を議会での審議まで進めることはできない。

通常、法案の審議は次のようなプロセスで行われる。法案はまず、担当閣僚から下院事務局に提出される（第一読会）。次に法案の骨子に関する本会議での審議・採決（第二読会）へと進む。ここで否決されると、法案は丸ごと否決となる。第二読会を通過した法案は、本会議を委員会に見立てた全院委員会（Committee of the whole House）に付託される。ここでは法案の細目が審議される。全院委員会は与野党議員が入り乱れて討論を行う場であり、その進行は議長の手に委ねられている。複数の議員が発言を求めたとき、議長は「最初に目にとまった者」に発言させると議院運営規則で定められている。同一会派からの発言が相次いだ場合、議長はこの規定を利用し、その会派が陣取る方向に目を向けないことによって議事進行をコントロールできる。法案の細目に関する修正案の提案と採決は、この段階で行われる。ここでの討論を受けて政府が法案を修正することもある。委員会での審議が済むと、その結果が本会議に報告され採決される（第三読会）。通常、第三読会は形式的なものにすぎず、ほとんど時間はかからない。

予算案審議の場合、第二読会で予算の大枠を審議・採決した後、全院委員会で各省ごとの予算案を審議・採決し、第三読会の採決へと進む。

法案を専門的見地から審議するため、第二読会に進める前ないし第二読会通過後に、少数の選ばれた議員で構成する特別選任委員会（special select committee）に付託することもできる。しかし、２０１８年の政権交代以前は、特別選任委員会はめったに設置されず、その例は60年におよぶ歴史のなかで10件に過ぎなかった。

連邦議会議事堂（提供：鳥居高）

議場での採決は、まずは議員の発声をもっておこなう。議員は一斉に発声して賛否の意思を表明する。議長が賛成多数と認めれば、この時点で可決となる。もし一定数（下院は15人、上院は8人）以上の議員からの要求があれば、改めて議員一人ひとりに対する賛否の意思確認が行われる。議場をいくつかのブロックに仕切って確認作業が行われることから、この方式はブロック投票と呼ばれる。政権交代前は与党連合の議席占有率が非常に高かったため、ブロック投票まで進むことは稀であった。

国民に伝えるアリーナ

以上のような制度をもつマレーシアの連邦議会に対しては、政府の決定を追認するだけの「ゴム印」に過ぎないとの批判がある。ほぼすべての法案が政府法案であるうえ、極端な本会議主義のために専門的知見をもつ議員が集まって法案をじっくり審議する機会はほとんどなかった。審議の日程も短く、予算案を除く通常の法案審査では、第二読会から第三読会までの工程を1日か2日で完了することが多い。

ではマレーシアの議会は、独裁的な政治に民主主義の装いを与える飾りにすぎないのかといえば、決してそうではない。議院内閣制において議会にとくに期待される役割は、そこで議員が政策について討議を重ね、それぞれの見解を国民に伝えるアリーナとしての機能を果たすことである。とりわけ報道機関の取材を受ける機会が少ないマレーシアの野党議員にとって、議会は自身の政策を有権者に知らしめるための貴重な場として機能してきた。

加えて、議会の存在が議会外での利益調整を促すという側面がある。政府法案の用意が調うと、担当大臣はメディアを通じて概要を公表する。社会的影響が大きい法案なら広く報道され、野党議員や経済団体、NGOなどから意見が表明される。強い懸念が出れば、政府は関係する団体などから意見を聴取して法案を練り直す。このプロセスには数か月、場合によっては数年を要し、法案に抜本的な修正が施されることもある。こうした議会外での利益調整は、政府が議会に対して説明責任を負っているからこそ促進されるのである。

また2018年の政権交代後は、政策決定過程における議会の存在感がこれまでになく高まっている。重要法案の策定にあたって頻繁に特別選任委員会が設けられるようになり、議会で実質的な法案策定が行われはじめた。また、各省庁の所管事項に対応する、常設的な特別選任委員会が新たに設置されたことも注目に値する。これは、イギリス議会の省庁別特別委員会に相当する組織である。2022年5月時点では、財務・経済、教育、外務、安全保障、保健・科学技術、農業・国内商業、首相府傘下庁、インフラ開発、女性児童問題・社会開発、基本的人権、の10委員会が存在する。

近年、与野党の議席が伯仲するようになったことも、議会の存在感を高めている。2018年選挙後は政党の離合集散が繰り返され短命政権が続いたが、2021年8月に首相に就任したイスマイル・サブリ・ヤアコブは野党と協調することで政権の安定を図ってきた。この体制の下、重要法案の策定にあたり政府は野党側代表との協議を重ね、合意形成に努めるようになっており、議会が実質的な政策策定の場としての役割を担い始めている。

（中村正志）

〈参考文献〉

鈴木絢女『〈民主政治〉の自由と秩序――マレーシア政治体制論の再構築』（京都大学学術出版会、2010年）。
中村正志『パワーシェアリング――多民族国家マレーシアの経験』（東京大学出版会、2015年）。

39

連邦―州政府関係(1)

★半島部マレーシア★

マレーシアは13州と3つの連邦領から成り立つ連邦制国家である。1957年のマラヤ連邦、63年のマレーシア連邦、そして65年と3段階を経て現在の形が形成された。この結果、連邦―州関係から見ると、13州は大きく2つのグループに分かれる。すなわち、半島部における11州のグループとサバ州、サラワク州のグループである。1963年にマラヤ連邦結成後に加わったボルネオ島の2州には半島部の州政府権限よりも大きな権限が付与されている点が異なる。本章では半島部のみを扱う。

州政府に優位に立つ連邦政府権限

半島部における連邦―州政府関係は1957年のマラヤ連邦憲法を基盤とし、1963、65、84、2022年と4回にわたる連邦憲法改正により変化している。現連邦憲法では第6部（第73条から第79条）の8つの事項に分かれている。

まず、第73条から第79条ならびに付則9で立法権限の管轄が明示され、第80条から81条では行政権限が立法権限の分担に準じることが定められている。そこで立法ならびに行政権限は付則9から表のように連邦政府権限、州政府権限、そして共同管

表　連邦・州政府権限事項

連邦政府管轄事項		州政府管轄事項	
【対外関係】			
1.外交	2.国防		
【内政関係】			
3.国内治安	4.民法、刑法、訴訟法、司法行政	1.イスラーム法、家族法、マレー人の慣習	7.州政府機構
5.連邦政府市民権、帰化	6.選挙、連邦政府の行政機構	4.連邦政府直轄領を除く地方自治	8.州政府管轄事項に含れ、州法によって扱わる諸事項の犯罪の設定
【経済関係】			
7.財政	8.貿易、商業、工業	2.土地、鉱物資源	5.そのほかの地方的な格の諸事業
9.海運、航海、漁業	10.通信、交通	3.農業、林業	6.州公共事業及び水道
11.連邦公共事業（給水、電気などを含む）	12.測量、調査（センサスを含む）	10.州目的のための調査	
【社会開発関係】			
13.教育	20.農地の害虫駆除、植物病害の予防	8.州休日	12.亀及び河川事業、書館、歴史的遺跡
14.医療、保健	21.新聞出版、出版業者、印刷	11.州政府管轄事項に関する損害調査	23.劇場、映画館など公共娯楽←連邦政府か移管
15.労働社会保障	22.検閲		
16.先住民の福祉	23.劇場、映画館などの公共娯楽→認可権は州政府へ移管		
17.国家資格	24.協同組合		
18.州休日以外の休日（連邦の休日）	25.観光		
19.法人組織ではない団体	26.消防		
	27.連邦政府領		
共同管轄事項			
1.社会福祉	2.奨学金	3.野生動物の保護、国立公園の管理	4.家畜、動物検疫
5.都市、田園計画	6.浮浪罪	7.公衆衛生	8.排水、灌漑
9.防火建築	10.文化スポーツ	11.住宅・改良信託事業	

（出所）マレーシア連邦憲法付則9より作成
（注1）網掛けになっている項目が連邦政府権限を示す。
（注2）連邦憲法付則9には【　】でくくられた小見出しはなく、筆者による整理である。
（注3）連邦ならびに州政府権限の項目前の数字は憲法の記載番号で、欠番はこれまでに削除されことを意味する。

轄事項の3つに分類されている。このほかに第82条では財政負担の分担、連邦・州政府間での土地の取引、マレー人保留地など土地に関しての規定（83条から91条）、複数の州にまたがる「国家開発」に関する規定（92条）、連邦による調査、州への助言および州活動の監査（93条から95条）、および国家地方政府評議会（National Council for Local Government）の役割などが規定されている。

まず、表から明確なことは連邦政府権限が広範囲に及び、その権限が州政府権限よりも圧倒的に大きな比重を占めていることであろう。連邦政府には外交、安全保障など独立国家としての対外関係に関する権限を筆頭に市民権、内政に関する権限、さらに貿易、工業などの経済活動、さらには通信、運輸など開発関連の事項、教育、保健、社会保障など社会開発関係の25項目に及ぶ権限が付与されている。この中の特徴の1つとして、先住民（オラン・アスリ）に関する権限が連邦政府に付与されていることである（参照 第19章）。

また、連邦政府には州政府権限内であっても、連邦政府が権限を行使できる4つの場合が規定されている。すなわち外国との境界などの国際的な取り決めを行う場合、土地制度と地方自治に関して州政府が定めた関係法規を全国的に統一する必要がある場合、国王が「開発地域」と指定した地域の場合、さらに連邦憲法第150条により非常事態宣言が出された場合である。4番目の事態は1966年にサラワク州、1977～78年にクランタン州で起きている。

このほかに連邦政府と州政府との協力関係を確実にするために、連邦レベルでさまざまな組織が設置されている。具体的には、前述の国家地方政府評議会、国家土地協議会（National Land Council）である（森林政策に関しては1971年に国家森林協議会〔National Forestry Council〕が設置されたものの、同協議会は91

年にＮＬＣに吸収された）。これらの協議会は連邦ならびに州政府代表から構成され、関連法案の諮問と助言機能を持っている

次に財政に関する面から見ると、州政府は連邦政府からの財政移転として、①１人当たりの単価を人口で乗じた人頭補助金（ただし１人当たりの金額は人口規模に応じて累進減額）、②州道路補助金の２種類があり、全州平均では歳入の20〜25％を占めている。州の自主財源としては、土地・鉱山・森林利用、遊興税を柱とし10余りの税、各種許認可手数料、行政サービスの対価などからなる（参照第44章）。

天然資源に関してもまた、連邦が圧倒的に優位である。１９７４年に制定された石油開発法（Petroleum Development Act）によって、すべての州は自州内における石油資源に関する権利を放棄させられた（参照第46章）。石油と天然ガスの資源管理は連邦政府が所有する国営石油会社（ＰＥＴＲＯＮＡＳ）に移管された。同社は州政府と連邦政府にそれぞれ５％のロイヤリティを支払う（一方、ＰＥＴＲＯＮＡＳ自身は49％を取得し、残りの41％は産油会社が受け取る）。したがって、連邦と州政府が対立した場合、この石油の権益の分配が連邦にとって大きな締め付けの手段となった。１９９９年の総選挙でトレンガヌ州政権を野党・汎マレーシア・イスラーム党（ＰＡＳ）が握った際には、翌２０００年に連邦与党・国民戦線（ＢＮ）政府は１９７５年にＰＥＴＲＯＮＡＳとの間で締結した協定を無効とした（連邦政府は代替措置として、「善意の資金」という名称で資金を提供した）。

また、マレーシア計画（Malaysia Plan）と総称される「五か年」を対象にした開発計画は連邦政府、なかでも首相府・経済局（ＥＰＵ、アンワル政権で新設の経済省〔Ministry of Economy〕に移管）を中心に立案、実行される仕組みになっており、開発予算の分配という面からも連邦は州に対して優位に立つ。

3つの連邦領

最後に3つの連邦領の成立と意味合いについて時間をさかのぼって見ておこう。2001年に首相府を始め主だった省庁をクアラルンプールから移転させるために新たに行政首都プトラジャヤ（KLから25kmあまり南に位置し、総面積49km^2）が開設された。また1984年にはラブアン島をサバ州から離脱させ、国際金融センターとして育成することを目的とし連邦領とした。そして、最初の連邦領として1974年に成立したのがクアラルンプール（KL）である（参照第11章）。

前者2か所の設立の目的は行政の効率化や国際金融センターの育成という点で明確である。これに対し、KLを連邦領化したタイミングは注目される。確かに連邦の首都としてのKLの創設は国連機関の勧告を受けた措置である。しかし、それに先立つ1969年5月13日に起きた「首都」での民族暴動「5月13日事件」、その後の非常事態宣言の時期を経て、その対応策として導入した新経済政策（NEP）が本格的に実施されるのが1973年というタイミングであったことを考えれば、その政治的意味合いは大きいといえよう。紙幅の関係で詳述はできないが、KLをスランゴール州から分離することによって、1969年の総選挙で華人系野党勢力が伸びたスランゴール州の民族構成は変化し、華人選挙民が過半数を占める華人選挙区は大幅に数を減らし、マレー人が過半数を占めるマレー人選挙区が大

行政都市プトラジャヤの中心、首相官邸

幅に増えた。

さらに、連邦領KLのイスラームにかかわる立法・行政権限がスランゴール州から連邦政府に移管され、またイスラームの長としての役割もまた同州のスルタンから国王へと移管され、首都は連邦政府のもとにイスラーム行政に関する権限が強化されたことも注目される。

半島部における連邦―州関係は、1974年の国民戦線成立（BN）以降、BNが連邦議会のみならず州議会でも州政権与党の座を獲得・維持したことで、おおむね安定的に推移してきた。連邦―州関係が不安定化あるいは鋭く対立したのは、反・連邦与党の政治勢力が州政権を獲得したケースであった（例：1959年から1973年クランタン州など）。しかし、2008年の総選挙以降、BNが弱体化し、野党連合が州政権を獲得する事態が多数起きている。また2018年の史上初の政権交代という新しい政治状況の中で、新しい連邦―州関係の構築が模索される。

（鳥居　高）


〈参考文献〉

河野元子「マレーシアにおける地方行政と地方政府」（永井史男・船津鶴代編『東南アジアにおける自治体ガバナンスの比較研究』所収、アジア経済研究所、2010年）。

鳥居　高「都市化と政治変動」（生田真人編『アジアの大都市3　クアラルンプル・シンガポール』所収、日本評論社、2000年）。

鳥居　高「マレーシアの連邦・州関係」（東京都議会局『マレーシアの地方自治と経済政策』《海外調査資料》所収、2001年）。

Shafruddin,BH, *The Federal Factor in the Government and Politics of Peninsular Malaysia*, Kuala Lumpur, Oxford University Press 1987

40

連邦―州政府関係(2)

★サラワクとサバ★

マレーシアの発足

マレーシアには「独立記念日」にあたる祝日が3つある。その背景にはマレーシア結成から現在に至る連邦と州の関係がある。

1961年、マラヤ連邦のラーマン首相が、マラヤ連邦、シンガポール、およびボルネオのブルネイ、サラワク、サバ(北ボルネオ)から成る大連邦の構想を発表した。サラワクとサバが統合によってマラヤ連邦に呑み込まれるという懸念を払拭するため、マレーシア連帯協議委員会やコボルド調査団を通じて大連邦結成の条件が検討された。最終的に関係各国・植民地の政府間委員会で条件が協議され、サラワクは18項目、サバは20項目の要求を提出した。

サラワクとサバは他州からの入境管理の権限を持つこと。サラワクとサバの州の権利を縮小する連邦憲法の改正は当該州の同意を必要とすること。サラワクとサバは州憲法と州議会を持ち、州議会で多数の支持を得た者が州首相として州内閣を組織すること。サラワクとサバの土着種族はマラヤのマレー人と同等の権利を持つこと。イスラームを連邦の公式の宗教とするが、非イスラーム教徒の信仰の自由を認めること。国語はマレー語とするが、少なくとも10年間はサラワクとサバの人々が公の場で英語を使うことを認めること。

政府間委員会ではこれらの条件が織り込まれた連邦憲法と各州憲法が合意された。新連邦の名称は「連邦」をつけない「マレーシア」となり、イギリス、マラヤ連邦、サバ、サラワク、シンガポールの各政府がマレーシア結成に合意したマレーシア協定（MA63）が結ばれた。マレーシア発足は1963年8月31日と決まったが、近隣諸国の要求を受けて国連の調査団による住民の意向調査を行ったために9月16日にずれ込んだ。

連邦政府との関係

連邦憲法は第9付表で連邦と州の権限を規定し、サラワクとサバにマラヤの各州より大きな権限が認められた。サラワクとサバはマレーシア結成以前の法律を維持し、州議会が決めるまで連邦の法律に揃えないこととされた。このため多くの分野で連邦政府の管轄はサラワクとサバに及ばず、連邦政府は実質的にマラヤのみ、サラワクとサバの州政府はそれぞれの州の行政を管轄することになった。

連邦政府は意識の上でマラヤ（半島部マレーシア。以下、半島部）とボルネオを統合する工夫を重ねた。「西マレーシア」と「東マレーシア」という呼称は1970年代初めに公式に使われなくなり、「西マレーシア」は「半島部マレーシア」、「東マレーシア」は「サラワク」と「サバ」と呼ばれるようになった。また、半島部とサラワク・サバの間には30分の時差があったが、1982年1月1日にサラワクとサバに合わせて国内の時間を統一した。

サラワクとサバは半島部全体と対等な立場でマレーシアに参加したと考えていたが、連邦政府はサラワクとサバを半島部の個々の州と同じ立場であると扱おうとした。連邦憲法の第1条⑵を改正して、マラヤ、サラワク、サバの３つから成るとされていたマレーシアの構成を13州の列挙にした。また、サラワクとサバは「ヌガラ」（国）ではなく「ヌグリ」（州）であるとして、サラワクとサバの州元首の名称をヤン・ディプルトゥアン・ヌガラからヤン・ディプルトゥアン・ヌグリに変更した。

サバの 1999 年選挙時の立て看板。BN のシンボルマークである天秤は半島部が重くサバが軽くなっている

サラワクは州の法律を連邦の法律に揃えることを極力避け、連邦政府と相互不干渉の関係を維持してきた。これに対してサバは、半島部とサバがともに影響しあって変化することでマレーシアの統合が高まるという態度で臨み、州の法律の一部を積極的に連邦の法律に揃える一方で、サバにマレーシアの一員としてふさわしい待遇を与えるよう求め、連邦政府としばしば対立し、また、連邦政府との関係をめぐって州内で意見の違いが生じた。サバ開発の拠点にするため１９８４年にラブアン島を連邦直轄区にしたことは今日でも州内に反対がある。

サバのＰＢＳ州政権（１９８５〜１９９４年）は、森林資源の枯渇による州財政の悪化への対応として、連邦政府の開発予算の適正な配分および石油ロイヤルティの州の取り分（5%）の見直しを要求した。また、8月31日はマラヤ連邦の独立記念日であり、サラワクとサバにとっての独立記念日はマレーシア結成の9月16日であると主張した。ただし、連邦政府に受け入れられず、サバは9月16日を州元首誕生日として州の祝日にした。

１９９０年にＰＢＳが連邦与党・国民戦線（ＢＮ）を脱退してサバが野党州になると、１９９２年に連邦政府のナジブ・ラザク国防相がサラワクとサバの憲法上の特権の廃止を示唆した。サバ州政府はＭＡ63に付属された「20項目」を掲げて反発したが、連邦政府はサバの原木輸出の全面禁止を発表して州財政の主要収入源を断った。さらに連邦政府は州に割り当てられた開発予算を州政府ではなくＢＮを通じてサバに措置したため、サバでは州政府が任命する行政職とＢＮが任命する開発担当者が村落レベルで競合し、この混乱状態は１９９０年代末まで続いた。ＢＮは議員の引き抜きによってサバ州政権を掌握し、「20項目」を掲げた州の権利の主張は公の場ではほとんど聞かれなくなった。

新たな関係へ

連邦政府とサラワク・サバの関係は２００８年頃から変化を見せ始めた。半島部でＢＮと野党勢力が拮抗状態になり、政権維持のためにサラワクとサバの支持が重要になった。２００９年、ナジブ・ラザク首相は9月16日を「マレーシア・デー」として国の祝日にすると発表した。

サラワクではこれに加え、１９６３年9月のマレーシア結成に先立つ7月22日にイギリス人総督からサラワク人に権力移譲が行われていたことを根拠に、サラワクはイギリスから独立した後にマレーシア結成に参加したという立場を取り、２０１６年に「サラワク独立記念日」として7月22日を州の祝日にした。

これにより、8月31日の独立記念日と9月16日のマレーシア・デー（マレーシア発足記念日）が国の祝日となり、さらにサラワクでは7月22日が「サラワク独立記念日」として州の祝日になった。

２０２１年には連邦憲法の第1条(2)が改正され、マレーシアの構成は13州の列挙ではなくマラヤ（11州）とボルネオ（サラワク州とサバ州）から成るとされた。また、第１６０条にマレーシア結成の経緯が書き込まれ、サラワクとサバは連邦内で特別の地位を持つことが連邦憲法に明記された。

これを受けてサラワクは、州首相の名称をChief MinisterからPremierに変更した。さらに州を「ヌグリ」ではなく「ウィラヤ」と呼ぶことで半島部の州よりも権限が大きいことを示すことも検討している。半島部との相互不干渉を徹底することで、州の自立性をさらに高めて「国家内の国家」の地位を強めようとしている。

サバは、連邦政府との間でＭＡ63の見直しに合意し、天然資源の配分方法を含めた連邦・州関係の再構築に着手した。州の自立性を維持しつつも半島部とともに変化することでマレーシア全体の統合を高める道を模索している。

（山本博之）

〈**参考文献**〉

山本博之『脱植民地化とナショナリズム――英領北ボルネオにおける民族形成』（東京大学出版会、２００６年）
F.A. Trindade & H.P. Lee (eds.). *The Constitution of Malaysia: Further Perspectives and Developments: Essays in Honour of Tun Mohamed Suffian.* (Oxford University Press, 1986)
James P. Ongkili. *Nation-Building in Malaysia, 1946-1974.* (Oxford University Press, 1985)

41

州から見たマレーシア

★変化する統治者の役割と統治機構★

マレーシアで生活するとTun, Tan Sri, Datukなどの「称号」の存在に気がつく。たとえば3度にわたり首相となったマハティール・モハマドは、その1期目（1981年から2003年）においてはDato Sriが、2・3期目には称号の最高位であるTunがそれぞれMahathirの前に冠されていた。また政府など公的機関が主催する会議の冒頭で司会者が「トゥン・ダン・タンスリ（Tun dan Tan Sri）」と称号を連呼すると「この会議には、あれらの称号を持つ人が参列しているのだな」ということがわかる。

これらの称号は連邦レベルと州レベルで各々与えられる。後者は州元首の誕生日に授与される。州元首がマレーの伝統的衣装をまとい、称号を授与（実際には勲章のようなメダル）している光景は現代でありながら、かつて彼の地に存在した「スルタンとその臣民」という関係が称号授与という形で再現されているように映る。この章では統治者を中心とし、州レベルから見たマレーシアの特徴を見ておこう。

州レベルでの統治機構の特徴は歴史的な経緯を振り返ることによって見えてくる。第5章で見たように、マレーシアを構成

ミナンカバウの伝統様式によるヌグリ・スンビランの旧王宮

する13州はイギリスが植民地支配した方法から大きく2つのグループに大別される。まずイギリスが「間接支配」した9州――スルタンを頂点とする旧マレー人国家――と支配主体こそ違えイギリス勢力が「直接支配」した4州（ペナン、マラッカ、サバ、サラワク）である。言葉を換えていえば、前者のグループに属する州は元々のマレー人国家の上に近代的国家の装いとして州憲法や行政機関、立法機機関などをまるでマントのように覆い被せたものと表現できる。もっとも象徴的なことは間接支配を経験した9州における州首相の任命規定であろう。同職の任命に当たっては「州議会議員の過半数の支持を得うるもの」と各州憲法で規定されているものの、その大前提として、「マレー人でムスリムでなくてはならない」と資格が明確に規定されている。また、州官僚の頂点に立つ州官房長官にも「マレー人かつムスリム」という資格に関する同様の規定があることだ。一見すると近代的な仕組みを有しているように見えるものの、各州の「マント」の下には、イギリスが植民地統治において、スルタンを頂点とする伝統的な社会構造を維持、利用してきたことから、独立後も、旧マレー人国家の諸要素が温存され、今日までも色濃く残っていることになる。

統治者（スルタン）の役割

９人の統治者はそれぞれ自州内のイスラーム社会の長であり、マレー人の特別の地位の擁護者と位置付けられる（参照 第10章）。これに対し、残りの４州にはそもそも統治者が存在しない。このために国王がこれら４州におけるイスラームの長の役割を果たす。加えて国王は州元首——呼称は統一的ではない——を州首相に「助言を求めた上」で任命する。したがって、同じ州元首と位置づけられていても、４人の州元首は通常の統治者会議（Conference of Rulers）に出席することはできるものの、国王・副国王を選出するための特別統治者会議には臨席できない、という大きな違いとなって表れる。

このように植民地支配を起源として、州レベルからもマレーシアが２つの世界に分かれていることになる。本章では統治者を擁する９州を主な対象とする。ただし、これら９州に関しても厳密に言えば、１８９６年にマレー連合州（ＦＭＳ）として最終的に１つの政治単位となって支配を受けた４か国（ペラ、パハン、スランゴール、ヌグリ・スンビラン）と、それ以外の非マレー連合州（ＵＭＳ）５か国（クランタン、トレンガヌ、プルリス、クダ、ジョホール）には違いが見られ、後者の統治者は、ＦＭＳの統治者たちよりも大きな影響力を持っていたことは、第22章の暦で触れたとおりである。

異彩を放つジョホール王国の旧王宮

州レベルでの統治機構と政治的権威としての統治者へ

表に示したとおり、各州の主な統治機構は、それぞれの州憲法を基礎として、州元首、行政権の長である州首相とそれを補佐する、いわば州内閣ともいえる州行政委員会、そして州立法議会（ただし、連邦とは異なり一院制）で構成される。

統治者及び州元首は連邦レベルで立憲君主としての国王が有する権能をほぼ有する。連邦レベルにおいては内閣の助言の下で権限を行使するのと同じように、州行政委員会の助言の下で、州首相の任命と州議会の「解散の要請に対する同意」に関する留保権限を有する。統治者は、これらの権限に加え、自州内におけるイスラームの長であり、マレー人の慣習に関する権限、連邦憲法153条に対応するマレー人の特別な地位を擁護する義務の他に、統治者会議の開催要求、自らの後継者の任命、恩赦の権限、称号の付与権限を持っている。

1970年代には統治者と州政府あるいは統治者と連邦首相とが対立することも起きた。しかし、国民戦線（BN）が連邦ならびに州レベルでも安定的な勢力を保持していた状況下では、統治者と州首相の関係は後者が優位に立つ関係で基本的に安定していた。さらに、第1期のマハティール政権下では、1983年から84年と1990年代初頭の2回にわたり国王の権限の再定義化が行われた。特に1990年代に行われた連邦レベルでの国王の権限の再定義化を受け、90年代の半ばまでには連邦憲法の改正とほぼ同様の州憲法改正が行われ、その権能が明確かつ縮小化されるなど与党勢力の統治者に対する優位な関係が確立した。

しかし、連邦レベルでBNが弱体化するにつれ、関係に変化が見えた。アブドゥーラ政権以降、国王・

表　州レベルでの統治機構

	半島9州	マラッカ・ペナン州	サバ州	サラワク州
州元首	スルタン[1]（Sultan）	州元首（Yang di-Pertua Negeri）		
行政権の長	州首相（Mentri Besar）	主席大臣（Chief Minister）		首相[2]（Premier）
行政機関	州行政委員会（Executive Council）	州行政委員会（Executive Council）	州内閣（State Cabinet）	州政府評議会（Majilis Mesyuarat Kerajaan Negeri）
州立法機関	州立法議会（Legislative Assembly）			州立法議会（Dewan Undangan Negeri）
イスラームの長	スルタン（Sultan）	国王		

（注1）ヌグリ・スンビラン州のスルタンはスルタンという称号を用いず、Yang di-Pertua Besar を用いる。また、プルリス州でもスルタンを用いず、Raja を用いる。
（注2）2022年1月の州憲法改正により、従来の Chief Minister から Premier と改称。

統治者と政権の関係では摩擦が生じ、新たな展開を迎え始めた。特にBNという圧倒的優位な政権政党の時代から、政権交代が実現する、という新しい政党政治の状況の中で、統治者たちがより主体的な存在として役割を果たし、その動向が注目されている。これまでに州議会選挙後の州首相の任命時に「州議会の過半数を得るもの」の判断をめぐり、対立が生じた。さらに、２０２２年10月の連邦の下院議会解散後、各州では、州議会の解散・選挙実施をめぐり——従来は慣例的に下院議会の解散、総選挙時に半島部の各州議会も解散、州議員選挙が同時に行われた——州首相による解散の同意要請に対して、統治者の中には主体的な立場を鮮明にした者もおり、これまでになくその政治行動に注目が集まった。州憲法の規定に基づきながらも、実質的にその政治的権威を主体的に示す、という新しい統治者の姿勢が見えてきた。

次に、州行政委員会を見てみよう。統治者に任命された州首相は、州民の直接選挙で選ばれた州議会議員の中から、州憲法で定められた人数の州行政委員会メンバー（4名から10名）を任命し、その長を務める。統治者がいない他の4州では、統治者に替わり、国王が州元首を任命し、また国王は州元首の助言に従って、州議会メンバーから州行政委員会メンバーを任命することになっている。同委員会は、州議会に対して行政執行に関する責任を負い、メンバーはそれぞれの行政分野の職務を担当する（州政府の行政権が及ぶ範囲に関しては、第39章を参照）。州政府立法・行政管轄事項は12項目と連邦政府の半分にも満たない。大きな特徴として、土地、農業、林業など開発に関わる基礎条件に関する権限の他、イスラーム法、ムスリムに関わる司法、家族法の他に、マレー人の慣習に関わる事項が与えられていることである。これは、「マレー人とは何か」という民族のアイデンティティに関わる事項が州、とくに、イスラームに関わる事項に関しては、各州の統治者を長とする伝統的な社会関係が憲法という形で制度化されていることを意味する。

（鳥居　高）

参考文献

河野元子『多民族社会マレーシアの地方行政—一党優位体制下における安定した行政—』（船津鶴代・永井史男編『変わりゆく東南アジアの地方自治』所収、アジア経済研究所、２０１２年）。
鳥居　高「マレーシアの連邦・州関係に関する一考察」（平成11・12年度科学研究費補助金基盤研究（B）（2）研究成果報告書（研究代表者村松岐夫）
Tun Mohammed Suffian Hashim, *An Introduction to the Constitution of Malaysia (Seconod Edition)*, Kuala Lumpur: Government Printer 1976

42

イスラームは政治にどのように関わるのか?

★イスラーム勢力★

マレーシアの連邦憲法第3条にイスラームは「連邦の宗教」であると定められている。イスラームは、マレーシアという国家において公的な事柄である。しかし、それが具体的にはどういうことであるのかは、明確ではなく、政治の論点であり続けてきた。

イスラームという信仰を持つこと、礼拝などを行うことは、個人的な事柄である。政府が強制するべきことでも、禁止するべきことでもない。しかし、イスラームの教義で求められている実践は、個人的な事柄だけではなく、地域コミュニティのような集団で行う事柄もあり、さらには国政に関わる事柄もある。税制や刑法、商法、外交、戦争などについても、イスラームの教義では論じられている。現代の国家で、こういったイスラームの教義をどの範囲まで国政に反映するのかは、世界各地のムスリム社会で、現在まで争点になっている。国政にイスラームの教義を反映させる度合いは、サウディアラビア、イラン、トルコ、エジプト、等々、それぞれで異なっている。

法制度の枠組みの中のイスラーム

マレーシアの場合、法制度のほとんどは、英国をモデルにしており、イスラームの教義を反映させているのは、ムスリムに適用される民法などのごく一部である。しかし、教義を反映させる範囲を刑法などにまで広げていくべきであるという主張は、一部に存在している。

マレーシアにおいて、他のムスリム諸国と比較して特徴的なのは、イスラームが民族区分と結びつけられていることである。連邦憲法160条には、マレー人という民族であるための3つの要件は、「イスラームの信仰を持っていること」「マレー語を話していること」、「マレー人の慣習に従っていること」であると定められている。イスラームの信仰を持っていなければ、マレー人ではありえないということになっている。

マレーシア国民は、いずれかの民族に分類されている。どの民族に属しているかは、行政や司法において大きな意味を持ち、人生に関わる事柄である。マレー人であることとイスラームが憲法において不可分とされている以上、イスラームは民族の問題となる。マレー人の社会経済的地位の向上が政治において要求される時、その中には、モスクの建設やイスラームについて学ぶ教育、シャリーア裁判所、ハラール認証制度などへの公的支援の拡充も含まれる。

写真1　イスラエルに抗議するPAS婦人部（2010年）

連邦憲法の中のイスラームについてのもう1つの重要な規定

は、第74条で、イスラームは各州の専権事項であると定められていることである。原則として、モスクの建設や管理、州立のイスラーム学校、シャリーア裁判所などは、各州政府の管轄である。ただし、１９９０年代から、各州のイスラームに関わる行政や司法は、連邦政府主導で標準化されるようになった。そのために、首相府の下にイスラーム発展庁（ＪＡＫＩＭ）が設立された。特に、ハラール認証については各州政府の管轄ではなくなり、イスラーム発展庁に独占されるようになった。

イスラームが公的な事柄としてどの範囲まで政治で扱われるべきか、は、潜在的な問題として存在し続けている。しかし、多民族多宗教の議員から成るマレーシアの議会は、税制や刑法、外交などにまでイスラームの教義を国政や州政府に反映させることを決定するのには、そぐわない場である。そのような抜本的な変化を目指すようなムスリムは、選挙や議会には参加せず、国際的なアル＝カーイダなどの反政府武装勢力に参加する者もいる。

選挙や議会で論点になるのは、既存の枠組み内でのイスラームに関わる事柄である。ムスリムに適用される民法、学校教育の中のイスラーム科目、民間のイスラーム教育に対する支援、などが、しばしば論点になってきた。これらの案件は、統一マレー人国民組織（ＵＭＮＯ）やマレーシア・イスラーム党（ＰＡＳ）といった、党員の多数をムスリムが占める政党によって提起されてきた。特に、ＰＡＳは、党組織の中核がイスラーム学校関

写真２　UMNO 党大会（2007 年）

係者によって担われているため、イスラームに関わる教育への支援のために強く働きかけている。

イスラームに関わる事柄は、マレーシアの政治全体の中では小さな部分を占めているに過ぎない。ＵＭＮＯやＰＡＳも、有権者の支持を得るためには、選挙区の社会インフラや産業、教育を充実させる方が、より重要な政治課題となっている。ＰＡＳの場合、マレー半島北部州での農業、漁業、林業の活性化が重要課題である。ＵＭＮＯは、それらの産業に加えて、公務員や都市部のサービス業などに従事するマレー人からの支持を得ることも課題になっている。

イスラームの教義が政治に全面的に反映されるべきであるという思想は存在している。しかし、英国の植民地統治を引き継いで成立した近代国家であるマレーシアでは、その余地は非常に限られている。ＰＡＳは１９８０年前後に中東でイラン革命などが起きていた時期には、そのような根本的体制変革を目指したこともあったが、現在はＵＭＮＯと大きくは違わない政策を持つ議会政党である。


（塩崎悠輝）

〈参考文献〉


塩崎悠輝『国家と対峙するイスラーム――マレーシアにおけるイスラーム法学の展開』（作品社、２０１６年）。

中村正志、熊谷　聡（編）『ポスト・マハティール時代のマレーシア――政治と経済はどう変わったか』（アジア経済研究所、２０１８年）。

Farish Noor. *The Malaysian Islamic Party 1951-2013: Islamism in a Mottled Nation*. Amsterdam University Press. 2014.

コラム6

モスクという場

塩崎悠輝

マレーシアには、2022年時点でおよそ6500のモスクがある。この数は、各州政府と連邦直轄区に登録されているモスクの合計である。モスクというのは英語で、イスラームの礼拝のための建造物のことである。マレー語では、アラビア語と同じくマスジドと呼ばれる。

モスクの最も重要な機能は、毎週金曜日の昼に行われる集団礼拝の場となることである。この集団礼拝は、男性ムスリムの義務とされているので、毎週およそ1000万人のムスリムが、各地のモスクに集まることになる。

モスクの管理と運営は政府の管轄下にある。モスクにおいて集団礼拝を先導する役職であるイマームも、政府の職員である。金曜日の集団礼拝では、イマームによる説教が行われる。説教の文章は各州政府によって用意されており、時事問題についての政府の見解をムスリムに伝達する機会となることもある。

モスクは政府に管理され、政府の公式見解を周知するための場かというと、それほど単純ではない。モスクは、イマームだけで運営できるわけではなく、地域住民で構成される運営委員会が、イマームと協議しながら運営している。運営委員会では、地域社会の様々な課題について話し合われ、自治会のような性格を持っている。モスクは公民館のような場でもある。

モスクという場で行われるのは、集団礼拝だけではない。イスラームについて学ぶ場でもあり、早朝などに、大人向けの勉強会が開かれているモスクは多い。著名で人気のある講師が来る勉強会などには、多くの聴衆が集まる。また、子供が放課後などにイスラームについて学びに

クアラルンプールの KLCC モスク

来る教室を併設しているモスクも多い。

イスラームの暦で12か月の1つであるラマダーン月には、特に多くの人々がモスクに集まる。日没が近づくと地域住民が集まってきて、共に食事をとり、礼拝を行う。ラマダーンが明けた翌日は、2大祭日の1つであるイードル＝フィトル（マレー語ではハリ・ラヤ・プアサ）であり、人々は朝、集団礼拝に集まり、その後祭日を祝う。

もう1つの祭日であるイードル＝アドハー（マレー語ではハリ・ラヤ・ハッジ）では、朝の集団礼拝の後、牛や羊の肉が分配される。この日が近づくと、モスクの外の敷地では、牛や羊が何匹もつながれているのを目にするようになる。

モスクでは、割礼も行われる。マレーシアでは、ムスリム男性の義務と見なされており、おおむね小学生以下の男子が割礼を受ける。集団で行われる必要はないが、モスクにおいて集団で行われ、盛大に祝われることが多い。

結婚式や葬儀もモスクで行われる。そのため、モスクは、ムスリムにとっては、必要欠くべからざる施設である。ムスリムでなければ、マレーシア人であってもモスクに立ち入ることは無いため、非常に馴染みが薄い。

モスクの年中行事や儀礼、勉強会などは、政府が任命したイマームと地域住民が協同で行っている。法律上は、政府の管轄下であるが、イマームの多くは、統一マレー人国民組織（UMNO）よりもマレーシア・イスラーム党（PAS）の支持者である。運営委員会の傾向次第では、PAS支持者の拠点のようになっているモスクもある。

モスクは、単なる公共施設ではなく、政府の公式見解と地域社会のムスリムの意思が、時にせめぎあいながら、協調していく場である。モスクという場での活動は、基本的なところはどこも同じであるが、地域社会の傾向や世論によっては、米国やイスラエルを非難する集会が行われたり、ロヒンギャ難民への支援が行われたりもする。

Ⅳ

経済の仕組み

43

マレーシア経済の根幹は？

★新経済政策★

新経済政策とは

１９７１年に公表された新経済政策（ＮＥＰ）は１９９０年を最終年度として20年間実施された。したがって形式的にはＮＥＰはすでに終了している。しかし、同政策の根底に流れるマレー人を中心としたブミプトラへの支援・優遇政策という基本的な性格は、その後の２つの中長期計画（国民開発政策〔ＮＤＰ、１９９１～２０００年〕、国民ビジョン政策〔ＮＶＰ、２００１～２０１０年〕）でも重点こそ変わったものの、引き継がれた（参照 コラム７「一般化した『ブミプトラ政策』」）。その後、ナジブ政権（２００９～２０１８年）の初期にはいったん能力主義の採用など運用に一部修正方針が出されたものの、すぐにマレー人社会内部の反発から再修正せざるをえなかった。さらに２０１９年に公表された「繁栄と共有ビジョン（ＳＰＶ）」においてもブミプトラ優遇の方針は明示された。したがって、今日も「生きている新経済政策」と表現できる。

もともとのＮＥＰは5年間を対象として作成される開発計画（Malaysia Plan）の第2次から第5次までの4回の計画で実施された（参照 表 3つの長期開発計画）。その枠組みは１９７１年

『第２次マレーシア計画書』と『第２次マレーシア計画中間報告書』

7月に『第2次マレーシア計画書』として初めて公表された。次いで1973年11月に開発計画の中間評価報告である『第2次マレーシア計画中間報告書』において数値目標を含むより具体的な内容が明らかにされた。

NEPは2大目標と4つの具体的な政策から構成されている。第1の目標は「貧困世帯の撲滅」である。政府はあえて「民族にかかわりなく」という文言を挿入し、特定の民族における貧困撲滅ではないことを強調した。もう1つの目標が「マレーシア社会再編目標」である。前者の目標は「民族にかかわりなく」という挿入があるにもかかわらず、その実施段階において補助金の給付などに当たり、マレー人優遇的な性格を帯びていた。しかし貧困撲滅という点においては開発途上国一般に共通する政策目標と言える。

NEPの特徴は後者の社会再編目標に明確に表れている。社会再編とはイギリスによる植民地支配以降、1960年代までに構築されたマレーシア社会構造を「再編成（restructuring）」することを意味した。具体的には(1)特定の民族を特定の産業・職種に固定化させないこと（政府の文言でいえば「雇用構造の再編目標」）、(2)資産ベースでの民族間格差を是正すること（同じく「資本所有再編目標」、参照 コラム2「30%ルール」）、(3)マレー人企業あるいはマレー人経営者を育成すること（同じく「ブミプトラ商工企業コミュ

「開発の父」と呼ばれたラザクと「統一の父」と呼ばれたフセイン（1991年発行の記念切手）

ニティーの創設」）、(4)住民に空間移動を行わせず、逆に農村部や地方に商工業の集積地（同じく「新経済成長センター」）を創設し、近代的産業を育成することの4つである。

ＮＥＰは１９６９年の5月13日事件を直接の契機とし、この事件の背景に民族間の格差があることへの解決策として導入された。しかし、今日までの研究で１９６０年代のマレー人社会内部にＮＥＰの政策の源流とも言える諸政策がみられること、アブドゥル・ラザクがイギリス留学時代や副首相時代（１９５９～１９６９年）を通じて築いた人脈や彼の政策ブレーンとなった研究者や官僚、特に社会民主主義的な左派勢力の影響力が明らかになるなど、ＮＥＰの主要な要素はそれ以前の諸政策との継続性が明らかになっている。

しかし、継続性があるとはいえ、１９６０年代までとＮＥＰでは政策内容の面から大きく2点で異なる。まず1点が内容の包括性である。１９６０年代はマレー人向けの支援策が主に農業や農村開発分野に限定されていた。一方、ＮＥＰでは商工業分野や地域開発まできわめて幅広い分野になっている。第2は連関性である。ＮＥＰは経済政策という名称ながら、その対象範囲は教育政策、労働政策、住宅政策など幅広い関連政策と結びついている。一例を挙げれば、マレー人の産業間移動や職種間移動を促進するためには、工業化と前者の目標が結びつけられた。工業化に当たり、労働集約産業（主に縫製加工と電子産業）を重視し、それまでの農業従事者や農村居住者を製造業従事者へと産業間労働力移動を促した。また、職種間移動においては高等教育政策に介入しマレー人の専門・高等教育の機会を創出し、労働市場に公務員や技術者やサービス・販売職従事者となるマレー人材を送り出した（参照 第27章、第48章）。

表に示したとおり、NEPは3つの政権が実行してきた。それぞれの政権では4つの目標への重点が異なる。たとえば4番目の新経済成長センターの創設はラザク、フセイン期には重きが置かれるが、マハティール政権期では、それに替わり3番目の目標であるマレー人企業・経営者育成に重点が置かれた。

このようなマレー人優遇政策を実行可能にしたのは、国民戦線（BN）体制と持続的な高度経済成長であった。前者はマレーシアを構成する民族の代表政党とボルネオ島を代表する地域政党から構成され、文字通り「マレーシア国民」を一列に並べ、あたかも国民全体から構成しているような擬性をもった連立与党を形成した。また後者では政府が市場や企業単位にまで介入したため、企業は多くのコストを必要とした。このため経済が低迷することで、民族間での「分配のパイ」が小さくなると民族間の緊張関係が高まることから、政府は経済動向に応じ、NEP諸目標にかかわる規制緩和策を実施した。

表　3つの長期開発計画

長期開発政策	新経済政策（NEP：1971～1990）				国民開発政策（NDP：1991～2000）		国民ビジョン政策（NVP：2001～2010）	
マレーシア計画	1971～75年 第2次マレーシア計画	1976～80年 第3次マレーシア計画	1981～85年 第4次マレーシア計画	1986～90年 第5次マレーシア計画	1991～95年 第6次マレーシア計画	1996～2000年 第7次マレーシア計画	2001～05年 第8次マレーシア計画	2001～05年 第9次マレーシア計画
担当政権	ラザク政権 (1970.9-1976.1)	フセイン政権 (1976.3-1981.7)	マハティール政権（1981.7-2003.10）					アブドゥーラ政権 (2003.10-2009.4)

NEPの実施上の特徴と生み出したもの

NEP実施の根底に流れるのは「機会の平等の原則」を制限することである。この点では世界各地で採用されているアファーマティブ・アクション政策と同じ考えである。ただし異なるのは、通常は政治的、社会的弱者がその対象とされるのに対し、NEPは政治的に強者であるマレー人が、自らにアファーマティブ・アクション政策を展開していることである。

また国家が経済活動に直接関与することによって、NEPの諸目標の達成を目指すという特徴がある。連邦ならびに州政府は公企業（現在の政府関連企業〔GLCs〕）を多数設立し、直接事業を行うだけでなく、外資をパートナーとするなどの活動範囲を拡大させた。政府の経済活動への関与は公企業設立にとどまらず、様々な許認可制を伴う政策が導入されたことも実施方法の特徴の1つである。民間企業に対し、事業所単位でNEPのマクロレベルでの諸目標に寄与するよう求めた（1975年の工業調整法〔ICA〕など）。その結果、事業許可、操業許可を得るために、役員構成のみならず、職種別の民族構成や株主構成、取引先の選定などにもマレー人優遇政策が反映された。

NEPの実施に伴いマレーシア、なかでもマレー人社会は大きく変化した。その変貌ぶりが端的に表れているのは首都クアラルンプールであろう（参照 第11章）。また、このような政策実施の特徴から、マレー人、なかでも政治的影響力を有する一部のマレー人が経済活動に大きく関与することになった。NEPの初期においては、マレー系人材が限られていることもあり、王族や貴族層出身者、政治家の家族、親族、また有力な退職官僚やその家族などが上場企業の役員や外資系企業の現地パートナーとして、さらには非ブミプトラ系企業の役員として経済界に台頭してきた。さらに、公共事業、許認可を伴う事業を政府が分配することによって経済的機会を獲得あるいはそれらに依存するマレー人企業、特に小規模マレー人企業の出現を見た（参照 第51章）。

ＮＥＰの実施でもっとも変貌したのは統一マレー人国民組織（ＵＭＮＯ）であろう。ＵＭＮＯはマレー人社会の擁護者として、マレー人社会からの支持を獲得してきた。独立当初はマレー人社会のアイデンティティを支える要素として、マレー語という言語、イスラームという宗教などマレー人社会の文化的価値の擁護者としての役割を果たしてきた。しかし、ＮＥＰが実施される過程では、公共事業の分配や株式の分配など経済的な擁護者としての機能を強めてきた。それが故に、ＵＭＮＯの支持層や政治家が「企業家」へと大きく移り変わり、同党の性格は大きく変貌した。こうした変化が、１９９７年から98年のアジア通貨・経済危機で社会に噴出し、その後もＵＭＮＯの退潮、政権交代へとつながっていく要因の1つになった。

（鳥居　高）

〈参考文献〉

小野沢純「マレーシアの新経済政策（１９７１〜１９９０年）形成の背景とエスニシティ問題」（『東京外国語大学論集』39号、１９８９年）。
鳥居　高「第4章　マレーシア——経済成長と種族間平等の追求」（末廣昭編集『岩波講座東南アジア史』第9巻、岩波書店、２００２年）。
堀井健三「ブミプトラ政策の歴史的性格と国家資本の役割」（堀井健三編『マレーシアの社会再編と種族問題—ブミプトラ政策20年の帰結—』所収、アジア経済研究所、１９８９年）
Faaland J.,Rais Saniman and J.R. Parkinson, *Growth and Ethnic Inquality: Malaysia's New Economic Policy*, Kuala Lumpur, Dewan Bahasa dan Pustaka 1990.

コラム7

一般化した『ブミプトラ政策』

鳥居　高

日本社会ではマスコミをはじめ、百科事典や高校の教科書にまで用いられている「ブミプトラ政策」という呼称。曰く「マレー人という特定の民族を優遇する政策」あるいは「マレーシアで実施されているアファーマティブ・アクション政策の一種」などとされる。しかし、本文でも触れたようにブミプトラ政策という固有の政策や体系的な政策は実在しない。1997年に神奈川で開催された国際会議において、マハティール・モハマド首相（当時）の最大のブレーンであったノルディン・ソピー国際戦略研究所長が日本人参加者の質問に対し、「マレーシアにはブミプトラ政策というものは存在しない」と語気を荒げ、質問への回答すらしなかったことが印象に残っている。

日本国内では、きわめて一般化した理由の1つには1980年代後半から1990年代にかけてアジア経済研究所において開催された新経済政策（NEP）に関する総合的な研究会（研究代表・故堀井健三氏（元・大東文化大学教授））がその成果物で積極的にこの呼称を用いたことが大きく影響していると思われる。現在、この政策に言及する際に国内における代表的な表現は個別の政策名や政策内容を紹介し、最後に「いわゆるブミプトラ政策」という纏め方であろう。

かたや同じ時期のマレーシアを含む海外における研究を検索してみると、1980年代以降もBumiputera policyというタームは見られない。近いものとしてはMalay preferential policyあるいはPro-Malay policyあるいはMalay-first policyという表現が散見されるぐらいである。

しかし、今日のマレーシア国内では国会の討

クダ州でマレー農民から聞き取り調査を行う在りし日の堀井健三先生（左端）

論や主要なマスコミでもまた、ブミプトラ政策という言葉は一般化し、日常用語として流通するような状況に変化した。このように状況が大きく変わったのは、２０００年代に入ってからである。一つの大きな変化は２００３年９月にペナンで開催された学術セミナーにおいてその演題として「ブミプトラ政策」という名称が採用されたことに見られる。主催者は、「ブミプトラ政策というものは存在しないが、NEP、そしてその後継である国民開発政策（NDP）、国民ビジョン政策（NVP）とマレー人とそのほかの先住民に対する一連のアファーマティブ・アクション政策を総称するものとしてブミプトラ政策という言葉を『あえて造語として』今回作り出した」と説明している。

近年、マレーシアでは政権政党は積極的にブミプトラ政策という言葉を用いている。政権の使用例を見てみよう。ナジブ政権では２０１０年には「ブミプトラ変容のためのロードマップ」を掲げ、２０１３年にはブミプトラ経済能力開発宣言（Bumiputera Economic Empowerment Agenda）などと用いている。同様なことはその後のイスマイル・サブリ政権（２０２１年〜２０２２年）でも見られる。こうした変化は単に言葉や名称の問題ではなく、マレー人のみではなく、先住民などを含む「広義のブミプトラ」を支援対象、あるいは開発の担い手として位置づける方針を明確にするためであろう。

44

人々のお金はどのように回っているのか？

★財政の仕組み★

財政とは政府による国家運営を経済的側面、すなわちお金の流れから見たものである。一般に政府は、税金や社会保障負担という形で国民からお金を徴収し、教育・保健医療・警察・国防・インフラなどの公共サービスや公共財を国民に提供する。財政収支が赤字になる場合には、国債を発行するなどして国内外から資金を調達することになる。

図1はマレーシアの連邦政府の財政収支およびその資金調達状況を示している。マレーシアの財政制度では、歳出は経常歳出と開発歳出とに大別される。経常歳出とは、人件費、物件費、政府債務の利払いなどの経常的な歳出であり、財務省の専管となっている。開発歳出はマレーシア政府の開発政策を反映したものであり、マレーシア計画によって5年分の予算が各省庁・プロジェクトに配分され、それが各年度予算に振り分けられる。このため、開発歳出は開発政策を司る経済企画庁（ＥＰＵ）と財務省との協議により編成される。

１９８０年代初頭にはＧＤＰ比で15％を超えるまでに財政赤字が拡大しているが、その要因は第二次石油危機時の石油関連歳入の増加を背景にフセイン・オン首相が採用した重化学工業

図１　連邦財政収支と資金調達（GDP 比：%）

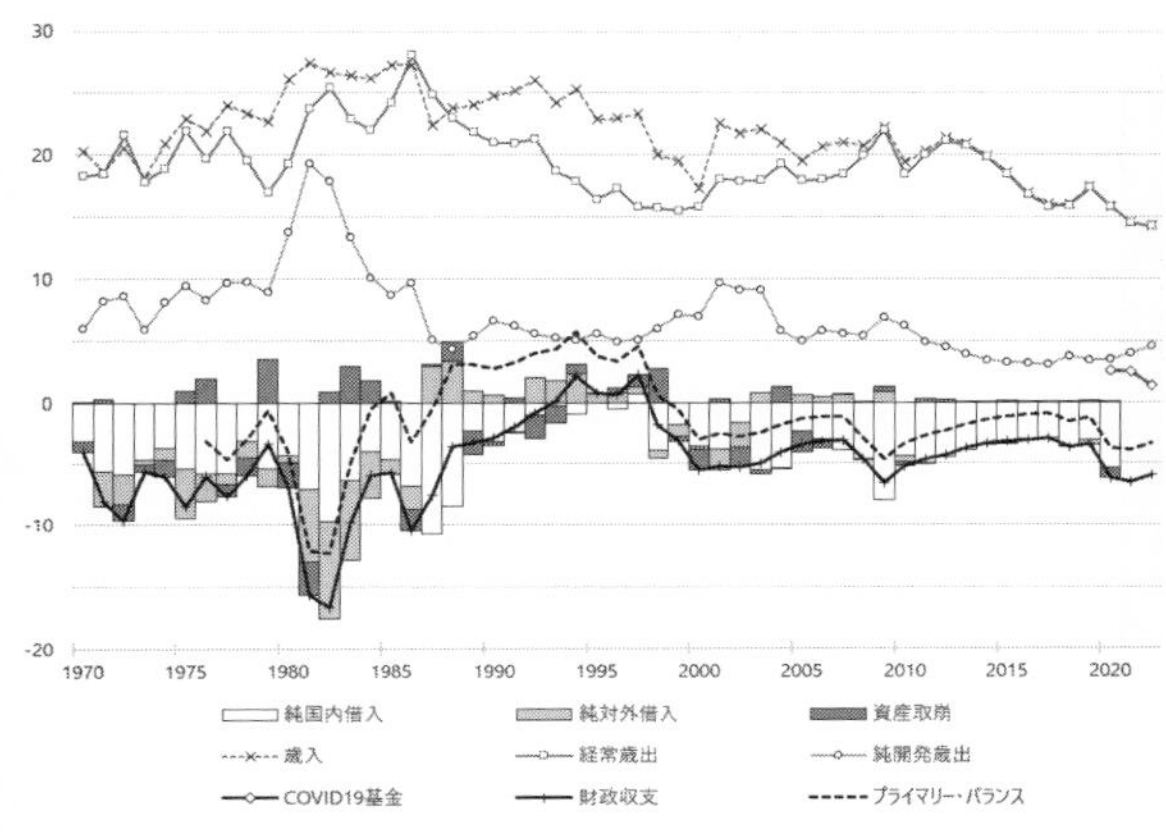

（出所）Ministry of Finance, *2022 Fiscal Outlook and Federal Government Revenue Estimates* および Bank Negara Malasysia, *Monthly Highlights and Statistics*, January 2022 に基づき筆者作成。
（注）2021 年は修正推計値、2022 年は予算推計値。

戦略のための開発歳出の急増にある。１９８１年７月に就任したマハティール・モハマド首相は財政の引き締めに着手し、１９８２年６月には年度途中での予算削減に踏み切った。さらに、１９８４年の内閣改造では民間からダイム・ザイヌディンを財務大臣に起用し、１９８５年には民営化ガイドラインを発表するなど、財政健全化への取り組みを強化していった。１９８０年代後半以降は、高度経済成長を背景に財政収支が順調に改善し、１９９０年代半ばには黒字を計上するようになった。しかし、１９９７～98年のアジア通貨危機後は、経済再建のために積極的な財政政策を採用したことにより、再び赤字財政に陥った。２０００年代以降は緩やかに財政健全化が進められ、２０１０年代には歳入と経常歳出をバランスさせるという意味での財政均衡が達成されている。財政収支は、世界金融危機の影響で一時的に悪化したものの２０１９年にはＧＤＰ比３・４％にまで収束し、プライマリーバランスの黒字化にも近づいた。しかし、２０２０年以降は新型コロナウィルス感染症（COVID-19）対策のための基金を設立した結果、財政赤字が拡大している。

　財政赤字の資金調達面に着目すると、常態化していた対外借入が１９８７年以降は純流出に転じ、近年では財政赤字の大半が国内借入で賄われるようになっている。

表１　連邦政府の国内債務残高（2020年末：億RM）

保有者＼調達形態	国債（MGS）	投資債（MGII）	イスラーム住宅債	財務省証券	小計	
銀行	867	1,614	-	87	2,567	30.2%
海外保有者	1,773	248	-	60	2,082	24.5%
被雇用者年金基金（EPF）	905	1,168	-	-	2,073	24.4%
保険会社	260	143	-	-	403	4.7%
年金基金法人	146	96	-	-	242	2.8%
中央銀行（BNM）	144	43	-	-	187	2.2%
開発金融機関	8	153	-	-	160	1.9%
その他・不明	262	289	241	8	799	9.4%
小計	4,364	3,753	241	45	8,513	100.0%
	51.3%	44.1%	2.8%	1.8%	100.0%	

（出所）Ministry of Finance, 2022 *Fiscal Outlook and Federal Government Revenue Estimates* に基づき筆者作成。

２０１９年末の連邦政府債務残高は７９３０億RM（ＧＤＰ比52・４％）であり、そのうちの72・９％が国内債務である。世界金融危機以降、連邦政府債務残高のＧＤＰ比は50％前後を推移してきたが、COVID-19の影響で急騰し、従来の法定上限の55％を上回る見込みとなった。このため、政府資金調達のための暫定措置（COVID-19）法により、２０２０年に60％、２０２１年には65％にまで引き上げられた。２０２１年６月末の同推計値は58・８％となっている。

表１は２０２０年末の国内債務残高の調達形態と保有者をまとめたものである。国内債務の51・３％が国債（Malaysia Government Securities）、44・１％が投資債（Malaysian Government Investment Issues）の発行により調達されている。被雇用者年金基金（ＥＰＦ）は保有資産の70％以上を国債・投資債に投資することをＥＰＦ法第26Ｂ条(1)により義務付けられており、経済開発の初期段階においては開発財政の資金源として重要な役割を担ってきた。しかし、金融部門の発展による国債引受先の多様化、ＥＰＦの資産が増加し、その投資余力が国債発行残高に比して拡大したことなどにより、現在では同条項の適用が免除されている。２０２０年末時点の国債等発行残高のうち、30・２％が銀行、24・５％が海外部門に保有されており、ＥＰＦ保有分は24・４％に過ぎない。ＥＰＦの資産は２０２０年

末には1兆RMを超えており、国債等のシェアは20・8％にまで低下している。

２０２０年の連邦政府財政

図２は２０２０年のマレーシアの連邦政府財政を示している。歳入は２２５１億RM、歳出が３１２７億RMで、８７６億RM（ＧＤＰ比６・２％）の財政赤字である。

２０１８年５月に政権に復帰したマハティール首相は、同年９月、２０１５年に導入されたばかりの財サービス税（Goods and Services Tax: GST）を廃止し、売上・サービス税（Sales and Services Tax: SST）を再導入した。ＧＳＴ税率は６％と低めの設定であったが、取引ごとに課税される多段式の付加価値税であったために消費者の税負担が高くなり、２０１７年の歳入に占めるシェアは20・1％にのぼった。ＳＳＴのうち、売上税率は財により５％または10％、サービス税率は６％に設定されたが、一段階課税であるために消費者の税負担は軽減され、２０２０年の歳入に占めるＳＳＴのシェアは11・９％となっている。輸出入関税のシェアは、１９８０年までは30％を超えていたが、ＡＳＥＡＮ域内外で貿易自由化が進展したことにより急速に低下し、２０２０年には1・４％になっている。また、産油国マレーシアでは石油関連歳入の重要性も高い。２０２０年の石油関連歳入（＝石油所得税＋石油ロイヤルティ）は歳入の７・５％を占めているが、それに加えて、国営石油会社であるペトロナスからの配当が投資収益に計上される。

歳出の71・５％を占める経常歳出のうち、大きなシェアを占めるのが人件費（26・４％）、国内債務の返済（10・８％）、物件費（９・３％）、交付金・移転（９・２％）などである。マレーシア計画の実行のた

図2　2020年の連邦政府財政

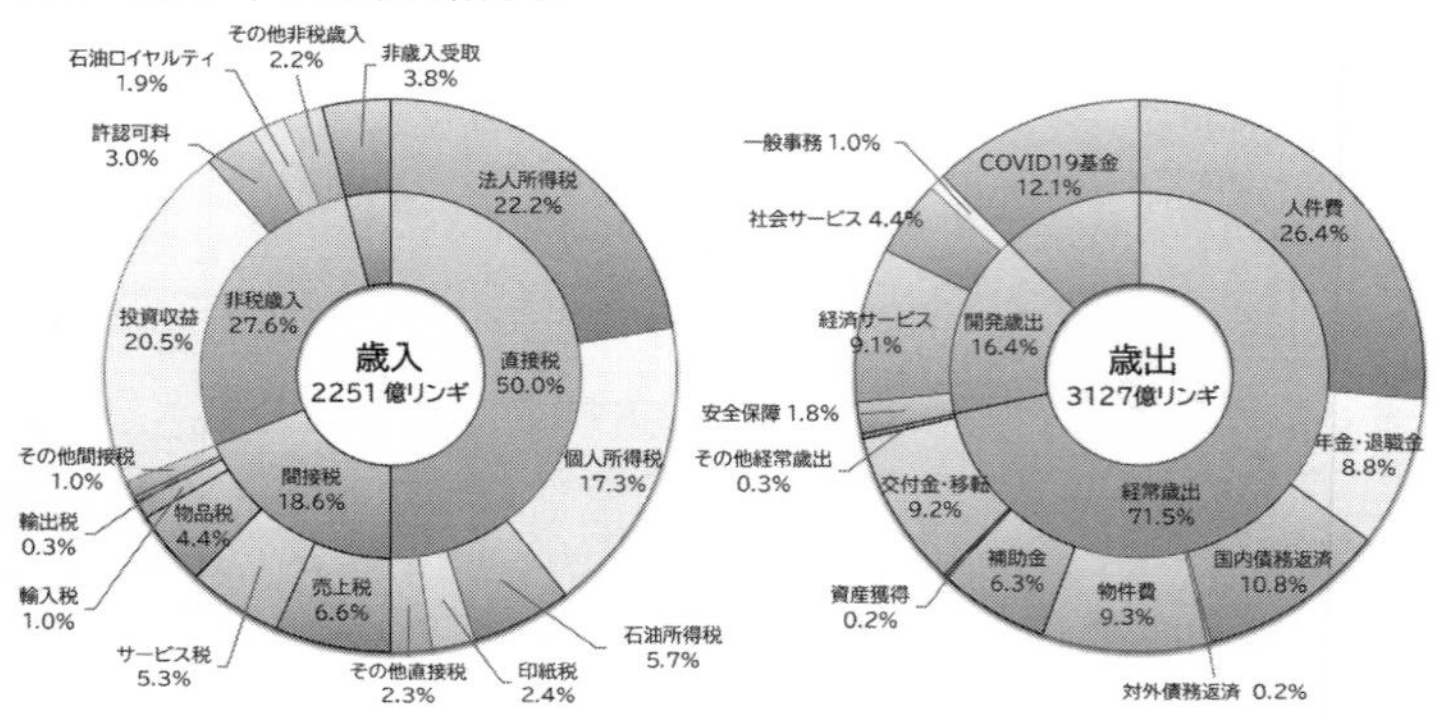

（出所）Ministry of Finance, *2022 Fiscal Outlook and Federal Government Revenue Estimates* に基づき筆者作成。

めの開発歳出では、運輸、貿易・産業、エネルギー・交易などの経済サービス（9・1％）、教育・研修、保健、住居などの社会サービス（4・4％）の割合が大きい。また、2019年までは存在しなかったCOVID 19基金のための歳出が全体の12・1％を占めており、大きな財政負担となっている。

財政連邦主義と州・地方政府への交付金

マレーシアでは連邦制国家という政治体制を反映して、財政に関する権限を中央政府だけでなく地方政府にも認めるという財政連邦主義が採用されており、その法的根拠はマレーシア連邦憲法第7部（財政規程）、連邦政府と州政府の管轄の詳細は連邦憲法の第9附則（立法管轄表）および第10附則（州交付金および州に帰せられる歳入源）などで規定されている。連邦憲法の規定に基づいて2020年に連邦政府から州政府へ支払われた交付金の合計額は77億RMであり、これは連邦政府の経常歳出の3・4％に相当する。他方で、連邦政府からの交付金が州政府歳入に占める割合は22・4％に上っており、州政府の連邦政府への依存度は高い。

表2は憲法上の規定に基づく連邦政府から州政府、地方政府への交

表2　連邦政府から州・地方政府への交付金（2020年）

100万RM	人頭交付金	州道維持交付金	特別交付金	石油製品輸入税・物品税廃止の補償金	共有兼限リストに基づく交付金	経済発展・インフラ・福祉水準に基づく交付金	歳入増に応じた交付金	サービス料金支払い	地方政府への交付金	その他交付金・支払い	計	シェア
ジョホール	48	624	-	-	58	22	22	34	33	47	889	11.5%
クダ	30	259	10	-	38	30	24	22	30	20	464	6.0%
クランタン	26	145	-	-	18	34	28	20	22	6	299	3.9%
マラッカ	16	101	-	-	15	21	7	10	10	24	204	2.6%
ヌグリスンビラン	19	345	-	-	20	21	8	16	14	17	460	6.0%
パハン	25	298	-	-	29	16	15	24	18	22	448	5.8%
ペラ	35	542	-	-	82	24	21	30	26	23	782	10.2%
プルリス	9	31	-	-	14	28	17	9	2	33	142	1.8%
ペナン	25	186	-	-	30	16	12	5	10	27	312	4.0%
スランゴール	76	545	26	-	82	18	36	14	47	55	900	11.7%
トレンガヌ	20	207	-	-	46	32	17	16	25	19	383	5.0%
サバ	49	616	27	120	134	46	27	89	36	39	1,183	15.4%
サラワク	37	794	16	120	67	27	17	96	28	34	1,236	16.1%
計	414	4,694	79	240	634	337	250	386	303	367	7,703	100.0%
シェア	5.4%	60.9%	1.0%	3.1%	8.2%	4.4%	3.2%	5.0%	3.9%	4.8%	100.0%	

（出所）Ministry of Finance 2022, *Estimatede Federal Expenditure* に基づき筆者作成。

付金の内訳を示している。州道維持交付金は各州の州道の長さに平均保守費用を乗じて、人頭交付金は各州の人口に基づいて算出される。特定の州だけに交付される特別交付金もある。サバ州、サラワク州に対しては連邦憲法第10附則に基づいて、ペナン島が分割されたクダ州（1万RM）、連邦直轄領としてクアラルンプールとプトラジャヤが分割されたスランゴール州に対しては、その対価としての特別交付金が支払われている。

（梅﨑　創）

〈参考文献〉

梅﨑　創「マハティール政権期の財政運営」（鳥居高編『マハティール政権下のマレーシア：「イスラーム先進国」を目指した22年』第3章所収、研究双書№557、アジア経済研究所、2006年）。

梅﨑　創「地域開発：均衡成長への終わらない挑戦」（中村正志・熊谷聡編『ポスト・マハティール時代のマレーシア：政治と経済はどう変わったか』第10章所収、研究双書№634、アジア経済研究所、2018年）。

Jomo, Kwame Sundaram, and Wee Chong Hui (2014). *Malaysia@50: Economic Development, Distribution*, Disparities, Petaling Jaya: Strategic Information and Research Development Centre.

自治体国際化協会シンガポール事務所「マレーシアの地方自治」(Clair Report No.502、2020年)。

通貨単位 Malaysia Ringgit

コラム8

鳥居　高

マレーシアの現行紙幣の表面を飾るのは初代国王トゥアンク・アブドゥル・ラーマン（Tuanku Abdul Rahaman）である。このデザインはマレーシア中央銀行（ＢＮＭ、１９５９年設立）が１９６７年６月に独立国として初めて発行したシリーズ（額面が1、5、10、50、１００RMの5種類）で採用され、以降今日に至るまで変わっていない。しかし裏面のデザインは発行された時代の社会背景などが反映されバラエティーに富んでいる。２０００年代のシリーズでは裏面にワフ（マレーシア・カイト）と呼ばれる伝統的凧のデザインなどマレーシア文化やラフレシアなどの自然がふんだんに盛り込まれている。しかし、その少し前の１９９０年代のデザインは全く異なり、情報通信産業のほか、首都空港（ＫＬＩＡ）、油田、国民車（ＰＲＯＴＯＮ）の最終組み立て工程、特にエンジン製造などが描かれ「開発」一色となっている（写真1）。写真２の２枚は２００７年12月に独立50周年記念紙幣として発行されたものである。裏側右手には、独立式典で「独立（Merdeka）」を宣言した初代首相トゥンク・アブドゥル・ラーマン（Tunku Abdul

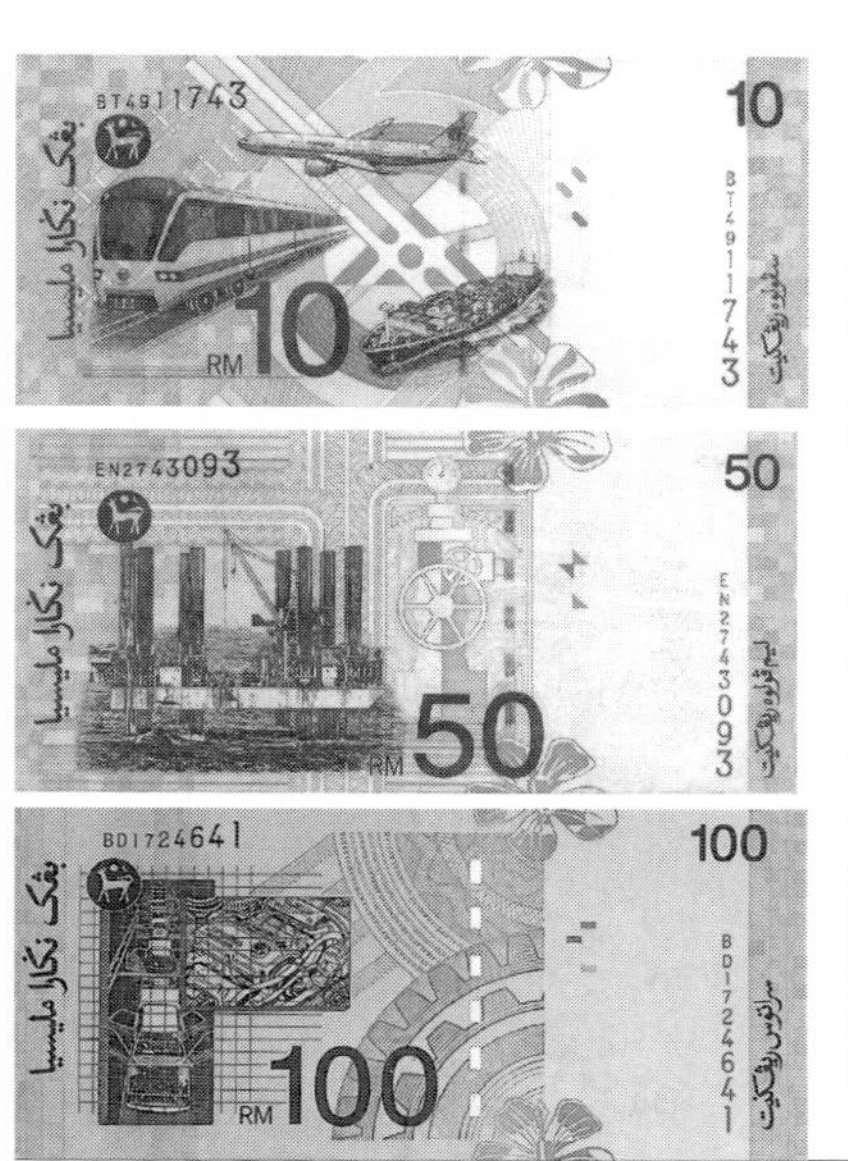

写真1　開発の新シリーズ　10、50、100RM

写真2　50周年記念の紙幣の表と裏

Rahaman、初代国王とは王族の称号のつづり字こそ異なるものの、奇しくも同名である）と左手には1970年代以降マレーシアの主要輸出品となったアブラヤシ（Oil Palm）が描かれている。独立国家マラヤ連邦の政治と経済の象徴を描いているといえよう。

国王の肖像画の下にある Ringgit Malaysia（略称RM）とはマレーシアの公式の通貨単位である。1RMは100セン（Sen）となる。この単位は1975年に制定された Malaysian Currency Ringgit 法に規定されている。もっとも日常生活の中ではマレーシア・ドル（M$）、あるいはセント（cent）という呼び方が今日でも頻繁に使われている。これはイギリスによる海峡植民地成立（1786年）後に海峡植民地ドル（Straits Dollar　1899年発行開始）という通貨単位が持ち込まれ、1966年まで用いられていた影響である。ドルあるいはM$は植民地支配の残滓といえる。このようにRMは日常生活に必ずしも定着しているとはいえないがゆえに、1990年代でも政府は「わが国の公式の通貨単位は Malaysia Ringgit であり、RMがその略表記である」旨の声明を出している。

では Ringgit という単位はどこからきているのであろうか。そもそも、この言葉はのこぎりの歯のようなに「ぎざぎざをつけた端」を意味する。マレーシアだけなく少し世界を俯瞰すると、硬貨の端にギザギザの加工が施されるのは銅製硬貨の時代ではなく銀貨の時代以降である。16世紀以降「インディア領」を中心に活躍したポルトガルがスペイン製の銀貨――ギザギザ――を広く用いたことから、19世紀にはこうした「ギザギザ文様を持つコイン」という意味で、Ringgitという名称が世界で流通したとされる。

マレー半島におけるコインは伝統的には錫を原材料とする貨幣が早くに流通していた。しかし、地域によってかなり様子が異なる。別の表現を使えば流通通貨によって、それぞれの王国の各時代の対外関係や交易関係が見えてくることになる。たとえば、トレンガヌ王国では、この国がジョホール王国にその源流を持つことから、他の王国と異なりジョホール王国の硬貨が流通していたとされる。また交易の時代になると、港市国家マラッカでは1445年に最初の金貨が発行されるほか、アラブ、中国、後にはスペイン、メキシコ、オランダなど様々な世界のコインの流通が始まる。以降、各地で原材料の分布状況などにより、独自の貨幣が発行されている。たとえば北部のクダ王国では17世紀から18世紀にかけて金貨や銀貨を、またトレンガヌ王国では前述したジョホール王国硬貨の流通に加え、独自に18世紀には独自の貨幣として金貨を発行している。

現在のマレーシア地域にこのRMが持ち込まれたのは200年以上前であり、19世紀の半ばにはシンガポールの民間銀行が発行した紙幣に、また19世紀の末に海峡植民地で発行された硬貨に、それぞれRinggitという通貨単位が刻まれている。

他方、現在世界の各地で進むキャッシュレス化への大きな流れは、マレーシアもまた例外ではない。1990年代にマレーシアで生活していた筆者は現金、クレジットカードで日常的な決済を、そして家賃や高額の出費に関しては個人小切手で決済していた。日本では「小切手を切る」などという経験がなく、当座預金口座の開設に始まり、裏書、クロス・チェックなど小切手の使用方法についてマレーシアの友人から指南を受けたことを思い出す。

　マレーシアのキャッシュレス化はクレジットカードに始まり、E-Payment 化などへと、多様な支払方法が導入されている。特にコロナ禍により、急速にキャッシュレス化が浸透したかと思いきや、ある民間の調査（PayNet Digital Payments Insights Studies 2020）によれば、マレーシア全体では78%が現金払いであると報告されている。また、キャッシュレスが進んでいるのは、都市部の18歳から25歳の女性を中心であるとされる。その一方で、農村部の高齢者男性を中心にキャッシュレスが進んでいないという、予想にたがわない結果が報告されている。その一方で民族間にも利用状況の違いが明確にみられる。政府は今後もキャッシュレス化を進める方針で、２０２２年10月に病院など医療機関での利用を認可した。しかし、キャッシュレス化はただ単に利便性だけでなく、キャッシュレスという「信用」をベースにした取引に対する民族間の考え方により大きく異なってくるであろう。ここにも多民族社会の一面が見えてくる。

〈参考文献〉

Wiliam Shaw and Mohd. Kassim Haji Ali, *Paper Currency of Malaysia, Singapore and Brunei (1849-1970)*. Kuala Lumpur, Muzium Negara Malaysia, 1971.

45

金融制度

★２つの顔を持つ中央銀行と銀行部門★

紙幣に描かれた中央銀行。マラッカ王国の建国神話に出てくるカンチル（ネズミ鹿）がシンボルマークとして描かれる

マレーシアの銀行部門は中央銀行（ＢＮＭ）を筆頭に、商業銀行26行、イスラーム銀行16行、投資銀行11行で構成されており（２０１９年12月現在）、金融制度は先進国と遜色ないほどに発展している。ＢＭＮには２つの大きな役割がある。ひとつは金融政策の策定・実施のほか、金融制度を安定かつ健全に維持するための監督者としての役割であり、もうひとつは政策目標を達成するために金融機関の貸出管理を行う役割である。前者は市場メカニズムを損なわないように配慮しながら介入を行う一方、後者は時として市場メカニズムに反する介入となる場合もあり、まさに二面性を有している。本章では、中央銀行の二面性を軸としてマレーシアの金融制度の特徴を述べていきたい。

第45章

金融制度

金融制度の監督と発展

マレーシア銀行部門の歴史は、1859年にチャータード・マーカンタイル銀行がペナンに支店を開設したことに始まる。当時、マレー半島ではスズの貿易が盛んであり、銀行は貿易金融、運転資金の供与、外国送金等のサービスを提供していた。1877年にゴムの苗木が持ち込まれて19世紀末にゴムの商業栽培が開始すると、世界的なゴムの需要の高まりからゴムも輸出商品となった。スズとゴムの貿易が盛んになるに伴い、1909年に貿易金融サービスを提供する外資銀行の支店がクランに設立され、スレンバン、コタバル、マラッカ、イポーに支店開設が続いた。そして、1913年、最初の地場銀行としてクォンイック（スランゴール）銀行がクアラルンプールに設立された。

BNMの設立は、マレーシアがイギリスの植民地統治から独立し、1958年マレーシア中央銀行法が制定されてからのことである。当時の銀行部門はイギリス資本の銀行が中心であった。中央銀行は地場銀行振興に取り組み、1960年にはマレーシア人の資本参加100％の銀行（マラヤン・バンキング、Malayan Banking Berhad）が設立された。同年、長期資金を提供する金融機関としてマレーシア工業開発銀行（MIDF）も設立された。また、資本市場についても中央銀行主導のもと、1962年に株式市場が設置された。このように、中央銀行は設立当初から積極的に金融制度の構築に尽力し、1990年代初めまでに銀行、ノンバンク（年金、保険、貯蓄機関など）、各種金融市場（マネーマーケット、外国為替市場、資本市場、デリバティブ市場、オフショア市場）が形成された。ところが、マレーシアの金融機関はアジア通貨危機により銀行再編に直面することとなる。

1997年7月、タイ通貨バーツが暴落した影響でマレーシアでも大規模な資本流出が発生し、通貨（Malaysian Ringgit）が下落した。政府は資本流出を抑制するために金利を引き上げた。この影響で銀行借入を行っている企業は債務負担が増加し、経営が悪化していった。マレーシアでは投資家が株式を担保として銀行から資金を借り入れ、それを株式市場に投資していた。通貨危機の影響で株価が下落すると投資資金の回収が困難となったばかりでなく、担保価値の下落から借り手の債務負担が増加した。こうして、借り手は資金を銀行に返済することができなくなり、銀行の不良債権が増加し、銀行も経営状態が悪化した。

中央銀行創立60年記念誌

この事態に対処するため、当時の首相であったマハティール・モハマドは大きな決断をする。1998年に固定為替相場制と資本流出規制を導入したのである。また、それまでの高金利政策を一転し、金利を引き下げた。これは中央銀行の協力なくしては成し遂げることはできない。輸出依存度が高いマレーシアにとって、為替レートの短期的かつ急激な変動は経済に悪影響を及ぼす。そのため、為替レートを1ドル＝3・8RMに固定することで輸出価格の安定化を図った。金利の引き下げは企業の債務負担を軽減することに役立った。さらに、短期資本の流出を規制することでいったん経済を落ち着かせ、その間に悪影響を受けた企業や銀行部門を立て直すという手法を採用したのである。これについては、経済改革の機会を逃したとの批判もあるが、タイの混乱を目の当たりにした政府が市場機能と国内の資金循環を麻痺させることなく改革を行うための策をとったとみてよいだろう。

この後、中央銀行は金融部門の改革に着手する。1999年7月、中核銀行6行のもとで商業銀行とファイナンスカンパニーの再編プログラムを発表した。しかし、これは中核銀行の絞り込みに関する手続きが不明瞭であるなどの理由で銀行からの反発を受け、2000年2月に中核銀行は10行に修正された。各中核銀行のもとに商業銀行、ファイナンスカンパニー、マーチャントバンクが支配下に置かれ、グループを形成することで再編が行われた（表1）。

2001年、中央銀行は『金融セクターマスタープラン』を発表し、競争力のある銀行部門の再建を目指して改革を行ってきた。2011年にはマスタープランの後継として、『金融セクターブループリント』を発表し、継続的に改革を進めている。この過程で従来厳しく規制されてきた外資参入規制が緩和された。これを受けて、日本、インド、中国の金融機関がマレーシアに参入した。

政策目標達成への関与

冒頭でも述べた通り、中央銀行のもうひとつの顔に政策目標を達成するための金融を推進する役割がある。政府・中央銀行が定めた部門に優先的に貸出を行うよう、金融機関に対して大きな影響力を持っているのである。この仕組みが最初に導入されたのは、1974年のことであった。当時の目的はインフレーションを抑制するために貸出伸び率の上限が設定された。その後、中央銀行の貸出管理はより具体的になっていく。1975年には、商業銀行とファイナンスカンパニーに対して貸出額の50％をブミプトラ、製造業、個人の住宅ローンに割り当てることが定められた。1976年には信用割り当ての数値目標が優先部門別に定められた。優先部門はブミプトラ、中小企業、住宅ローンが中

表1　アジア通貨危機後の銀行再編（中核銀行と傘下銀行）

1 Malayan Banking Bhd.		
Mayban Finance Bhd.	Aseambankers Malaysia Bhd.	PhileoAllied Bank Bhd.
The Pacific Bank Bhd.	Sime Finance Bhd.	Kewangan Bersatu Bhd.
2 Bumiputra-Commerce Bank Bhd.		
Bumiputra-Commerce Finance Bhd.	Commerce International Merchant Bankers Bhd.	
3 RHB Bank Bhd.		
RHB Sakura Merchant Bankers Bhd.	Delta Finance Bhd.	Interfinance Bhd.
4 Public Bank Bhd.		
Public Finance Bhd.	Hock Hua bank Bhd.	Advance Finance Bhd.
Sime Merchant Bankers Bhd.		
5 Arab Malaysian Bank Bhd.		
Arab-Malaysian Finance Bhd.	Arab-Malaysian Merchant Bank Bhd.	Bank Utama Malaysia Bhd.
Utama Merchant Bankers Bhd.		
6 Hong Leong Bank Bhd.		
Hong Leong Finance Bhd.	Wah Tat Bank Bhd.	Credit Corporation Malaysia Bhd.
7 Perwira Affin Bank Bhd.		
Affin Finance Bhd.	Perwira Affin Merchant Bankers Bhd.	BSN Commercial Bank Bhd.
BSN Finance Bhd.	BSN Merchant Bank Bhd.	
8 Multi-Purpose Bank Bhd.		
International Bank Malaysia Bhd.	Sabah Bank Bhd.	Mbf Finance Bhd.
Bolton Finance Bhd.	Sabah Finance Bhd.	Bumiputra Merchant Bankers Bhd.
Amanah Merchant Bank Bhd.		
9 Southern Bank Bhd.		
Ban Hin Lee Bank Bhd.	Cempaka Finance Bhd.	United Merchant Finance Bhd.
Perdana Finance Bhd.	Perdana Merchant Bankers Bhd.	
10 EON Bank Bhd.		
EON Finance Bhd.	Oriental Bank Bhd.	City Finance Bhd.
Perkasa Finance Bhd.	Malaysian International Merchant Bankers Bhd.	

（出所）Bank Negara Malaysia ウェブサイトより引用（“Consolidation of Domestic Banking Institutiond,” https://www.bnm.gov.my/-/consolidation-of-banking-institutions、2022 年 1 月 19 日アクセス）。

表２　中小企業向け中銀ファンド（2019年末現在、単位：100万リンギ）[1]

	設置年	ファンド規模	承認金額	申請数	使用金額	返済額	残高
BNM's Fund for SMEs[2]	2017/06/19	9,100	30,290	81,683	29,865	24,901	4,9
Bumiputera Entrepreneur Project Fund-i	2009/07/01	300	1,605	1,922	859	797	[illegible]

（注）1. 新規受付可能なもの。この他に20のファンドが存在するが、新規申請の受付を停止している
2. ４つのファンドを統合したもの（Fund for Food、New Entrepreneurs Fund 2、Fund for Small a Medium Industries 2、Micro Enterprise Fund）

（出所）Bank Negara Malaysia ウェブサイトより抜粋、引用（"Monthly Highlights and Statistics December 2019," https://www.bnm.gov.my/-/monthly-highlights-and-statistics-in-december-2019、202 年1月19日アクセス）。

心であるが、割当の数値とともに経済状況に応じて修正が加えられることがある。このような金融機関への介入は、１９７１年から開始された新経済政策（ＮＥＰ）と時期的に重なっており、ＮＥＰの実行に中央銀行も関与していることがわかる。

また、優先部門への貸出促進は、中央銀行が設けた特別ファンドを通じても実施されている（表２）。２０１９年12月時点で新規申請受付が可能なファンドは全て中小企業向けとなっている。この他に、新規申請の受付が停止されているものの、20のファンドが存在する。これらのファンド資金は、銀行を通して貸出が行われる。

このように、中央銀行は金融政策の策定・実施のほか、市場を正常に機能させる監督者としての役割と、政策目標を達成するために金融機関の貸出に介入する役割を有している。こうして、マレーシアの金融制度は中央銀行の強いリーダーシップのもとで発展をしてきたのである。

（中川利香）

〈参考文献〉

国宗浩三（編）『国際資金移動と東アジア新興国の経済構造変化』（アジア経済研究所、２００９年）。
中川利香「マレーシアにおける民間部門の資金調達構造に関する考察―金融セクターマスタープラン以降を中心に―」（『経済論集』（東洋大学経済研究会）、第45巻第2号、２０２０年）。
Bank Negara Malaysia (2011) *Financial Sector Blueprint 2011-2020*, Kuala Lumpur: Bank Negara Malaysia.
Bank Negara Malaysia (2022) *Financial Sector Blueprint 2022-2026*, Kuala Lumpur: Bank Negara Malaysia.

46

ツインタワービルは誰のものか？

★国有石油公社と天然資源★

石油産出国マレーシア

首都クアラルンプールの中心部から南東へ約43㎞に位置するクアラルンプール国際空港（ＫＬＩＡ）に夕刻到着し、市内を目指し高速道路を北上すると、前方にひときわ目立つ２本の塔を中心とした高層ビル街が目に入ってくる。この２本の尖塔をもつビルが１９９８年に完成し、今日までマレーシア経済、いやマレーシアのランドマークとなったペトロナス・ツインタワービルである。その主がペトロナス（ＰＥＴＲＯＮＡＳ）、すなわち国営石油公社の本社である。

高さ 452 メートルの超高層ビル。2003 年 10 月 17 日に中華民国の台北市にある台北 101（509 メートル）に世界一（当時）の座を譲り渡した。

マレーシアはインドネシアなどとともに東南アジアにおける原油・天然ガス産出国の１つである。２０２０年時点で、約36億バーレルの石油埋蔵量とされる。原油生産量

日本経済とサラワク州を天然ガスが結びつける。サラワク州ビンツル港

は２０１９年以前では日産66万３０００バレル、年換算では２７２０万トン、これはインドネシアの約8割弱（３６４０万トン）の水準で東南アジアの中では第2位の生産量を誇る。一方、天然ガス埋蔵量に関しては約70ＴＣＦ（1兆立方フィート。1ＴＣＦは液化天然ガス〔ＬＮＧ〕約１００万トン／年×20年を賄いうる）といわれる。

そもそもマレーシアにおける石油開発は１９１０年にアングロサクソン石油社（現サラワクシェル〔Sarawak Shell〕社）が北ボルネオ（現サラワク州）のミリで着手した商業生産に始まる。１９５０年代には本格的に油田開発が試みられ、さらに１９６２年にも現在のサラワク州沖合で油田が発見された。１９７０年代の前半においてマレーシアの石油生産のほぼ全量を生産したのはアングロサクソン社であった。ライバルであるエッソ（ＥＳＳＯ）の１９７４～７５年の生産はマレーシア総生産量の４％程度を占めるにすぎなかった。なお、天然ガスに関してはマレーシアの最初の液化天然ガス・プロジェクト（サラワク州ビンツル）は１９８３年に生産を開始し、日本向けに輸出された。

天然資源の「マレーシア化」ペトロナス

このようにマレーシアの石油産業は長年、シェルとエッソという2社によって支配されており、それが１９７４年に連邦政府が石油開発法を制定したことにより、石油資源が国有化されたために状況が一変する。同法に基づき、それまで連邦・州政府に付与されていた石油関連の権利がすべてPETRONAS（1975年設立）に移譲された。同社に「マレーシア国内の石油・ガス資源の所有権と開発・管理権が独占的に付与」されたことになる。この結果、同社ならびにグループ子会社は海外企業との間で「生産分与契約（Production sharing contracts; PSC）」を締結し、石油・天然ガスを開発することになった。このPSC方式では、海外の石油開発企業はPSC契約企業と位置付けられ、ビジネス利益分配の取り決め――石油・ガス生産量の10％を使用料として支払い、そのうち連邦政府が5％、残る5％を資源が存在する州政府に分配――に従い、原油ならびに天然ガスによる利益をPETRONASと分配することになっている。なお、PETRONASはその設立に先立つこと8年前にインドネシア政府が設立した国営石油会社（プルタミナ）をモデルにしている。

さらにPETRONASには1975年の石油開発修正法によって、石油・石油製品の精製、さらには石油化学分野における販売や流通に関する権利も付与され、文字通り、石油を中心とするコングロマリットとなった。その結果、現在は石油関連の川上ならびに川下部門にもその事業内容を拡大し、原油生産などの「川上部門」に加え、「天然ガスと新エネルギー」、石油製品の生産販売からなる「川下部門」という3つの事業を核としている。売上高ベースでみると総売上高2367億2900万RMのうち、川下部門が全体の51％と最大部門となり、次いで天然ガスと新エネルギーが31％、残りが川上部門となっている（2021年）。これを製品別にみると石油製品が総売り上げの36％、LNGが23％、原油とコンデンセイト（気体が液体化したもの）が13％となっている。さらに事業部門と地域売り上げの双方から見ると、アジア（ただしマレーシア国内と日本を除く）における下流部門、また同地域におけ部門がそれぞれ15％程度を占め、これらが３本柱となっている。

グローバル企業化と政府の「財布」

２０２１年時点でＰＥＴＲＯＮＡＳは国内外に子会社、関連会社を通じて多方面にわたって事業展開している。１００％出資の完全子会社が１８４社、50％以上の関連会社が54社、50％以下の関連会社が49社にまで上る巨大なグループ企業である。

企業グループとして巨大だけでなく、その事業地域も全世界に及ぶ。１９９０年代に入り、マハティール政権は「南南協力」の名前のもと官民合同でのアフリカなどへの投資活動を積極的に進めた。政府系でいえば連邦土地開発公社（ＦＥＬＤＡ）によるオイル・パームの事業やライオン（Lion）など華人系企業グループの中国展開である。ＰＥＴＲＯＮＡＳの海外展開の大きな特徴はアフリカ、中近東で上流部門を中心に積極的に行っていることである。

さらに、マレーシア企業のグローバル展開の中心という顔の一方、ＰＥＴＲＯＮＡＳは法人税ならびに国営石油会社として、その株主たるマレーシア連邦政府に対する「配当金」などという形で財政的に貢献をしてきている。コロナ禍ならびにロシアによるウクライナ侵攻というＬＮＧを取り巻く国際環境の激変の前でみると、２０１７年までの３年間の平均では、連邦ならびに州政府財政への貢献は平均で35％にも達する。加えて、これまでにもマレーシア連邦政府の財政危機に際し、ペトロナスはその潤沢な資金で貢献してきた。国債購入という形で財政を支えた被雇用者年金基金（ＥＰＦ）とともに重要な「財布」であったといえる。

２０５０年までに脱炭素化（カーボンニュートラル）を達成を目指すというパリ協定に関して、マレーシア政府は２０２２年９月に２０４０年までを対象にした「国家エネルギー政策（ＤＴＮ）」において方針と具体的な数値目標も公表した。たとえば電気自動車は現在１％未満の普及率に過ぎないが、38％にまでに引き上げることなど具体的な９目標を掲げた。こうした動きを受け、ＰＥＴＲＯＮＡＳもまた温暖化ガス排出量などに関して具体的な数値目標とタイムスケジュールを公表し、石油会社としての方針と戦略を明らかにしている。しかし、大規模な事業転換は雇用機会喪失の懸念もあることから、クリーンで再生可能な資源への事業への新展開も行い、カーボンニュートラルのもとでの新たなＰＥＴＲＯＮＡＳの姿が模索され始めている。

（鳥居　高）

〈参考文献〉

加藤　望「マレーシア、ペトロナスに関する考察（前篇）（後編）」（石油天然ガス・金属鉱物資源機構〔JOGMEC〕News）（前編　https://oilgas-info.jogmec.go.jp/…/1905_c_my_petronas.pdf：後編　https://oilgas-info.jogmec.go.jp/…/1906_e_my_petronas2.pdf）

熊谷　聡「ペトロナス——知られざる高収益企業」（日本貿易振興機構・アジア経済研究所『海外研究員レポート』）（http://hdl.handle.net/2344/00049864）

Bruce Gale, *Politics and public enterprise in Malaysia*, Singapore : Eastern Universities Press , 1981.

Shakila Yacob, PETRONAS, Oil Money and Malaysia's National Sovereignty (*Journal of the Malaysian Branch of the Royal Asiatic Society* June Part 1 2021〔No.320〕)

47

工業化の牽引力は誰？

★外国資本／日系企業★

発展した製造業と外国資本（外資）

独立後のマレーシア経済の発展に製造業は大きく貢献した。2000年には国内総生産の36％が製造業により生み出され、総輸出の85％を工業製品が占めるまでになっていた。製造業の国内総生産に占める比率は近年20％台前半にまで低下しているが、総輸出に占める工業製品の比率は変わっていない。そして、これまでの急速な工業化のプロセスで地場企業、政府系企業だけでなく、外資系企業も重要な役割を果たしてきた。

マレーシアの製造業は世界的にみても外資系企業に大きく依存したものとなっている。1960年代からほぼ一貫して、外資系企業の全生産に占める比率は40％を超えており、2000年代初めには50％を超えることもあった。特に電機・電子産業はマレーシアを代表する産業であるとともに、外資系企業が生産や輸出の約80％を占めるという状況にある。

マレーシアの工業化政策は海外からの輸入を制限し、自国での生産を促すいわゆる輸入代替工業化や比較優位を持つ工業製品を輸出しようとする輸出指向工業化などに分けられる。それぞれの工業化政策において外資系企業が深く関わって来たが、

日系企業の進出により1990年代にマレーシアはテレビの一大生産地となった（写真提供：鳥居高）

一方で、マレーシア政府はその時々の経済情勢にあわせて外資系企業を積極的に誘致したり、出資に制限を加えたりしたのである。

日系企業の事業展開

次に年代ごとにマレーシアの主要な工業化政策と関連付けながら、特に日系企業に注目しながらその動向をみてゆく。まず、１９６０年代に入ると早くも日本の家電メーカーがマレーシアに進出し、生産を開始している。しかし、国内市場向けの生産であったために、マレーシア企業との合弁企業として設立する必要があった。換言すると外資に対する出資制限がすでに課されていたのである。

１９７０年代に入り、北部のペナン州や首都近郊のスランゴール州などに輸出入関税が課されない自由貿易地区（ＦＴＺ）が作られ、工業製品輸出の促進がはかられた。この輸出指向工業化の局面ではこれらのＦＴＺが呼び水となり、日本や米国から電機・電子関連の企業が進出し、半導体、エアコン、電子部品などの輸出が急増した。これらの企業は製品のほぼ１００％を輸出し、工業製品の輸出に貢献するとも、一般に規模が大きく、１社で３０００人以上を雇用する企業もあったため、雇用の創出にも貢献した。そのため、特別に外資による１００％出資も容認されていた。

１９８０年代には重工業の分野での輸入代替が始まり、政府系企業が外国の企業と協力する形で進められた。その際、日本企業がパートナーとして選ばれることが多かった。これはマハティール・

ルック・イースト政策を掲げ、日本を中心とした外資による工業化を進めたマハティール（写真提供：ロイター／アフロ）

モハマド首相（当時）が提唱した日本や韓国に学ぶという「ルック・イースト政策」とも関連がある。国民車プロジェクトではマレーシア重工業公社（ＨＩＣＯＭ）と三菱自動車、三菱商事の合弁で、第一国民車メーカーであるプロトン社（ＰＲＯＴＯＮ）が１９８３年に設立された。その他、オートバイや鉄鋼、セメントでも日本企業との合弁企業が設立された。その後、１９９４年には第二国民車メーカーであるプロドゥア社（ＰＥＲＯＤＵＡ）がダイハツなどとの合弁企業として設立されている。

１９８０年代半ばにマレーシアは独立後初めてマイナス成長を記録するが、その要因のひとつが世界的な半導体不況であった。マレーシアは景気の梃子入れのために、外資導入を積極化し、外資に対する出資規制も緩和された。この時期はちょうどわが国で急激な円高が進行した時期と重なり、１９８０年代後半から日本企業が大量にマレーシアに進出した。この状況は１９９０年代初めまで続き、日本はマレーシアにとっての最大の投資国となったのである。

この時期、日本からの投資は電機・電子産業に集中しており、主に大手家電メーカーがまず進出し、これを追いかけるように部品メーカーも相次いで進出した。これに続いて、素材メーカーもマレーシアに進出し、いわば、投資がさらなる投資を生むという状況であった。家電メーカーのみならず多くの部品メーカー、素材メーカーもマレーシアの国内市場だけでなく、アセアン域内市場や他の海外市場をターゲットとするものが多かった。

表１　業種別進出日系企業数（製造業）

業種	
食品・飲料	19
繊維・同製品	12
木材・同製品	29
石油・化学製品	83
鉄鋼・非鉄金属製品	83
機械	43
電機・電子製品	246
輸送機械・部品	54
その他	143
合計	712

（注）2016 年末時点。
（出所）JETRO クアラルンプール事務所

１９９０年代に入り、マレーシア経済は更なる発展を遂げ、工業基盤も拡大し、幅広い産業で海外からの投資がマレーシアに流れ込んできた。一方で、１９９３年には好景気を背景として再び、外資に対する出資比率規制が強まった。しかし、この状況は１９９７年に起こったアジア通貨危機で一変する。マレーシアは景気回復のため、再度、外資に対する出資比率規制を大幅に緩和し、積極的な外資の誘致を企図したのである。この緩和は短期的なものに終わらず、その後も継続され、ついに、２００３年には外資に対する出資比率規制は撤廃された。

日系企業の特徴と課題

ここで、日系企業の動向を確認していきたいと思う。表1にあるように、我が国からのマレーシアの製造業への進出企業は２０１６年末時点で７１２社にのぼる。そのうち3割以上にあたる２４６社が電機・電子産業に属しており、突出した状況となっている。企業数でみると素材に関連する石油・化学、鉄鋼・非鉄金属が83社で続いている。また、国民車メーカーの設立に協力し、あわせて部品メーカーも進出した輸送機械・部品が54社となっている。

近年、日本からの投資額は中国などの後塵を拝することが多くなっている。大型投資案件がある年には順位を上げるが、継続的にマレーシアに多額の投資が行われる状況ではない。一方で、賃金の上昇や中国やアセアン域内での生産ネットワークの再編成が進む中、マレーシアから中国やタイ、ベトナムなどに工場を移す企業も現れている。

日系企業は米国系企業、シンガポール系企業とともにマレーシアの製造業の発展に雇用や輸出の面で貢献してきたといえる。また、家電などのセットメーカーは多くの部品を必要とし、日本からの輸入ではなく、マレーシア国内での調達も増加している。しかし、詳細にみていくと、国策として地場の部品メーカーを育てた自動車産業以外ではマレーシアに進出した日系の部品メーカーからの調達が多いという特徴がみられる。このため、マレーシア政府からも地場企業の育成を要請され、1980年代末からベンダー（協力企業）育成プログラムが開始された。関係者の努力にも関わらず、日系企業の要求するレベルに達した地場企業の数は想定されたレベルには達しなかった。ここに技術移転の難しさの一面をみることができる。

外資系企業による直接投資とは、当該企業の持つ経営資源（ヒト、モノ、カネ、技術、情報など）をパッケージとして移転するものであり、単なる、資金の流れとは異なる。そのため、外資系企業の進出は受け入れ国であるマレーシアにとって大きなメリットがある。しかし、経済状況が変われば、外資系企業の撤退もあり得るのである。外資に依存する工業化はこの点を常に念頭に置いておく必要がある。

（穴沢　眞）

〈**参考文献**〉

穴沢　眞『発展途上国の工業化と多国籍企業―マレーシアにおけるリンケージの形成―』（文眞堂、2010年）。
手嶋恵美編著『マレーシアビジネスガイド（第2版）』（JETRO、2015年）。

48

マレーシアの働く人々

―★多様なエスニシティや国籍の労働者と課題となる労働問題★―

マレーシアは、マレー系、華人、インド系、その他の人々からなるマルチ・エスニック（多民族）社会として、さまざまな人々がいっしょに働いている。そして、そうした職場や働く人々を注意深く見ていると、民族・エスニシティや国籍など、さまざまな特徴も見えてくる。官庁や軍隊や公企業ではマレー系の人が多い。商店や流通・営業では華人が積極的だ。医者や弁護士にはけっこうインド系がいる。オイルパームなどのプランテーションや建設現場では、インドネシア人やバングラデシュ人などの外国人（移住）労働者が働いている。家政婦さんには、インドネシア人のほか、英語の話せるフィリピン人などもいる……などなど。ここでは、マレーシアの働く人々について、就業構造の変化や労働問題なども含めて、見ていくこととしよう。

新経済政策と就業構造の変化

マレーシアは1970年代以降、新経済政策（NEP）の下で工業化をテコとする急速な経済成長が進み、就業構造も大きく変化した。

英領植民地時代には、19世紀後半に華僑資本のスズ鉱山に労

農園労働者もマレーシア人女性から外国人男性労働者へ代わり、マレー女性はオフィスや工場で働くようになった

働者として中国人クーリーが連れてこられ、20世紀初頭から英系資本のゴム農園の労働者としてインド人労働者が連れてこられた。他方で、マレー人は農村部で稲作やゴムの小農や漁民として働いていた。そうした植民地時代に形成されたエスニック別就業構造が大きく変わったのが、１９７０年代以降であった。

１９７０年代以降、ブミプトラ（おもにマレー系）優先の性格を持つＮＥＰの下で、民族間の所得格差を是正するために製造業やサービス業での雇用でのブミプトラ優先（エスニック比率の反映）が進められた。そのため、マレー系の多い官庁や公企業のほかでも、工場やオフィスで働くマレー系従業員（賃金労働者）が増加していった。製造業では、営業や流通面では華人の強い部門もあるが、自動車や製鉄産業、化学産業などの資本集約的工程の技術職や専門職でマレー系男性の雇用が増え、電子・電機産業や繊維・衣服産業の労働集約的工程の不熟練労働ではマレー系女性の雇用が大きく増加した。とくにマレーシアの工業化の中心となった自由貿易区（ＦＴＺ）／輸出加工区の多国籍企業の工場では、労働集約的工程の不熟練労働者としてマレー系の若年女性が大量に雇用された。電子産業の女性工場労働者は、女性の深夜就労禁止の規制の除外対象となり、また労働運動も規制された。

外国人（移住）労働者の流入と深まる依存構造

また1980年代には急激な経済成長の中で、いわゆる3K（きつい、きたない、危険）といわれる労働条件の劣る不熟練労働の職種において深刻な労働力不足が生じ、外国人（移住）労働者の「不法」就労が社会問題化した。政府はその対応として、1989年以降、「不法」就労外国人の「合法化」（登録）手続きを進めた。そうした過程を経て、1990年代以降、建設業、農業、家事労働などの外国人の就労が増加し、その後、製造業やサービス業などで外国人の雇用が広がっていった。

マレーシアの外国人労働者は正規登録210万人（2022年）で、非正規（非合法）も合わせると300万人いるといわれている。就業人口の12%、非正規を含めると約2割が外国人労働者となり、マレーシア経済のあらゆる部門で外国人労働力に依存している状況である。

労働力不足の問題については、マレーシア政府は、機械化や自動化などによる合理化や、女性や高齢者の労働市場での活用、海外のマレーシア人の帰国の奨励なども提唱している。しかし、プランテーションや農家、建設現場や中小工場、家政婦などを中心として、多くの職種で外国人労働者に依存する構造が固定化しており、また新卒者の就職難なども含めて、労働市場における職のミスマッチなど、構造的な問題でもあり、解決は難しい。

マレーシアでは、労働組合は産業別組合が中心であり、ナショナル・センターのマレーシア労働組合会議（MTUC）が政府や経営者団体との交渉にあたっている。労働問題としては、最低賃金制度の設定や電子産業の産業組合の設立などが長年の課題とされたが、なかなか政府が認可せず、ようやく認められても、都市部の物価に見合う水準での最低賃金の設定ではなかったり、また電子産業については管理しやすい企業内組合のみを認めるといった状況であった。また現在は、派遣労働や外部委託などの雇用の非正規化にともなう問題、外国人労働者の組織化の低さ、若年層の就職難や失業率の高さなどが大きな課題となっている。

アジア通貨・金融危機やリーマン・ショック、コロナ禍などによる経済停滞の局面では、労働者の解雇や労働条件の悪化や外国人労働者の雇い止めなども増加した。特に２０２０年以降のコロナ禍では、それ以前は３％水準だった失業率が５％台となり、政府はマレーシア人の雇用を優先するとして、外国人の新規雇用を一時停止するとしたが、３Ｋ要素の強い不熟練労働の分野にマレーシア人労働者が参入・定着することは難しく、経済活動に影響も出て、経営者団体からは外国人の新規雇用の認可が求められた。

外国人家政婦の権利を求める運動（国際女性デイ）

マレーシアの外国人労働者の雇用については、米国国務省の『人身取引報告書』などで労働実態や宿舎の劣悪な状況から強制労働として批判され、欧米でマレーシアのゴム手袋製造企業が輸入規制の対象となるケースも出た。こうした国際的な批判に対応するために、マレーシア政府は、「強制労働に関する国家行動計画（ＮＡＰＦＬ）２０２１−２０２５」を発表し、強制労働を根絶するとしている。ほかにも、マレーシア政府は環太平洋パートナーシップ協定（ＴＰＰＡ）の参加のために、労働法制を改正する計画である。

このように、英領植民地時代のスズ・ゴムの二大産業に外国人労働者が導入されてマルチ・エスニック社会が形成され、独立後、とくにNEP以降の経済開発の中で、エスニック別分業の構造も大きく変化し、雇用におけるマレー系優先、外国人労働者の雇用の増加なども進んでいった。グローバル経済の中で、マレーシアの働く人々は民族・エスニシティや国籍など、多様な側面を見せている。そうした状況で、マレーシアは、さまざまな労働問題にも直面しており、ILOのディーセント・ワーク（働きがいのある人間らしい仕事）や国連の提唱するSDGsの目標などを促進することも大きな課題となっている。

（吉村真子）

〈参考文献〉

吉村真子『マレーシアの経済発展と労働力構造―エスニシティ、ジェンダー、ナショナリティ―』（法政大学出版局、1998年）。
吉村真子「マレーシアにおける経済発展と労働」（植村博恭ほか編『転換期のアジア資本主義』第12章、藤原書店、2014年）。
吉村真子「マレーシアの経済発展と移住（外国人）労働者（特集　アジアにおける経済成長の光と影：グローバル化と労働）」（『連合総研レポート』第336号、2018年4月）。

49

経済格差へのアプローチ

★民族間から「包摂性」へ★

現在、国連は持続可能な開発目標（ＳＤＧｓ）の目標1として「貧困をなくす」を掲げている。少し時をさかのぼってみよう。１９６０年に国連が「開発の10年」を提唱して以降、国際開発コミュニティはこれまでに、さまざまな開発戦略を実行してきた。しかし、その中心機関である世界銀行が経済開発に次いで所得分配重視の政策に移行し、さらに貧困撲滅により重点を明確に移したのは１９９０年である。この年に公表された世銀年次報告（*World Development Report*）の副題に初めて「貧困」が掲げられたことにその転換が明確に示されている。他方マレーシア政府は早くも１９７1年に公表した新経済政策（ＮＥＰ）以降、「公平性を伴う経済成長（Growth with equity）」を掲げ、今日に至るまで経済政策において「貧困撲滅」や「格差の是正」を中心的課題として位置付けてきた。同政府にとって、貧困撲滅と経済格差の是正は経済政策の中心的課題であり続けてきた。

スタート地点としてのNEPの考え方

ＮＥＰでは、貧困世帯を撲滅することが第1の目標として掲げられた。策定当時の首相府経済局（ＥＰＵ）は、この貧困世

庶民向けの伝統的なショップハウスを睥睨する高層ビル群（KLのオールド・タウン、ジャラン・トゥアンク・アブドゥル・ラーマン通り）

帯撲滅目標に関して「民族にかかわりなく」という一文をあえて盛り込み、この目標が特定の民族――マレー人――を対象としているわけではなく、貧困の撲滅はマレーシア社会のすべての民族にとって共通の課題であることを強調した。

他方、NEP導入の直接的な契機となった「5月13日事件」についてラザク政権は「民族間の経済格差」を原因の1つとして位置づけ、その格差を是正することを目指し、NEPの第2目標「マレーシア社会の再編成」と具体的な4つの課題を掲げた。

政府は民族間の経済格差の原因をフロー（収入）とストック（資産）の双方に求めたということができる。まずフローの格差に関して就業構造に注目した。具体的には「雇用構造の再編成」と呼び、特定の民族と特定の職業や職種が固定している社会構造を再編成することによって、マレー人の所得水準の向上を目指した。当時のマレー人にとって主要な就業産業であった農業や農民から、より専門性の高い職種や所得水準の高い産業へ産業間あるいは職種間への移動を促すことがうたわれた。もう1つがストック面での格差である。具体的には「資本所有構造の再編」を目標に掲げ、資産の一つである株式所有――マレー人の株式保有比率――の向上を内容としていた。さらに、NEPの期間中を通じて追求された経済成長の成果が、トリックル・ダウン（浸透）効果によって所得水準の向上に資することが見込まれていた。

変化する政策対象――「包摂性」へ

NEP導入間もない1970年代において政府は、主たる経済格差を「半島部」における「マレー人とそのほかの先住民」と「そのほかのマレーシア人（主には華人）」との民族間格差に注目し、政策の重点をそこに置いた。また雇用構造の再編に関してはユニークなアプローチがとられた。マレー人が農業から第2次、第3次産業に産業間移動するにあたり、都市部への人口移動など空間的な移動を伴なわない方策を導入した。具体的には農村部に居住したまま農業から近代的産業（商工業）へ移動させる政策として農村加工型産業などが奨励され、地域均衡型の発展が模索された。

1980年代に入ると、政策対象は従来の半島部マレー人のみではなく「ボルネオ島の〝ブミプトラ〟」も含まれるなど、格差問題は半島部とボルネオ島間の格差、また半島部内での地域格差にも焦点があてられた。さらにストックの面での格差是正に関しても、新たな試みが採用された。国営信託企業（ASNB）が設立され、投資信託の仕組みが導入された。ブミプトラ個人が企業の株を保有するのではなく、旧英系企業などの株を政府がいったん買収し、それらを投資信託企業に移譲、ブミプトラは投資信託の株を購入することを通じて、間接的な株式保有者になる仕組みである。このようにストック面での格差是正にも重点が置かれた。

民族間格差について「マレー人を中心とするブミプトラ対華人」という二項対立の関係に関心が集

まる中で、もう1つの主要な民族であるインド人やそのほかの民族との格差については議論が少なく、彼らは「NEPの影」と表現され、民族間格差の議論で忘れられがちであった。

一方、さらなる転換として2つの動きがあげられる。1985年のプラザ合意を背景とする大量の外国資本の流入と政府の民営化政策である。これらによりマレーシアの経済格差問題の枠組みは大きく変化していくことになった。マハティール政権（1981年から2003年）は分配よりも経済成長に重きを置き、また従来の都市——農村均衡発展戦略も転換し、外資が集中する半島部西海岸の成長（マレー半島西側回廊）を促していった。この結果、同じ民族内でも潤う社会階層とそうでないもののという新たな関係が顕在化し、民族間格差から民族内格差という問題も生じた。

約22年という長期にわたったマハティール政権以降の歴代の政権はそれまでの成長重視から分配重視の政策へとその重点を移している（歴代政権と開発計画の展開については、巻頭資料3を参照）。まずアブドゥーラ政権では、民族内の格差や都市農村間の格差是正の必要が強調された。次いで2009年に発足したナジブ政権では、キーワードの1つとして「包摂性」がうたわれ、2010年からは所得下位40％への支援策が強く打ち出された。その他にも最低賃金制度の導入（2013年）や医療、住宅を含む社会福祉政策が展開され、一層分配色が強くなっていった。こうした所得分配政策導入の背景には経済格差の多元化という理由もあるが、同時に統一マレー人国民組織（UMNO）を中心とする国民戦線（BN）に対する批判や支持離れへの対応策という政治的要請があった。2008年に実施された総選挙の前後でアブドゥーラ首相（当時）が自ら農村を回り、車座になって農民と語り合った。その姿はマレー農村の貧困克服のために1960年代にアブドゥル・ラザク自らが農村を回り、マレー農民と直接語り合うかつての姿を彷彿させるものだった。それだけマレー人社会内の格差が深刻になっていたこと示すものであろう。
所得分配へと方針を転換したナジブ政権は「ワン（1）マレーシア」を掲げ、続くイスマイル・サブリ政権も「マレーシアの家族」を掲げ、所得中位40％の世帯へとさらに支援対象と広げた。
史上初の政権交代が起きた2018年、また実質的な政権交代となった2022年と近年2度の政権交代を経験したものの、共通のキーワードが「包摂性」というアプローチである。まず、開発方針である「繁栄の共有ビジョン（SPV）2030」（2019年公表）においても、この方向性が強調されている。民族間、民族内、地域間と格差が複雑に絡み合った今、より包括的な格差へのアプローチが、多元化したマレーシア国民を統合する有効な方策としてその実効性に注目が集まっている。2023年現在のアンワル政権も発足後、初めて提出した予算案において、『マレーシア・マダニ（Malaysia MADANI）』を掲げ、「持続可能性、平穏、創造性、尊敬、信頼、思いやりの推進」することを謳いあげ、引き続き、中低所得階層への分配を重視する姿勢を示した。こうした分配政策を柱として支えているのが国営石油公社（PETRONAS）からの歳入である。政権基盤を安定させるために、引き続き分配政策を重視していく限り、中・長期的に財政問題という課題を抱えることになる。

（鳥居　高）

〈参考文献〉

中村正志・熊谷　聡編『ポスト・マハティール時代のマレーシア――政治と経済はどう変わったか』（アジア経済研究所、2018年）。

50

「中所得国の罠」脱出なるか

★産業高度化は停滞も内需主導で安定成長★

「中所得国の罠」

1991年、当時のマハティール・モハマド首相により発表された「ビジョン2020」の中で、マレーシアは2020年の先進国入りを掲げた。最近では、2010年にナジブ政権下で発表された「新経済モデル」の中で、同じく2020年の高所得国入りを目標としてきた。実際には2020年のマレーシアの一人当たり国民所得は1万570ドルとなり、世界銀行の基準で高所得国入りの条件となる1万2536ドルにわずかに届かなかった（図1）。

マレーシアは世界銀行の基準によると、少なくとも1989年以降はずっと「上位中所得国」に分類され、そこに居座っている。こうしたことから、マレーシアは「中所得国の罠」に陥っている国の一つとしてあげられることも少なくなく、マレーシア政府も2010年には前述の「新経済モデル」の中で、自国が中所得国の罠に陥っていると認めていた。

「中所得国の罠」とは中所得段階の国の経済成長が鈍化し、高所得国入りができない状態を指す。その原因は「製造業品のコスト競争では低所得国に劣り、ハイテク・イノベーションの分

図１　マレーシアの一人当たり国民所得の推移（1989年〜2020年）

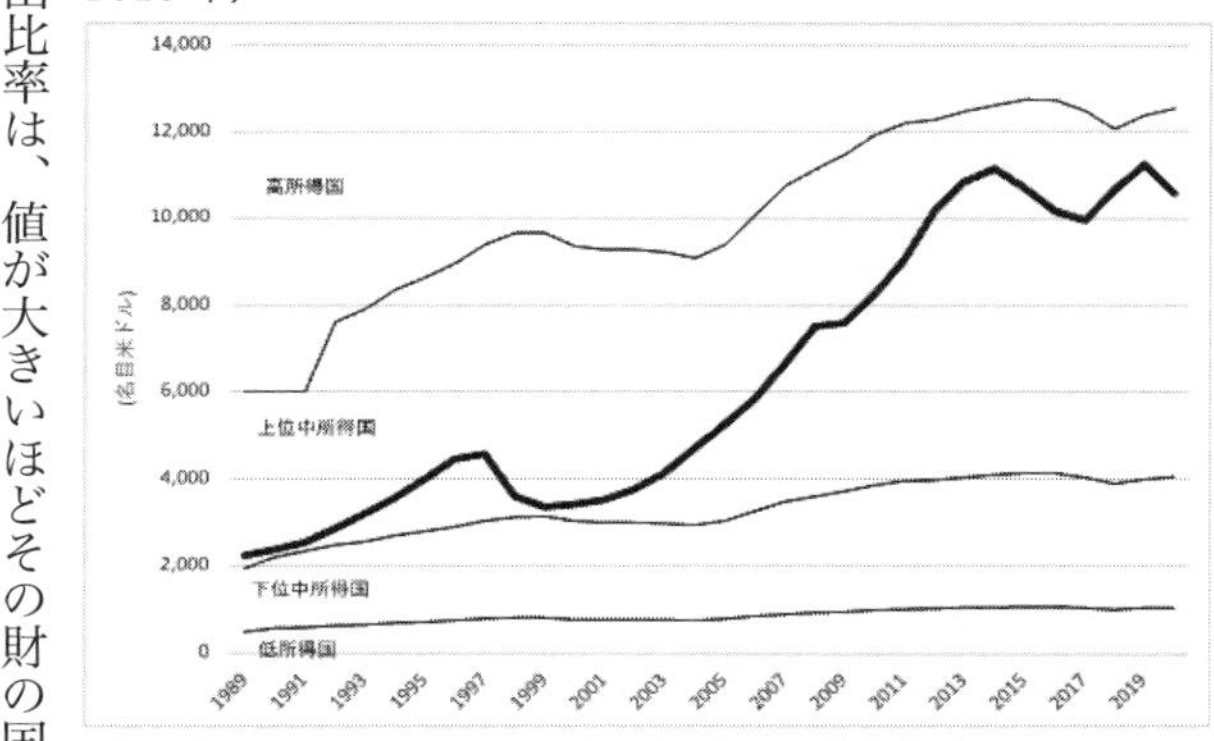

（出所）World Development Indicators 等から筆者作成。

野では先進国と競争する力がない」ためであるとされることがあるが、これを端的に言えば「産業高度化の失敗」となる。

輸出から見た産業構造の変化

マレーシアの産業構造は、過去半世紀にわたってどのように変化してきたのだろうか。ここでは、輸出構造からそれを読み解くことにする。具体的には、輸出を「資本財」「部品」「消費財」「加工品」「一次産品」の５つに分類し、それぞれの輸出入データから「純輸出比率（輸出－輸入）／（輸出＋輸入））」を計算する。その財を輸出する一方で輸入がゼロならば純輸出比率は１、その財を輸入する一方で輸出がゼロならば純輸出比率はマイナス１、輸出入がバランスしていれば純輸出比率は０となる。純輸出比率は、値が大きいほどその財の国際競争力が高いと読み替えることができる。

図２は、マレーシアの純輸出比率の変化を財別に示したものである。１９６０年代、マレーシアは天然ゴムや錫などの一次産品とその加工品の純輸出国であり、資本財と部品、消費財など工業製品の純輸入国であった。１９６０年代のマレーシアの輸出構造は、一次産品輸出国として典型的なもので

図２　マレーシアの財別純輸出比率（1964 ～ 2020 年）

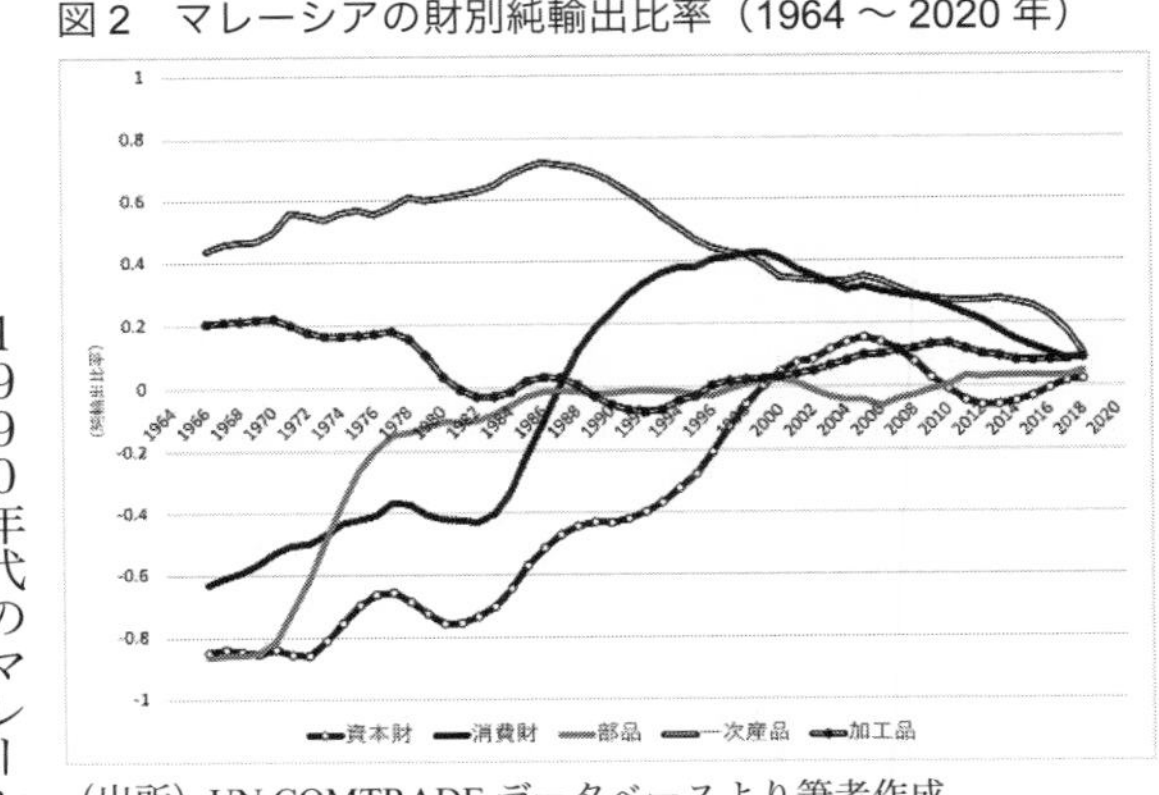

（出所）UN COMTRADE データベースより筆者作成。

あったといえる。

１９７０年代になると、全体として輸出の構造はあまり変化していない中で、部品の純輸出比率が急上昇している。これは、自由貿易区（ＦＴＺ）の初期の成功を反映しており、主に米国の半導体メーカーが、マレーシアで組み立てた半導体を米国に輸出するようになったためである。

１９８０年代に入ると、マレーシアの貿易構造は一変した。消費財の純輸出比率はプラスに転じ、資本財の純輸出比率も上昇しはじめた。これには、商業的には成功しなかったが重工業化政策を開始したことや、１９８６年以降、プラザ合意以降の円高環境下で輸出指向の外資を投資促進法を定めて誘致し、主にＡＶ機器や家電の輸出拠点となったことが影響している。マレーシアは、輸出指向の多国籍企業が主導することで、一次産品に加えて、消費財の純輸出国になったのである。

１９９０年代のマレーシアは、１９８０年代半ばからの輸出指向の工業化の初期の成功の勢いを保ちつつ、輸出構造を高度化することに成功している。一次産品の純輸出比率がピークアウトする一方で、資本財の純輸出比率は１９９０年代末には輸出入均衡に近づいている。

ところが、２０００年代以降、マレーシアの貿易構造の高度化のペースは明らかに鈍化している。消費財の純輸出比率はピークアウトしたが、それに代わって輸出を牽引することが期待される資本財と部品の純輸出比率は横ばいとなっている。この時期、一次産品価格が高騰したため、マレーシアでは一次産品や加工品の輸出が伸び、これが相対的に他の製造業品の輸出のシェアを奪った。資源輸出国の経済成長が必ずしもうまくいかないことを「資源の罠」と呼ぶが、この時期のマレーシアはマイルドな資源の罠に陥っていたと言えるかもしれない。

マレーシア経済の行方

マレーシアの産業高度化が進まないもう一つの理由としては、製造業における自国発祥の多国籍企業の不足がある。これは、自動車、電子・電気、造船、化学工業など様々な製造業で複数の多国籍企業を抱える日本、韓国、中国と比較すると明白である。マレーシアにも国営石油会社ペトロナス（P）をはじめとする自国発祥の多国籍企業があり、最近では積極的に海外投資を始めているが、それらは主にサービス業か天然資源を扱う産業である。世界的な多国籍企業のランキングである２０１８年版のフォーチュン・グローバル５００の国別リストでは、日本から52社（製造業は27社）、韓国から16社（同9社）、中国から１１９社（同44社）がランクインしている。一方マレーシアからのランクインはペトロナス1社のみで、製造業の企業はランクインしていない。

これまで、マレーシアは多国籍企業を誘致することでグローバル・バリュー・チェーン（ＧＶＣ）に参加し、輸出指向の工業化を達成してきた。しかし、こうした多国籍企業は海外に本社があるためにマレーシア法人にはＧＶＣのどの部分を担当するかについて決定権が無く、結果として低付加価値部分に活動が固定化される状況を生んでいる。

ただ、図1をみても分かるように、２０００年以降もマレーシア経済は停滞していたわけではなく、安定的な経済成長を続けてきた。これには、マレーシア経済が輸出主導から内需主導に転換したことが影響している。マレーシアの人口構成が経済成長を促進するといわれる「人口ボーナス期」に入ったこともあるが、2010年代からは最低賃金制度や所得下位40％（B40）世帯への給付金などの所得格差是正策が導入され、内需拡大につながったという政策面での要因もある。

また、一次産品、加工品の輸出伸張は産業高度化という点ではマイナスだが、貿易構造をバランス良く多角化するという点では大いに役立っている。実際、マレーシアは米国市場向けには消費財や部品などを多く輸出する一方で、中国向けには一次産品や加工品が輸出のほぼ半分を占め、米中貿易戦争・コロナ禍でも好調を保っている。

世界銀行による予測でもマレーシアは2024年から2028年の間には高所得国入りするとみられている。いまや、マレーシア経済の課題は「中所得国の罠」からの脱出ではなく、高所得国入り後に、いかに高所得国に相応しい経済に変貌を遂げ、2万ドル、3万ドルと一人当たり国民所得を伸ばしていけるかに移りつつある。

（熊谷　聡）

〈参考文献〉

トラン・ヴァン・トウ・苅込俊二著『中所得国の罠と中国――ASEAN』（勁草書房、2019年）。
中村正志・熊谷　聡編『ポスト・マハティール時代のマレーシア――政治と経済はどう変わったか』（アジア経済研究所、2018年）。
Kumagai, Satoru,The Middle-Income Trap in the ASEAN-4 Countries from the Trade Structure Viewpoint, Emerging States at Crossroads. Springer, Singapore, 2019. 49-69.

51

アリババ・ビジネス、UMNOプトラからの脱却

★ブミプトラ企業★

ブミプトラ企業経営者育成へ

19世紀以降、植民地支配を受けた東南アジアの国々において、独立を達成した政府が「われわれの企業＝民族企業、民族資本」の育成を目指すことは、その歴史的経緯からごく自然な成り行きであろう。マレーシアにおける民族企業育成政策を隣国インドネシアと比較するとその特徴がわかる。後者は独立直後にオランダ企業やその資産を国有化したのに対し、マラヤ連邦は独立後も旧宗主国・英国企業やその資産に手をつけなかった。いわゆる外国資本のローカライゼーション（マレーシア化）は１９７０年代以降、新経済政策（ＮＥＰ）の中で資本所有再編政策の一環として行われたことになる。

民族企業育成にあたって、もう1つの特徴は民族資本の中で、マレー人を中心とするブミプトラの育成に重点を置いたことである。彼らが所有する資本所有比率を向上させることに加え、ブミプトラ企業もしくはその経営者を育成することを目標に掲げた。マレーシア経済の担い手としてマレー人企業・経営者が活躍する社会――政府の言葉を使えば「ブミプトラ商工業コミュニティ（ＢＣＩＣ）の育成」――の創設を目指した。

アリババからUMNOプトラへ

ＮＥＰの導入以降、マレー人企業や民間資本が育成対象である以上、育成過程において民間のマレー人に替わり、その役割を担ったのは連邦ならびに州政府が設立した公企業や公団・公社である。これらが直接事業を行う場合もあれば、国内外の資本の合弁相手になる場合など、その参加形態は様々であった。特長は国家が直接的に事業に関与したところにある。また、ＮＥＰの雇用構造の再編目標の一環でマレー人の経営者や管理者の登用を政府が求めたことにより、民間企業において多数のマレー人「企業役員」が出現した。それがアリババ（Ali-Baba）ビジネスを生み出すことにつながった。アリさんすなわちマレー人がその政治的、社会的影響力を行使すべく、企業の「顔」となる一方で、実際のビジネスは華人（Baba）が担うという形態やアリさんがその政治的影響力を行使して政府から事業契約や事業ライセンスを取得し、下請けである華人企業へ委託するという形態である。ＮＥＰ目標達成のために政府が様々な許認可行政を展開した結果、こうした王族出身や貴族、政府の高級官僚、政治家の子弟などからなるアリさんを生み出した。マレー人企業・経営者育成のために取られた政府事業の分配や許認可行政がマレー人社会の中に政府依存、補助金依存という体質を生じさせた。この点についてマハティール政権から歴代の政権首班は機会をとらえて、強い危機感を表明してきた。しかしアンワル・イブラヒム首相もまた、就任間もない２０２２年に「アリ・ババ・ビジネスモデル」批判を行っており、この問題の深刻さが改めて浮き彫りとなった。

他方、政府はＢＣＩＣ育成のために、これ以外にも様々な政策を展開してきた。アブドゥル・ラザク以降の歴代の政権のなかでＢＣＩＣの育成にもっとも力を注いだのがマハティール政権（１９８１

年から2003年）である。彼は工業化の促進とともにBCICの育成を同時に図ろうとした。その象徴的な試みが1981年に設立した国民車製造会社プロトン（PROTON）である。日本の自動車産業モデルを念頭にプロトンという最終組み立て会社の下で部品産業あるいはすそ野産業としてのBCICを育成しようとする試みであった。また1995年には企業家開発省を新設し、フランチャイズ方式によるBCIC育成を進めたほか、1970年代末に公企業が提唱したアンブレラ方式——大企業が「傘」をさし、その保護のもと中小企業の育成を目指す——を進化させた試みなどが採用された。しかし、はかばかしい成果を上げることはできなかった。

マハティール政権下ではこのほかにも2つの契機でマレー人企業が台頭した。1つは、1986年から97年まで、いわゆる「高度経済成長期」である。実質ベースで年平均7%を超す経済成長の下でビジネスチャンスをつかみ多くのブミプトラ企業が台頭してきた。もう1つが民営化政策である。具体的には公企業の売却のほか、特に経営陣への株の売却（Management Buy Out）などの方法で「新興」ブミプトラ企業が短期間のうちに抬頭した。所有と経営を一致させたBCICの育成である。しかも、それまでに公企業は連邦のみならず、州レベルでも設立されたがゆえに、州における民営化政策で

農村で進められた食品加工業

もまた多数の企業の誕生を見た。

ＮＥＰの名のもとに政府が経済活動に直接、間接的に関与することは結果的に経済活動の政治化、という色彩を強く帯びた。前述した民営化政策においても、受け皿となった企業の多くはマハティールあるいは彼の右腕とされた財務大臣ダイム・ザイヌディンとの緊密性が指摘された。この他にも、政府事業にビジネスチャンスを得る零細ならびに中小ブミプトラ企業の出現を見た。

大規模であれ、中小規模企業であれ、両者に共通するのは政府、なかでも政権与党であるＵＭＮＯとの強い関係であった。このためにブミプトラならぬ〝ＵＭＮＯプトラ〟という言葉が生まれ、ＵＭＮＯとの関係や近接性によって事業機会などを得た「ＵＭＮＯの子供」と評される人々が恩恵を受ける構造が出来上がっていった。この結果ＢＣＩＣという政策は与党ＵＭＮＯの性格を大きく変えていくことになった。ＵＭＮＯは従来、マレー語、イスラームなどマレー人社会が有する文化的諸価値の保護者という役割から、マレー人社会へのビジネス機会の供給者という役割へと変質した。そのことは１９９０年代のＵＭＮＯの代議員の職業構成において、企業経営者の比率が高まったことに明確に表れてきた。ビジネス化したＵＭＮＯの諸矛盾が一気に噴き出したのは、１９９７年から98年のアジア通貨・経済危機であった。マハティール総裁（当時）を批判する勢力は民営化政策などで縁故主義やクローニーの出現を見たと、厳しく批判をしたが返す刀で批判勢力もまたそうした構造的な利益の受益者であることが明らかにされた。

中小企業と競争力を持った企業、経営者の育成

ＮＥＰ以降の政権は政治状況を踏まえ、このＢＣＩＣ育成へのアクセルとブレーキを踏み分けてきた。アブドゥーラ政権はブミプトラ企業に対し、政府から自立するために彼らが従来の建設業から農業を基礎とする業種への転換を促した。大きく方針が揺れ動いたのはナジブ政権である。ナジブ政権はその前半期においては「1つのマレーシア」という国民統合のスローガンを掲げ、マレー民族優遇政策の修正をいったんは公表した。しかし、マレー人社会内部の強い反発から２０１３年の総選挙後、再び方針を転換した。

現在、マレーシア政府は長期開発ビジョン『繁栄の共有ビジョン（ＳＰＶ）』（２０１９年10月公表）ならびにその中期開発計画『第12次マレーシア計画』で新しい方向性を提示し始めている。なかでもブミプトラ向けの経済政策に関しては２０２１年12月に『ブミプトラ開発アクション』（Bumiputera Development Action 2030、通常はマレー語による表記を取ってTPB2030）を公表した。「ＮＥＰが掲げた30％目標に達成していない」というこれまでの政策との継続性を大前提として、いくつかの新しい方向性を示した内容になっている。第1はブミプトラの熟練労働者の比率の向上など、具体的な6つの目標に関し、数値目標を提示したこと、第2にブミプトラが就業する主要な分野として、農業、製造業、観光業に加え、近年力を入れたハラール、イスラーム金融、さらにはデジタル経済や環境車などが挙げられたことである。

また、この政策対象が、狭義のブミプトラではなく、国民の「69・7％」を占めるブミプトラとイスマイル・サブリ首相（当時）が明言した点も注目される。マレー人ではなく、広くブミプトラをそ

の政策対象としている。さらに彼は「これまでのブミプトラ支援策から学び」として、従来の民族割当て制などの機会の分配による支援政策の中心ではなく、ブミプトラの人的資源の開発、能力の向上に力を入れ、競争力を有した人材の育成を重視する方針を打ち出した。

ＢＣＩＣ育成に関する新しいもう1つの方向がある。マハティール時代とは逆に公企業を再国有化（政府関連企業〔ＧＬＣｓ〕）したことである。政府が資本を保有しつつ、ブミプトラ専門経営者がその経営を担う方式である。所有と経営の分離によるＢＣＩＣである。

このようなブミプトラ支援におけるシフトは、その根底に過去50年間にわたって実施されてきたマレー人優遇政策に伴う、マレー人社会の変容にその理由を求められるであろう。多様な背景をもつマレー人の出現を前にして、ブミプトラ企業・経営者は新しい段階に入っている。

（鳥居　高）

〈参考文献〉
熊谷　聡「政府関連企業（ＧＬＣ）改革とブミプトラ政策―コーポレートガバナンスの視点から―」（中村正志・熊谷聡編『ポスト・マハティール時代のマレーシア―政治と経済はどう変わったか―』所収　日本貿易振興機構アジア経済研究所、２０１８年）。
Gomez, Edmund Terence, *Politics in Business : UMNO's Corporate Investments*, Kuala Lumpur,Forum,1990.

52

イスラームと経済開発の「接合」

★政府主導の試みとその意味★

マレーシア経済は経済成長を支える新たなエンジンを必要としている。その候補の一つとして政府が注力しているのがイスラーム経済である。そもそも独立以降、政府はイスラームと経済活動、そしてマレー人への支援政策の3者を結び付けて進めてきた。イスラームの教義と経済活動や経済政策とを結び付ける一方で、「マレー人はムスリムである」という憲法規定に基づき、イスラームの諸価値を活性化させることを通じて、ムスリム、実質的にはマレー人への支援策を展開してきた。主な動きは3つに分けることができる。

巡礼と資金循環

第1の試みがムスリムの義務行為から生じる資金の活用である。具体的には巡礼のための積立金の活用である。KLの東側を南北に走るトゥン・ラザク通り（Jalan Tun Razak）沿いにその独特のデザインからひときわ目立つビルがある。巡礼積立基金（LTH、1995年LUTHより改称）の本部ビル（写真1）である。1969年に連邦政府は1963年に設立した組織（マラヤ・ムスリム巡礼貯金公社）などを改組してLUTHを設立した。当

写真１　LTH 本部ビル

時ムスリムであるマレー人の大半は農村部に居住していたために、巡礼の費用の積み立てに当たり金融機関へのアクセスが容易でなく、その資金は「タンス預金」となっていたとされる。このため巡礼「貯蓄」が国内の「資金循環」の流れに入らなかったために、当時必要とされていた投資資金の中に開発投資資金として取りこむことがもくろまれた。あわせて農村部マレー人の資金を活用し、彼らの経済的地位向上を図ることもその狙いとされた。この設立には当時、農村部のマレー人の貧困問題解決への取り組みに中心的な役割を担っていたマラヤ大学教授のウンク・アジズが重要な役割を果たした（参照　コラム４）。

また巡礼を管理・運営することにより積み立てられた資金はＬＴＨがイスラーム法に則って――アルコール製造・販売やギャンブル事業などは禁止行為のために投資対象外――運用される、という宗教上の大きな効果が得られた。預金者は巡礼に伴う煩瑣な準備や費用（交通機関、宿泊施設などの費用や手配などにかかる直接費用のほかに、現地での食事やバス代など間接費用が30％を占める）が軽減されるという間接的効果もあった。コロナ禍前（２０１９年）の巡礼に必要な標準費用は２万２９００RM（約59万５４００円、１RM約26円：２０１９年）、サウジアラビア政府からのマレーシア向けの巡礼割り当て人数は約３万人と公表されている。

また、投資機関としてのＬＵＴＨは新経済政策（ＮＥＰ）実施以降、別の大きな役割を担った。ＬＴＨはブミプトラ個人に替わる機関投資家として位置付けられ、ブミプトラの株式所有比率向上に貢献したからである。文字通りイスラームとマレー人支援策のリンクである。

なおムスリムの義務行為と資金という点では喜捨（Zakat）がある。これまでにしばしば、開発のための「有効活用」が議論されてきたものの、州政府権限下にあるという事情もあり実現には至っていない。

イスラーム銀行

第2がイスラーム銀行（ＢＩＭ）である。現在本社はＫＬＣＣの中心に近いペラ通り（Jalan Perak）、まさしくＫＬの中心地に移転した。設立の背景には国内、特に都市部においてアンワル・イブラヒム率いるマレーシア・イスラーム青年運動（ＡＢＩＭ）など在野のイスラーム復興運動の高まりがあった。このため１９８０年に与党・統一マレー人国民組織（ＵＭＮＯ）は在野勢力への対抗措置として政府主導による様々なイスラーム復興政策に乗り出していった。その１つが１９８３年にイスラーム金融の専業銀行として設立したＢＩＭである。同行は連邦政府が中心になり、政府機関１００％出資で設立され、10年間イスラーム専業銀行としての業務の独占が認められた。

その後、１９９３年以降商業銀行にもムダーラバなど無利子銀行スキーム（Interest Free Banking Scheme）に基づく金融商品の取り扱いが拡大された。また、イスラーム金融商品は当初はイスラーム銀行のみであったが、その後イスラーム保険、イスラーム債権などへと拡大している。

マハティール政権以降のアブドゥーラ政権、ナジブ政権もまた政策内容に違いは見られるものの、引き続き産業としてのイスラーム金融の育成を重点政策としている。２００１年に公表された金融部門に関するガイドライン『金融セクターマスタープラン』において、マレーシアをイスラーム金融の「ハブ」として育成することがうたわれ、その後ナジブ政権でも２０１１年にはイスラーム金融の国際化を強く打ち出し、政府の言うところの「成長産業」の柱の１つに据えてきていた。

ハラール（Halal）認証

最後がHalal認証ならびにハラール産業育成の試みである。写真2はKL市内の最大ショッピングセンターの１つＫＬＣＣの地下鉄の駅からツイン・タワーの地下入り口に設けられたマクドナルドの「認証済み」ポスターである。国内外の観光客が集まるショッピング・センターの一等地という場所を考えると、この広告が「わが社が提供する製品はハラールと認証済み」を国内だけでなく、海外からのインバウンドのムスリムにもアピールしていることになる。

マレーシア政府はハラール産業のハブ化という方針をアブドゥーラ政権の下で明確に打ち出した。具体的には『第３次工業化マスタープラン（ＩＭＰ３：２００６〜２０２０）』、ならびに『第３次国家農業政策（ＮＡＰ３）』である。それまでマレーシアは外資を積極的に導入し、特に電機・電子産業を経済成長のけん引役としてきた。しかしマレーシアと同じように、低賃金労働力を武器に電子産業など製造業の輸出を成長のエンジンとした中華人民共和国や後発のＡＳＥＡＮ諸国の急速な発展により、新たな牽引役を必要とした。情報通信産業、航空産業などに新たな牽引役を求めたものの、十分に機能しなかったことがハラールを戦略産業と位置付けた背景にある。いわば「次世代のエース」とイスラーム金融とともに位置付けたことになる。

ハラール認証機関としては総理府のイスラーム発展局（ＪＡＫＩＭ）が、また産業育成機関としては、同じく総理府直属のハラール産業開発公社（Halal Industry Development Corporation: ＨＤＣ、２００６年設立）が担当している。インドネシアのように民間の宗教団体がハラール制度を管理・運用している状況とは大きく異なる。

写真２　ハラールの看板

産業振興策として政府はハラール企業に対する優遇税制措置を適用するほか、ハラール産業集積を目指した工業団地ハラル・パーク（Halal Park）の設置などを行い支援している。

以上３つの「接合」の試みの共通する要素が連邦政府の関与である。１９５７年の独立時にイスラームを「連邦の宗教」と規定し、他の宗教よりも高い地位を与えてきた。加えて、マレー人社会の貧困問題という社会課題に関して、「マレー人とはムスリムである」というフィクション（実際にはムスリムではないマレー人は存在する）の憲法規定の下で、イスラーム促進政策をマレー人の貧困削減の1つのツールとして結果的には用いてきたといえる。

もう1点、マレーシア政府のイスラーム化政策の意味合いについて触れておこう。マレーシアはイスラーム世界全体からすれば、その「周辺」に位置するに過ぎない。史料で確認できる範囲内では、イスラームが東南アジアの王権に最初に受容されたのは14世紀のスマトラ島にあったサムドラ・パサイ王国である。その後、15世紀にはマラッカ王国へ伝播し、同国が港市国家として、その影響力を拡大するにつれ、近隣のスマトラ島やマレー半島の各地に拡大していった。イスラームはアラビア半島を出発点として、西アジアから南アジア、そして東南アジアへと拡大する中で、各地の様々な要素――土着の宗教や慣習など――を取り込んできた。この過程からもわかるように、マレーシアのイスラームもまた正統なイスラームに様々な要素が入り込み、「中心世界」から見れば周辺であり、宗教的権威を持つものではない。そこでBIMを中心とした金融部門、さらにはハラールという認証行為を通じて、マレーシアのイスラームが他のイスラーム世界から宗教的権威を持つイスラームとして認められること、その結果イスラーム世界の中で地位を高めることと、そこにもう1つのマレーシア政府の意図があるのだろう。

（鳥居　高）


〈参考文献〉

桑原尚子「金融制度へのイスラーム法の導入―バンク・イスラームマレーシアを事例として―」（『アジア経済』第39巻第5号（1998年5月））。

鳥居　高「マレーシアにおけるイスラーム経済の展開―イスラーム銀行を中心にして―」（青木保ほか編『アジアの世紀　第5巻　市場』所収、岩波書店、2003年）。

中川利香「開発戦略とイスラーム金融の融合の試み―イスラーム銀行を中心に―」（鳥居高編『マハティール政権下のマレーシア―「イスラーム先進国」を目指した22年―』所収、アジア経済研究所、2006年）。

53

新しいマレーシアの経済

――★スタートアップ・エコシステムと新たなビジネス機会★――

現在、世界のビジネスシーンにおいてテクノロジースタートアップ企業の存在感が一挙に増した。マレーシアでも、この新たな波を受け、過去10年ほどでテクノロジースタートアップが勃興してきている。

マレーシア第1号ユニコーン・カーサム

2021年7月、新興のカーサム（Carsome）が初のユニコーン企業となったことが話題となった。ユニコーンとは、未上場企業で推定企業評価額が10億米ドルに達し、通常は創業後数年から長くても10年程度の企業を指す。マレーシア第1号ユニコーンとしてのカーサムは2015年にエリック・チェンとテオ・ジウンエが共同創業した中古車オークションの取引プラットフォームを提供し、現在ではシンガポール、タイ、インドネシアにも展開している。中古車市場は情報の非対称性が大きく、また、取引業者の情報もまとまっていなかった。カーサムを通じて、買い手に安心して購入できるような情報提供を行い、売り手はオンラインで買い手を広く集めることができるようになった。

help customers sell their used cars through a trusted, convenient and fast process.

This simple process starts with booking an appointment online. Our extensive 175-point inspection process is free and takes only 30 minutes at a CARSOME Inspection Center.

Our highly-trained inspectors are well-equipped to provide a complete car condition report before an on-the-spot offer is given. Alternatively, customers can proceed with bidding where our network of dealers will have the chance to place a bid. After the sale is confirmed, all paperwork will be handled by us.

From car inspection, ownership transfer, to easy financing, selling a car becomes hassle-free. CARSOME eliminates the pain points in the traditional used car selling process, offering effective solutions to consumers and used car dealers.

In August 2020, we launched 'The New Way of Buying Cars', a brand-new service that offers consumers a seamless car buying experience.

Enter www.carsome.my, click on the Buy Car tab, and consumers can browse for their dream cars to fit their lifestyle. All CARSOME Certified cars have a 360-degree view of the car's interior and exterior, a list of the current imperfections, a professional reconditioning report, as well as a fixed price with no hidden fees. Booking a test drive can be easily done anytime and anywhere on the website.

To give consumers quality assurance and peace of mind, all CARSOME Certified cars come with the CARSOME Promise, which includes a 5-day money-back guarantee, a professional 175-point car inspection, a 1-year warranty, and fixed price with no hidden fees.

マレーシア経済の新しい担い手として注目されるカーサス
（About Carsome | Sell and Buy Used Cars）

テック企業データベースのクランチベース（2023年8月15日）によれば、東南アジアには40社のユニコーンが存在しており、その大半は、金融と人材ハブのシンガポールと2億6千万人の大市場を擁するインドネシアが占める。3200万人という、決して小さくはないが大きくもない市場規模の都合から、野心的な成長を目指すスタートアップや投資家にとって、マレーシアは隠れがちな存在であった。そうしたなか、待望されたマレーシア第1号ユニコーンがカーサムだったのだ。

求められるスタートアップ

スタートアップの勃興は、マレーシア経済の新たな成長の源泉として重要である。先進国と新興国を問わず経済の活性化にはスタートアップが新たなビジネスを創出することが、鍵となることは世界の常識となった。東南アジアスタートアップの代名詞とも言える、マレーシア生まれのGrab（本社シンガポール）がこの10年ほどで人々の生活に浸透した。2022年8月11日、ローレンス・ウォン・シンガポール副首相は同社創業10周年行事で演説し、「（グラブは）東南アジアの8か国の480都市に拡大し、何百万人ものユーザーを抱えています。『グラブに乗る』という言葉は、タクシーを呼ぶということと同義になっていると思います」と述べた。これがグラブの成長を端的に示す表現と言えるだろう。スタートアップは、若者の人気就職先としてはもちろん、大企業からの転職組も少なくない。今後、スタートアップが伸びていくかどうかは、重要なカギとなることが明らかだろう。

マレーシアは、シンガポールとインドネシアに隠れがちではあるが、著名ビジネススクールＩＭＤの世界競争力ランキング（２０２３年）は64か国・地域中で27位と評価している。StartupBlinkのスタートアップ都市ランキング（２０２３年）の調査によれば、クアラルンプールは世界第87位と１００位以内に入った。東南アジアでは20位のシンガポールと29位のジャカルタに次ぐ順位であり、マレーシア政府のスタートアップ振興策について、投資家からは高い評価が寄せられている。

マレーシアのテクノロジースタートアップの振興策の源流は、１９９６年に提唱されたマルチメディアスーパーコリドー（ＭＳＣ）に遡り、ＭＳＣの実施機関として設置されたのが、マレーシアデジタル経済公社（ＭＤＥＣ）である。これまでにマレーシア政府によれば、マレーシアテック企業家プログラム（ＭＴＥＰ）、ファイナンシャルテクノロジーイニシアティブ、グローバルアクセラレーション・イノベーションネットワーク（ＧＡＩＮ）、イスラミック・デジタル・エコノミー、デジタル・トランスフォーメーションアクセラレーションプログラム（ＤＴＡＰ）の3政策が支柱となっている。

そして、よりスタートアップを意識した施策として、２０２１年11月には科学技術革新省は「マレーシア・スタートアップ・エコシステム・ロードマップ（ＳＵＰＥＲ）２０２１—２０３０」を発表し、情報プラットフォームとしてMYStartupも開設した。そして、２０２２年7月4日にはイスマイル・サブリ首相（当時）が、ＭＳＣの後継政策として「マレーシア・デジタル」を発表し、マレーシアのデジタル化政策は次のステップへと進むこととなった。デジタルエコノミーの発展とスタートアップの振興はマレーシア経済が発展するために必須であり、2022年11月の第15回総選挙で誕生したアンワール政権でも変わることはないだろう。むしろ、過去の因習にとらわれずに、スタートアップを積極的に後押しする可能性もある。

「グラブ」から学ぶ

一方で、マレーシアにとって苦い経験もある。東南アジアのテックスタートアップで最も成功したグラブは、マレーシア人の手によってマレーシアで創業されたものの、現在はシンガポールに本社を構えて、2021年、米国のニューヨーク証券取引所に上場したという事実がある。残念ながら、マレーシアドリームというよりは、シンガポールドリームの体現者だ。共同創業者のアンソニー・タンはタンチョン・グループ総帥タン・ヘンチューの息子であり、もう一人のタン・ホーイリンはマレーシアの公立学校に通い二人とも大学以降は海外で教育を受け、アンソニーは米国シカゴ大学、ホーイリンは豪州バース大学に学んだ。二人は米国のハーバード・ビジネス・スクールで出会って意気投合し、米国で展開していたウーバーから着想を得て、マレーシアでも安全にタクシーを使えるようにとマイテクシー社を2012年にクアラルンプールで起業した。

資金調達の過程で、カザナ・ナショナルからは得られずに、シンガポールのテマセク・ホールディングスから獲得し、それを機に本社をシンガポールに移転したという経緯がある。カザナからの資金調達を断念した理由は手続きの煩雑さだと報じられている。他方で、カザナのアズフル・ザイヌディン・チーフ・インベストメント・オフィサーは、「カザナはベンチャーキャピタルに、スタートアップ投資はせず、より大規模投資に注力している（ためにグラブには投資しなかった）」と弁明している。このように過去に、グラブを巡って「惜しい」事態が発生しているが、カーサムのユニコーン化や新たなデジタル施策やスタートアップ支援は、マレーシア経済の新しい可能性を切り開くことにつながる。

加えて、今後のマレーシア経済へのインパクトを生み出しそうなのは財閥の動きだ。従来のマレーシア経済は財閥の存在抜きには語れず、経済だけでなく政治にも影響がある。例えば、不動産開発等を中核に成長してきたサンウェイ・グループは、中核の不動産業は創業者ジェフリー・チアの愛娘セレナが中心となって引き継ぎつつある一方、息子のエヴァンはKK Fundと組んで5000万米ドル規模のベンチャーキャピタルファンドを生成している。マレーシア経済を見る上で欠かせない財閥の変化を促しているのもスタートアップの存在なのである。また、マレーシアは戦略的にハラール産業やイスラーム金融を育成してグローバル市場で存在感を高めたように、イスラム経済とテクノロジーをかけ算したような企業が活躍する土壌となる可能性は大いにあるだろう。マレーシアのテックスタートアップエコシステムは、マレーシア経済を活性化させる新たなニッチとして重要性を持つことになるのではないか。

（川端隆史）

〈**参考資料**〉

中野貴司・鈴木　淳「東南アジアスタートアップ大躍進の秘密」（日本経済新聞社、２０２２年）。
Google, Temasek, Bain&Company(2022), e-Conomy SEA 2022 Roaring 20s: The SEA Digital Decade (https://economysea.withgoogle.com/)

54

農村はどうなっているのか？

★農業の空洞化とアブラヤシ生産の広まり★

伝統的農作地の変貌

１９９０年代の半ば、マレーシアは高度経済成長の真っ只中にあった。その頃筆者は、ジョホール州の村に2年あまり滞在していたが、クアラルンプールなど大都市とその周辺では、巨大な商業施設やコンドミニアムの建設ラッシュが続いていた。その一方で、半島マレーシアの農村を旅行すると、雑草の生い茂る水田や、長らく樹液を採取した形跡がなく、あたかも森に帰っていくかのようなゴム林を目の当たりにすることが多かった。こうした耕作放棄地拡大の原因は、根本的には１９７０年代以降マレーシアが経済発展していく中で、農業の経済性が相対的に低下し、若者の農業離れが進んだということに尽きる。

１９８０年の政府報告によると、半島マレーシア全体で89万haの耕作放棄地が存在するとされ、その内訳は、ゴムの小農園が82％（約73万ha）、水田が残る18％（約16万ha）を占めるとされた。当時の農民によるゴムの栽培面積が約１００万ha、米の栽培面積が約28万haであることを考えると、耕作放棄地の規模がいかに大きいかがわかるだろう。

もちろんマレーシア政府は、ゴムや米を生産する農民を何ら

第54章

農村はどうなっているのか？

支援してこなかったわけではない。たとえばゴムに関しては、1973年設立のゴム産業小農開発公社（RISDA）を通じて新しい優良品種のゴムへの植え替えを支援してきた。また1966年設立の連邦土地統合・再開発公社（FELCRA）を通じて、村落周辺の土地を再整理・再開発し、ゴムに代わる高収益作物としてアブラヤシの導入を進めた。米に関しても、半島マレーシア北部の穀倉地帯、クダー、プルリス両州にまたがるムダ農業開発公社（MADA）の管轄地域など一部の地域では、1960年代後半から1970年代にかけて大規模な灌漑整備事業を実施している。そこでは、日本では見られないような大型の収穫機が稼働し、安定した二期作が行われるようになっている。

しかしこうした政府の支援をもってしても、高度経済成長を経た今日のマレーシアでは農業の空洞化とでもいうべき事態が進行している。経済発展にともなう農業の後退は日本の経験とも共通しているが、違いもある。多くのマレーシア国民にとって米は主食だが、既に植民地期から供給の多くをタイなどからの輸入に頼ってきた。独立後の米の自給率は、1960年代初めの60％程度から1970年代・80年代には70％～80％台に上昇するが、その後低下し2000年代半ば以降は再び60％程度で推移している。国として米の自給を目指していないから、価格支持制度や高関税を通じて米生産を全面的に保護しようとは考えない。大規模な灌漑整備事業も主要穀倉地帯に限られている。ゴムも国際市場で取引される商品作物であり、政府が莫大な財政負担を行って高い価格支持を与えることはない。人々が農業を見る目もクールである。1971年に始まる新経済政策の下で、雇用や教育などの面でマレー人を優遇するいわゆるブミプトラ政策が採用され、農村人口の主体をなしてきたマレー人の若者たちの間に農業以外の就業機会が急速に拡大した。筆者の調査村でも、農民の親たちは、子どもたちに農業の継承ではなく、公務員であれ、工場労働者であれ、できる限り高い教育を受けて高い所得が得られる職業について欲しいと願っていた。

拡大したアブラヤシ生産と課題

ここまで見てきた伝統的な農村に対し、エステートとかプランテーションと呼ばれる大農園が卓越する地域の状況はどうだろうか。独立後間もないマレーシアでは、プランテーション部門は、工業化が軌道に乗るまでの国民経済を下支えする産業として重視された。植民地期にマレー半島西部に建設された外国資本の大農園は独立後も温存され、時間をかけて資本をマレーシア化する戦略がとられた。さらに政府自体が主体となってプランテーション部門の拡大が図られた。1960年代〜1970年代にかけて、マレー半島中央部や東部の広大な熱帯雨林地帯に、1956年設立の連邦土地開発公社（FELDA）を代表とする政府系機関による、商品作物の生産に特化した入植地が次々と建設された。入植地の中心には作物を処理する工場や管理事務所、学校やモスク、居住地が配置された。入植者はマレー人を中心とし、民族間の所得格差の縮小や、農村部の貧困を解消する手段としても機能した。

エステートでの栽培を中心に、独立後のマレーシアで急激に生産を伸ばしてきた作物がアブラヤシである。果実の果肉から採れるパーム油と種子から採れるパーム核油は、洗剤、化粧品、食品などに用いられ、近年はバイオ燃料へと用途が広がっている。日本では家庭用食用油としては普及していないが、インスタントラーメンやスナック菓子、チョコレートなどに幅広く用いられている。マレーシアのアブラヤシ栽培面積は、1960年代初めの5万ha程度から一貫して増加し、2010年代半ば

アブラヤシの集荷作業

には500万haを超えている。2000年代後半には世界一のアブラヤシ・パーム原油生産国の座をインドネシアに譲るが、1980年代～2000年代にかけては世界のパーム原油生産の5割程度を占めていた。マレー半島西部の大農園では、1960年代末以降いち早くゴムからアブラヤシへの切替が進んだ。政府系の入植地でも、大半が商品作物としてアブラヤシを採用した。中国やインドといったアジアの大国の経済成長により安価な植物油としてのパーム油への需要が拡大する中、1980年代末以降はマレーシアにおけるアブラヤシ生産拡大の前線は、ボルネオ島のサバ州、次いでサラワク州に移動する。かつてはマレーシアのアブラヤシ栽培面積の9割近くを半島マレーシアが占めたが、2010年代半ばにはボルネオ島が半島マレーシアを上回っている。

こうしたアブラヤシ生産拡大の下で、パーム油産業が抱えるさまざまな課題も露呈してきている。その1つは、ボルネオ島におけるアブラヤシ大農園の開発が、急激な熱帯雨林の消失や現地住民との土地や環境をめぐる軋轢をもたらしていることなどに対する国際社会や市民社会からの批判の高まりである。2004年設立の持続可能なパーム油円卓会議（RSPO）など、利害関係者を集めた議論の場を通じてこうした課題への取り組みがなされている。もう1つの大きな問題は、大農園の労働力不足である。若者の農業離れは伝統的農村に限ったことではない。半島マレーシアの大農園の主要な労働力となってきたインド人の家族や、入植地のマレー人の家族の若者たちも、農園労働には関心を示さず農村を離れていった。その後を埋めているのが、インドネシア人を中心にバングラデシュ人などからなる外国人労働力である。彼らを適切な労働環境の下で持続的に雇用していけるのか。今日のマレーシアのパーム油産業はこうした危うい構造も抱えているのである。

（永田淳嗣）

〈参考文献〉

永田淳嗣「半島マレーシアにおける農業の空洞化」（春山成子・藤巻正己・野間晴雄編『朝倉世界地理講座第3巻 東南アジア』朝倉書店、2009年）。
林田秀樹編著『アブラヤシ農園問題の研究Ⅰ【グローバル編】―東南アジアにみる地球的課題を考える―』（晃洋書房、2021年）。
林田秀樹編著『アブラヤシ農園問題の研究Ⅱ【ローカル編】―農園開発と地域社会の構造変化を追う―』（晃洋書房、2021年）。

55

多様な環境問題と問われる法対策

★森林資源開発から工業化まで★

マレーシアでは環境問題は少ないはずと、考えられがちである。人口が小さく、国土が広く、環境容量が概して大きいためである。しかし、同国では多種多様の環境問題が生じており、産業関連施設起因の汚染だけでなく、豊かな天然資源開発に伴う汚染や生態系破壊の問題、さらにはマラッカ海峡の油濁汚染やヘーズの越境汚染等にも見舞われ、政府は解決に苦慮している。

環境問題の所在

時代別には、1970年代以降にサバ州マムート銅鉱山の鉱害問題、埋め立て事業による汚染、パーム油や天然ゴム等の農産品加工による水質汚濁や廃棄物問題、1990年代以降に製造業やハイテク産業からの公害、排水路・レストラン等の商業施設・養鶏・養豚場からの汚染、近年は、廃棄物処分場、建設事業、ゴルフコース、土取り場、森林伐採場、プランテーション、スラム等からの汚染や海洋での重金属汚染等が注目されている。希少生物の違法取引、生息地破壊と個体数減少、遺伝子資源の危機も叫ばれている。次に、公害輸出の事例を検討する。

主要産業のオイルパーム農園もまた再開発の波に

これは、日本の企業が関与した希土類を巡る事件である。三菱化成㈱（現、三菱ケミカル㈱）が35％を出資した現地法人アジアン・レア・アース社（ARE）がイポー州ブキ・メラでモナザイトと呼ばれる希土類掘削中、トリウム放射能を含む残土を工場裏手の池や地面に野積み状態で放置し、ドラム缶に詰めた後も屋根無し場所に保管する等の杜撰管理を行い、放射能に汚染された土砂が水田等に流出し、近隣住民に異常出産、白血病や癌を生じさせ、重大な被害を与えたというものである。最高裁判所まで争われた東南アジア初の日系企業の訴訟事例であり、1994年に汚染残土を放置したまま工場を閉鎖し、2003年～2005年に長期保管施設に放射性廃棄物を移転したとされるが、会社側には一部の違法投棄を指示したとの報告さえもある。被害者への謝罪と補償が十分果たされずに撤退した公害輸出の典型事例といえよう。背景の一つに、日本が1968年原子炉等規制法を改正し、放射性廃棄物の投棄保管により厳格な規制を課したことがあるとも言われている。希土類を巡る類似事件はパハン州クワンタン港に近いグブン（Gebeng）工業団地でも発生している。

環境法政策と現況の課題

2002年「国家環境政策」（National Policy on the Environment, DASN）は、環境管理、自然の力と多様

性保護、環境質の継続的向上、天然資源の持続的利用、統合的な意思決定、民間部門の役割、コミットメント有責性、国際社会への積極的参加の8項目を掲げる。具体的実践に関わる「グリーン戦略」は、教育と意識向上、効果的な天然資源・環境管理、統合的な開発計画の実施、公害・環境悪化の防止規制、行政・制度的枠組みの強化、地方及び地球的環境問題への積極対応、行動計画の策定・実施を強調する。これら政策に対し、「開発重視の基本姿勢」、「参加型の環境ガバナンス軽視」といった批判もある。

連邦レベルの法システムでは、１９７４年の環境質法（ＥＱＡ）とその下位法令（Rule, Regulation, Order）がある。適用対象は多岐に及ぶが、その基本的姿勢は、公害予防→公害規制→訴追→処罰といった規制重視である。サバ州、サラワク州には、より広い自治権を認めた２００２年「サバ環境保護法」と２００５年「サラワク天然資源環境条令」がある。

熱帯雨林資源国マレーシアにとって、森林資源保全は環境問題の１つ（撮影：鳥居高）

しかし、例えば廃棄物分野では、一部変化も見られる。規制一辺倒の対応だけでは問題解決が困難なためである。近年、規制対象の拡大、リサイクルの推進、罰則強化、事業者による自己規制強化等の強化を宣言する一方、２０１５年の「固形廃棄物の処理戦略」の中で、過去の「ゆりかごから墓場まで」（Cradle to Grave）を改め、「ゆりかごからゆりかごまで」（Cradle to Cradle）の４Ｒリサイクル（Reduce, Reuse, Recycle, and Recover）の奨励（20%から70%への回収率引上げ）、廃熱利用の促進、ＢＡＴ（最大限利用可能な技術：Best Available Technology）の活用等を宣言する。廃棄物処理に対する意識変化が見られる。

今後の環境管理に問われる課題

環境問題に社会的な視点や民主的な要素を求める声が国際的に高まっている。問題解決にあたり、ＳＤＧｓ（持続可能な開発目標）、持続可能な開発、ビジネスと人権、ＣＳＲ等を重視する傾向が見られ、関連の条約や宣言の批准が増えている。アジア諸国でも、民主的な手続きと社会配慮を積極的に取り入れる傾向が強まりつつある。これらの視点から、同国の環境管理の現状を見る。

第一は、ＮＧＯ「環境法律家同盟」（ELAW, Environmental Law Alliance Worldwide）による環境アセスメント法令の評価である。同国は、日本、中国、フィージー等と並び、プロジェクト実施過程での社会配慮システムを欠いていると指摘されている。社会配慮とは、人権、コミュニティー、文化社会等への配慮であり、ジェンダー、経済的弱者、障害者等への配慮を含むものであり、環境配慮とは区別して、議論されてきた。国際援助機関は、環境アセスメントの適用を通して社会配慮の実施を要求する。マレーシアでは、直接的な環境影響のみが評価対象とされ、社会配慮や累積的な影響、経済配慮等は除外され、公衆協議や公聴会の開催方法や提出資料に関する規定は未整備状態にある。

第二は、環境民主化インデクス（ＥＤＩ）と呼ばれるアメリカの環境ＮＧＯ「世界資源研究所」（ＷＲＩ）が公表する環境面の民主化度を示す指標結果に基づくものである。２０１４年９月現在の調査で、マレーシアは途上国を含む70か国中第69位であり、ハイチやナンビアと並ぶ最下位にある。ＷＲＩは、同国の透明性と参加制度が極めて立ち遅れていると評している。評価方法は、連邦レベルの法令内容と実施状況を、2010年のUNEP Bali Guidelinesに照らし、実施したものである。同国で、環境情報へのアクセス権は、要求すれば保障されると規定するが、政府側に情報提供義務が課されておらず、環境参加の機会が極めて狭く、政府には説明責任がないと解されている。また、環境訴訟面では、環境裁判所、公益訴訟、SLAPPといった制度はなく、法律は、判決の迅速な執行を政府に義務付けておらず、当事者適格の範囲も狭く規定する。

同国は、環境問題の解決策として、規制手法・対象の拡大、責任範囲の拡大、罰則強化の政策を重視する。しかし、規制強化を旗印にした手法だけでは、とりわけ現代型の環境問題解決には不十分である。一般国民の参加と共に、適切かつ効率的な管理手法の開発が必要である。

（作本直行）

〈参考文献〉

環境法政策学会編『アジアの環境法政策と日本：その課題と展望』（商事法務研究所、2015年）。
作本直行「アジア諸国の環境法制と民主化―マレーシアの国家主導型環境法制の行方―」（人間環境問題研究会編『環境法研究』第44号、有斐閣、2019年12月）。
藤崎成昭編『発展途上国の環境問題』（アジア経済研究所、1992年）。

V

「小さな国」の周囲との関係

56

マレーシア外交

★多国間、途上国のリーダー、そしてイスラーム★

「小国」マレーシア

マレーシアは「小国」だ、と、歴代の首相自身などの政治指導者や研究者が指摘している。2022年の名目GDP規模で見れば4079億米ドルで世界36位であるから、実はさほど小国でもない。しかしながら、外交や国際政治、安全保障では、大きな潮流を作れる国が大国であり――その典型が米国――、マレーシアは「小国」だという認識は正しいといえるだろう。その「小国」たるマレーシアが激動の国際政治で生き残り、かつ、国際情勢から自国にとって利益となる状況を作り出すには、一定の国に依存せずに、バランスをとる道を選んできた。あまり知られていないことだが、マレーシア外務省は1956年に設立され、マレーシア政府が最初に設置した在外公館は、ロンドン、ワシントン、キャンベラ、ニューヨーク、ジャカルタ、そしてバンコクであった。これらの国々を見ると、国際政治のパワーの源泉であった米国、関係の深い旧宗主国の英国、地域大国かつ英連邦諸国の豪州、そして、東南アジアの大国であり、国際社会で外交上のリーダシップを発揮していたインドネシアとタイを選んだ、と解釈できる。以来、マレーシア政府は85か国・地域・国際組織に計111の在外公館を設置するに至っている（政府代表部含む実館のみ、兼轄除く）。

マレーシア外交の原則

マレーシア外務省のホームページには、外交政策の5つの原則が記載されており（https://www.kln.gov.my/web/guest/foreign-policy）、外交方針の基本が集約されている。その中から重要なポイントを紹介しよう。

第一に、マレーシアが置かれた国際環境について、「東南アジアにおける戦略的な位置、貿易国としての特性、および独自の人口統計という3つの主要な要因によって大きく影響を受け、かたち作られている」との認識が示されている。つまり、マレーシアは東南アジアの一員であり、かつそのほぼ中央に位置し、マラッカ海峡という海洋交通の要衝を抱えているという地理的、戦略的な位置づけにあるとしている。そして、貿易立国であることと、マレー系、華人系、インド系、そしてその他の多様な民族から成る多民族国家であるという点を、マレーシアの独自の立ち位置と見なしている。

第二に、東南アジア諸国連合（ASEAN）との外交関係が説明される。「東南アジア諸国連合（ASEAN）は引き続きマレーシアの外交政策の要」とした上で、「2015年のASEAN共同体の設立により、地域レベルでのマレーシアのアプローチと関与が大幅に向上した」と記載されている。ここで初めて、具体的な外交対象が登場する。したがって、マレーシアにとって最優先の外交対象はASEANであることが読み取れる。そして、2015年のASEAN共同体（AC）はマレーシアにとって、外交上の選択肢や戦略の幅が大きく増えたと受け止められている。ASEANよりもより近隣国・地域との協力枠組みとして、ブルネイ・インドネシア・マレーシア・フィリピン東ASEAN成長地域（BIMP-EAGA）、インドネシア・マレーシア・タイ成長三角地帯（IMTGT）にも触れられている。

第三に言及されているのが国連であり、「国連の加盟国として、マレーシアは世界の平和、安全、繁栄を促進するための多国間主義に全面的に取り組んでいる」と謳う。マレーシアが国連の場で貢献しているさまざまな活動の中でも、平和維持活動（PKO）の参加については特別に言及が見られ、「世界の平和と安全を促進するという、国際社会の使命を遂行するというマレーシアの献身の証」だと強調される。その上で、マレーシアは、「孤立主義や一方的な行動ではなく、関与と協力の原則を継続する」と、ユニラテラリズムを否定し、マルチラテラリズムを肯定して原則として位置づける。

第四には、国際技術協力が取り上げられている。かつてのマレーシアは、技術協力を受ける側であったが、1人当たりGDPが1万米ドルを突破し、高所得国入りも数年後ほどに近づく中、近年は、他の開発途上国を対象とした援助国としての活動が目立つようになってきている。ここでは、マレーシア技術協力プログラム（MTCP）とランカウイ・ダイアローグが具体的に挙げられている。もはや、マレーシアはかつてのように開発途上国という分類から、国際社会において援助側へとまわり、国際社会の発展を導くグループへと入りつつあるのだ。

第五に、イスラーム外交が強調される。マレーシアは、イスラーム教徒が人口の約3分の2大多数を占める国であり、かつ、憲法では「連邦の宗教」はイスラーム教であると明言されている。マレーシアという国家において、多民族・多宗教社会でありながらも、イスラーム教は中核的なアイデンティティの一つである。それが外交という場面にも現れているのである。具体的には、「ウンマ（イスラム共同体）との連帯と並んで、イスラム協力機構（OIC）の協力精神を重視する」としている。そして、

OIC以外でも、イスラム教徒が多い、あるいは一定のプレゼンスを持つ国や地域が参加する国際組織や多国間協力枠組みとの協力として、非同盟運動（NAM）、英連邦、G77、D8、アジア中東対話（AMED）、極東アジア中南米協力（FEALAC）、環インド洋連合（IORA）、アジア欧州会議（ASEM）、アジア太平洋経済協力（APEC）が挙げられ、「これらの組織を通じて、マレーシアは開発途上国とイスラム世界の間で南南協力を促進する試みをしてきた」とする。

新政権と外交

2023年にはアンワール政権が発足した。上記の外交原則については、イスマル・サブリ前政権からの修正はほぼ見られていない。また、アンワール・イブラヒム首相は、外相の経験こそないが、1990年代にマハティール内閣で副首相、財務相といった国際関係に関わる重要ポストを経験している。また、アンワール内閣で外相に起用されたザンブリ・カディールは手堅い政策手腕で知られている。新政権においても、主要な外交方針が変更されることはないだろう。そして、今後は、マレーシアが高所得国へと向かう中、「南」側やイスラーム圏、ASEANといった多国間枠組みを通じて、じわじわと存在感を高めていけるのか、注視して見ておきたい。こうした動きを日本も十分に認識し、マレーシアを途上国として一方的なベクトルで扱うのではなく、アジアやグローバルにおいて新時代のパートナーシップを築いていくことが重要だろう。

（川端隆史）

〈参考文献〉

鈴木絢女「マレーシアの外交・安全保障政策」（北岡伸一編『西太平洋連合のすすめ』所収、東洋経済新報社、２０２１年。https://researchmap.jp/7000009814/published_papers/36987094）
Southeast Asian Affairs 各年版、ISEAS – Yusof Ishak Institute:Singapore　https://bookshop.iseas.edu.sg/publication/7803

57

*ASEAN*とマレーシア

★10か国のグループの一員として★

ASEANの中のマレーシア

東アジアではASEANが従来唯一の地域協力・地域統合であった。2015年末にはASEAN共同体（AC）を創設し、その中心であるASEAN経済共同体（AEC）は東アジアでもっとも深化した経済統合となっている。マレーシアは、現在は全10か国で構成されるASEANの加盟国である。人口やGDPから見ると、マレーシアはASEANの中で相対的には小規模な国であるが、1967年の設立時の原加盟国であり、これまでもASEANにおいて重要な位置を占めてきた。本章では、世界政治経済の変化の下でのASEANの歴史と現在の状況、ならびにASEANの中でのマレーシアについて述べたい。

ASEANの人口は全10か国で2020年には約6・7億人と巨大で、世界人口の約9％を占めるが、マレーシアの人口は約3237万人でASEANの人口の約5％である。ブルネイ、シンガポール、ラオス、カンボジアよりは大きいが、インドネシア、フィリピン、ベトナム、タイ、ミャンマーに比べると相対的に小さい。またGDPに関しても、ASEAN全10か国のGDPは2020年に3兆0022億ドルであるが、マレーシアのGDPはその11・2％である。ただしASEAN総貿易に占めるマレーシアの貿易は17％でインドネシアの貿易より大きい。また1人当たりGDPは2016年に9503ドルで、シンガポールの5万9798ドル、ブルネイの2万7466ドルの次に大きく、ASEANの中ではシンガポールに次いで発展している国と言える。

ASEAN協力の発展と加盟国の拡大

ASEANは、1967年8月8日に「ASEAN設立宣言（バンコク宣言）」をもとに設立された。マレーシアは、インドネシア、フィリピン、シンガポール、タイとともにASEAN原加盟国5か国の一国であった。さらにはASEANの設立そのものが、マレーシアに関わっていた。ASEANは、ベトナム戦争やラオス危機といったインドシナ情勢を背景としながら、直接にはマレーシアの成立をめぐる域内紛争の緊張緩和の過程から設立されたからである。1963年のマレーシアの成立をめぐって、マレーシアとフィリピン、また、マレーシアとインドネシアで対立が起こり、マレーシアとインドネシア間では武力紛争が引き起こされるまでに至ったが、その後の緊張緩和の過程においてASEANが設立されたのである。

1967年からの10年間は、ベトナム戦争等を背景に、ASEANにとって政治協力の10年であった。1974年11月にクアラルンプールで開催された第4回ASEAN外相会議では、「東南アジア平和自由中立地帯宣言（ZOPFAN）」が出された。その後、1975年のベトナム戦争の終結とインドシナ3国の社会主義化等を背景に、1976年の第1回首脳会議からは政治協力の強化と域内経済協力が進められた。また1984年にはブルネイがASEANに加盟した。

1985年のプラザ合意以降の世界経済の変化は、ASEAN各国を急速な発展に導いた。プラザ合意以降の急速な円高・ドル安を背景に、ASEANへの日本からの直接投資が急増した。ASEAN各国はその変化に対応して外資依存で輸出指向型の工業化の発展戦略を進め、急速な経済発展を始めた。このような経済発展は「東アジアの奇跡」とも呼ばれ、マレーシアはその奇跡を体現した。ASEANの域内経済協力も、1987年の第3回首脳会議を転換点に、各国の外資依存で輸出指向型の工業化を支援する域内経済協力戦略へと転換し、ASEAN全体での発展を支援してきた。

1990年代に入るとASEANを取り巻く政治経済構造に歴史的変化が生じた。アジア冷戦構造の変化である。またそれに伴う中国の改革開放に基づく急速な発展であった。インドシナ情勢も一変し、1991年にはパリ和平条約が結ばれて、ベトナムのカンボジアからの撤退とカンボジア和平が実現した。これらの変化を受け、ASEANでは1992年の第4回首脳会議からはASEAN自由貿易地域（AFTA）が推進されてきた。AFTAは、適用品目の関税を2008年までに5％以下にすることを目標とした。そして冷戦構造の変化を契機に、1995年にはASEANと長年敵対関係にあったベトナムがASEANに加盟、1997年にラオスとミャンマーが加盟、1999年にはカンボジアも加盟し、ASEANは東南アジア全域をカバーすることになった。

ASEAN経済共同体（AEC）の創設と深化

1997年からは、タイのバーツ危機から始まったアジア経済危機が、マレーシアを含むASEA

N諸国に大きな打撃を与えた。アジア経済危機を契機にASEANを取り巻く政治経済構造はさらに変化した。第1に中国の急成長と影響力の拡大、第2に世界全体での貿易自由化の停滞と自由貿易協定（FTA）の興隆であった。これらの変化はASEANに協力の深化を強く迫った。

2003年10月の第9回首脳会議でASEANは、①ASEAN安全保障共同体（ASC、後にASEAN政治安全保障共同体：APSC）、②ASEAN経済共同体（AEC）、③ASEAN社会文化共同体（ASCC）からなるASEAN共同体（AC）を実現することを宣言した。3つの共同体の中心はAECであり、「2020年までに物品・サービス・投資・熟練労働力の自由な移動に特徴付けられる単一市場・生産基地を構築する」構想であった。2007年1月の第12回首脳会議では、ASEAN共同体創設を5年前倒しして2015年とすることを宣言した。2007年11月の第13回首脳会議では、第1にASEAN憲章が署名され、第2に（2015年のAECの実現へ向けての）AECブループリントが出された。AECの核であるAFTAも、2003年1月には先行加盟6か国（ASEAN原加盟5か国＋ブルネイ）によって関税5％以下の自由貿易地域として確立された。2010年1月には、同じく先行6か国で関税が撤廃されAFTAが完成した。

2008年からの世界金融危機はASEANにも影響を与えたが、ASEANは他の地域に比較して世界金融危機からいち早く回復して成長を持続し、世界経済におけるもっとも重要な成長地域となってきた。また世界金融危機後の変化の中で、環太平洋経済連携協定（TPP）が大きな意味を持つようになり、AECや東アジア全体の経済統合の実現を迫ってきた。このような状況の中で、ASEANはAECの実現に向かうとともに、2011年11月に地域的な包括的経済連携（RCEP）を

図 1　ASEAN を中心とする東アジアの地域協力枠組み

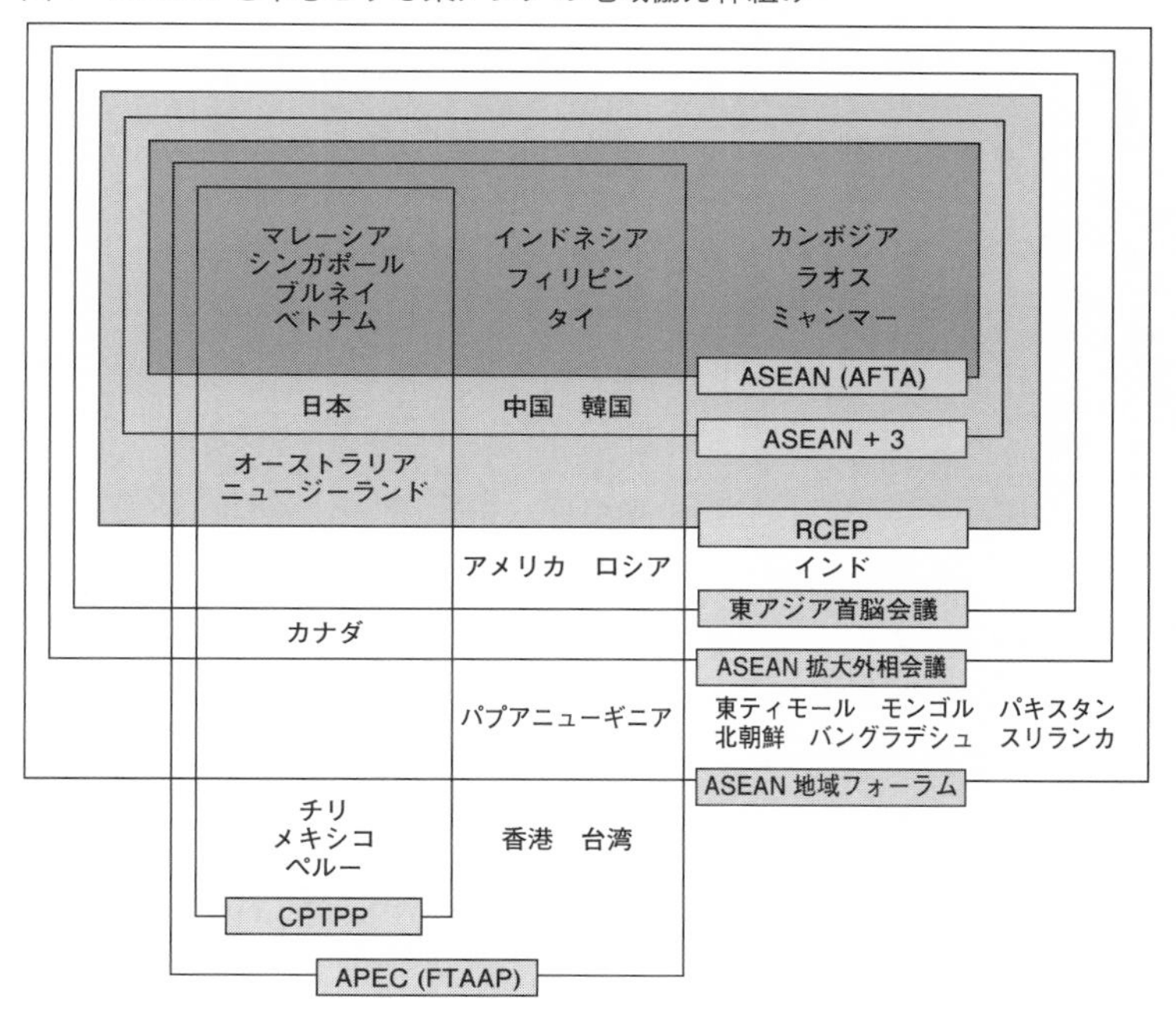

（出所）筆者作成
（注）（　）は自由貿易地域（構想を含む）である。
ASEAN：東南アジア諸国連合、**AFTA**：ASEAN 自由貿易地域、
RCEP：地域的な包括的経済連携、**CPTPP**：包括的及び先進的な TPP
APEC：アジア太平洋経済協力、**FTAAP**：アジア太平洋自由貿易圏、
TPP：環太平洋経済連携協定。

自ら提案した。RCEPは、1990年にマハティール・モハマド首相（当時）が提唱した東アジア経済協議体（EAEC）が長期的に実現するものとも言えるかもしれない。

ASEANはAECを中心に2015年末のASEAN共同体実現に向かってきた。2015年1月1日には、新規加盟4か国（CLMV諸国）の一部例外を除き、全加盟国で関税の撤廃が実現され、AFTAが全10か国で確立した（なお、CLMV諸国においては、関税品目表の7％までは2018年1月1日まで撤廃が猶予された）。AFTAは東アジアで最も自由化率の高いFTAである。またサービス貿易・投資・熟練労働者の移動の自由化も徐々に進められてきた。

第27回ASEAN首脳会議の際のASEAN10か国の首脳（2015年11月マレーシアの首都クアラルンプールで開催）（写真提供：AP/アフロ）

ASEAN統合の重要な通過点にあたる2015年のASEAN議長国は、マレーシアであった。2015年11月にはクアラルンプールで第27回ASEAN首脳会議と関連諸会議が開催され、「ASEAN共同体設立に関するクアラルンプール宣言」によって、2015年12月31日にASEAN共同体を正式に設立することが宣言された。また2025年に向けてのASEAN統合のロードマップである『ASEAN2025』が採択された。

第57章

ASEANとマレーシア

ＡＳＥＡＮは現在、次の目標の２０２５年に向けてＡＥＣを深化させている。２０１８年１月１日には、（２０１５年1月1日から3年間猶予されていた）ＣＬＭＶ諸国における７％の品目に関しても関税が撤廃され、ＡＳＥＡＮにおける関税撤廃が完了した。ＡＥＣでは、関税の撤廃による貿易の自由化とともに、非完成障壁の撤廃やＡＳＥＡＮシングルウインドウ（ＡＳＷ）などの貿易の円滑化が進められ、サービス貿易・投資・熟練労働者の移動の自由化も進められてきている。輸送やエネルギーの協力、経済格差の是正にも取り組んでいる。ＡＥＣによって人口６億人超の巨大統合市場が実現される。

また２０２０年11月には、ＡＳＥＡＮが提案したＲＣＥＰが東アジア15か国によって署名され、その後２０２２年１月１日に先ずは１０か国で発効した。同月に韓国、３月にマレーシアでも発効した。

ただし最近のＡＳＥＡＮとマレーシアを取り巻く政治経済状況は、厳しくなってきている。世界経済においては近年、保護主義と米中経済摩擦・米中対立が拡大してきた。さらに２０２０年からはコロナ感染も拡大し、ＡＳＥＡＮとマレーシアの経済に大きな負の影響を与えた。２０２２年２月からのロシアのウクライナへの軍事侵攻も、さらに大きな影響を与えるであろう。

２０２１年２月にミャンマーでは、国軍が軍事クーデターを起こして全権を掌握し、その後その状況が続いている。マレーシアはインドネシアなどとともにクーデターに反対し、ミャンマーに圧力をかけて民主化を促している。ミャンマーの軍事クーデターは人権と民主主義の侵害であるとともに、ミャンマーとＡＳＥＡＮの政治経済にも大きな被害を与える。このような中で、ＡＳＥＡＮの役割とＡＳＥＡＮにおけるマレーシアの役割は、更に重要となっている。

ＡＳＥＡＮは、従来東アジアで唯一の地域協力であり、着実に協力・統合を深化させてきた。ＡＳＥＡＮは域内での平和と安定に貢献し、経済発展に貢献してきた。また東アジアの地域協力・統合においても中心となってきた。厳しい世界経済の状況下ではあるが、ＡＳＥＡＮは、世界経済の中で更に大きな位置を占めるようになってきている。マレーシアはＡＳＥＡＮにおいて重要な役割を果たす。またＡＳＥＡＮ原加盟国としてＡＳＥＡＮの一員でいることは、マレーシアにとって、政治的にも経済的にもきわめて大きな意味がある。

（清水一史）


〈参考文献〉

石川幸一・清水一史・助川成也編著『ＡＳＥＡＮ経済共同体の創設と日本』（文眞堂、２０１６年）。

石川幸一・清水一史・助川成也編著『ＲＣＥＰと東アジア』（文眞堂、２０２２年）。

清水一史・田村慶子・横山豪史編著『現代東南アジア政治入門（改訂新版）』（ミネルヴァ書房、２０１８年）。

日本アセアンセンター『ＡＳＥＡＮ情報マップ』（https://www.asean.or.jp/ja/wp-content/uploads/sites/2/aseanmap_web_0513.pdf）。

58

マレーシアとシンガポール

★近親憎悪から有機的関係へ★

分離・独立から近親憎悪へ

マレーシアとシンガポールは、長さ48㎞のジョホール海峡（ジョホール水道とも言う）にかかる2本の陸橋（コーズウェイ橋と第2リンク）でつながっているものの、共存と競争という複雑な関係にある。マレーシアにとってシンガポールは輸出では第1位、輸入では第2位の重要な貿易相手国であり、中国に次ぐ第2位の対マレーシア投資国でもある。経済ばかりではなく、戦前のイギリス植民地時代には英領マラヤとして一体であり、1963年から2年間シンガポールはマレーシアの1州であったという歴史的なつながりによって、親戚や家族が互いにそれぞれの国で暮らしていることも稀ではない。また、ともにマレー人（シンガポールでは人口の14％）、華人（同75％）、インド人（同9％）という主要3民族からなる国家であり、シンガポールに住むマレー人の多くはそのルーツをマレー半島に持っている。

しかしながら、1965年8月のシンガポールのマレーシアからの分離・独立に至る摩擦によって、マレーシアはシンガポールの「仮想敵」になり、両国間の協力は絶望的になった。このような関係が好転するのは1970年代にASEANが米中和解などの国際情勢の変化によって団結と協力を深化させ、マレーシアの対シンガポール関係も大きく変わってからである。

もっともその後、両国間で基本的な信頼関係が築かれたとは言えなかった。

それは第1に、シンガポール分離・独立の要因となった「マレー人優遇政策」（参照 第9章）をめぐる激しい対立とそのわだかまりである。シンガポールは、マレーシアの1州だった時期にマレーシアの国家原理である「マレー人優遇政策」に異を唱え、特定の民族に対する優遇よりも、もっと一般的な社会的・経済的改革こそが恵まれない人々を援助する基本であると主張した。シンガポールが独立直後に掲げた「多文化主義」や「能力主義社会」は、「マレー人優遇政策」とは異なる統合価値を示そうとしたものでもあった。

当時の確執は決して過去のものではなく、1996年にシンガポール初代首相だったリー・クアンユーは再統合の可能性について質問され、「もしマレーシアがシンガポールと同様に能力主義を採用し、マレー人優遇政策をやめるなら、再統合はありえる」と発言し、マレーシアは強く反発した。

第2は経済的競合関係で、分離後の両国は通貨や航空会社、証券取引所などを分離させ、互いに競った。ただ、シンガポールが分離・独立直後から急速に経済発展し、今やシンガポールの1人当たりの国民所得はマレーシアの約6倍となったため、シンガポール政府要人がマレーシアを見下す発言を繰り返し、経済的競合は感情的な対立にもつながった。

第3は水問題である。国内に十分な水資源の無いシンガポールは北に隣接するジョホール州の水に依存してきた。コーズウェイ橋に沿って水道のパイプラインが3本あり、2本はジョホールから原水を運んでシンガポールで浄化して使うための、もう1本は浄化した水をジョホールに運ぶためのものである。ゆえに、両国間で問題が起こるとマレーシアは水の供給停止や料金引き上げを示唆、水問題は両国間の感情的な対立をますます激化させたのである。シンガポールは下水の再利用と海水の淡水化のための技術開発に取り組み、水問題を解決しようと躍起になってきた。

このような対立ゆえに、同じ歴史や文化を共有してきた両国の間に近親憎悪的な感情がつくられていった。シンガポールのナショナル・アイデンティティが主にマレーシアとの対抗関係において形成されたことも、近親憎悪的な感情をより強めた。

第2リンクの橋脚基礎工の様子。なお、第2リンクの完成は1998年で、コーズウェイ橋の大渋滞の緩和に役立っている（1996年8月23日、撮影：佐々木生治氏）

新たなる関係へ

しかし、マハティール・モハマドとリー・クアンユーという分離・独立時の激しい対立を体験した第一世代の政治家が第一線から退いた2000年代になって、ようやく友好関係が構築され始めた。経済のグローバル化によって東南アジアへの投資が減少する不安も、両国関係の強化を後押しした。

両国の関係が良好になったことをもっとも顕著に示すのが、ジョホール州のイスカンダル開発計画プロジェクトであろう。シンガポール国土面積の3倍の広さを持つ広大なイスカンダル地域は金融や商業関連の資本が集中するビジネス区、新行政区、教育機関や高級住宅の集中区、港湾関連施設区、ハイテクパークなど5つに分けられ、国際空港も整備される予定である。シンガポールは本社機能をシンガポールに残して工場をイスカンダルに移すことを企業に奨励し、2010年にクアラルンプールとシンガポールの首都間高速鉄道、2013年にはジョホールとシンガポール間の高速輸送システムの建設が合意された。イスカンダルへの民間投資は勢いづき、両国はようやく共存・補完という有機的関係に入った。

ただ、2018年に総選挙でマハティール率いる野党連合が勝利してマレーシアにおいて史上初の政権交代が実現し、再び首相となったマハティールは水供給問題に言及しただけでなく、多額の債務を理由に首都間高速鉄道と高速輸送システムの凍結を発表し、友好関係構築は頓挫した。その後、マレーシアの政権内対立が深刻化、マハティールは首相を辞任、ムヒディン・ヤシンが首相となった。首都間高速鉄道は2020年末に正式に中止となったものの、高速輸送システムは再開することで合意された。だが、Covid-19感染拡大は両国の友好関係への動きをまた停止させた。両国はそれぞれ感染対策に追われ、感染前は1日約41万5000人が行き交っていた2つの陸橋は閉鎖されてしまったのである。

2022年5月の第2リンク—交通制限解除直後は大勢の人で混雑したが、現在は行き交う人はまばらである（2022年5月22日、撮影：本田智津絵）

ワクチン接種が行き渡り、両国の感染状況が落ち着いた2022年4月1日、ようやく2つの陸橋の交通制限が完全に解除され、解除から2週間の間に延べ120万人が陸橋を渡って両国間を行き交った。今後はイスカンダルプロジェクトの推進や高速輸送システム工事の着工など、両国の有機的関係の深化が期待されている。

（田村慶子）

〈参考文献〉

田村慶子『シンガポールの基礎知識』（めこん、2016年）。
本田知津絵「対マレーシア関係――紆余曲折の2国関係」（『シンガポールを知るための65章【第5版】』（明石書店、2021年）。

おわりに

「マレーシアに関する概説書、あるいは旅行ガイドブックよりも詳しい包括的な本はないのでしょうか」と編者は機会があるごとに質問を受けてきた。機会とは、1990年代中頃までは圧倒的に民間企業あるいは国際協力機構（JICA）の赴任・派遣前研修の折である。いわばビジネス・ニーズと言えよう。しかし、徐々にこのニーズに変化が現れてきた。例えばマレーシア政府が推進しているいわゆるロング・スティ・プログラム（正式名は「マレーシア、私の第2故郷〔MM2H: Malaysia My Second Home〕」）参加予定者や修学旅行前の高校生、さらにはマレーシアの私立大学へ留学を希望する高校生からのニーズである。この変化は両国関係の変化を映し出していると言える。

日本とマレーシアの関係は琉球王国とマラッカ王国のつながりにまで遡る（コラム1参照）。また、そのマラッカはフランシスコ・ザビエルが日本人と出会い、日本への渡航を決心した場所でもある。続く徳川幕府の「鎖国」時期をはさみ、いったんは両国間の往来関係は途絶えた。時代は流れてアジア・太平洋戦争前の時期には当時の英領マラヤ（シンガポールを含む）は東南アジアの中でフィリピンに次ぐ日本人の重要な移民先となっている。

1941年12月8日のアジア・太平洋戦争開戦時には英領マラヤ、マレー半島東海岸コタバルに日本軍が最初に上陸した。翌42年2月のイギリス軍の降伏に始まる約2年と6か月余りは日本軍による英領マラヤ（含むシンガポール〔昭南島と改名〕）占領・支配という不幸な関係の日々となった。

戦後、日本は1957年にマラヤ連邦と国交を樹立した。それ以降両国の新しい経済関係を見ると、日本にとってマラヤ連邦は工業製品の輸出先および製造業企業の進出先となり、逆にマラヤにとって日本は一次産品の輸出先という関係となった。その後1970年代になると多くの日本企業がマレーシアをアメリカなど世界市場への輸出を目的とした工業製品の製造業品生産拠点と位置付けてきた（詳しくは第47章を参照）。

日本社会においてマレーシアの存在感が著しく高まったのは、1982年に就任間もないマハティール・モハマド首相が「東の国々から学ぶ」政策（ルック・イースト政策）を掲げ、日本経済や企業を目指すべきモデルと位置付けて以降であろう。さらに1985年のプラザ合意以降の急速な、かつ大量の日本企業の進出により、マレーシアにおいても日本企業・日本経済の存在感は高まった。

このように日本社会での認知度や日本経済とのつながりが強くなったマレーシアではあるが、これまでにマレーシアに関する包括的な概説書は1983年と1992年に刊行されて以来、類書の刊行はなかった。こうしたギャップを埋めるべく、本書が企画された。

今回、本書を企画・作成にあたって歴史、政治経済、外交、何よりもマレーシアの人々の生活に力点を置くことにした。宗教、言語、文学、ファッション、娯楽など幅広いテーマを扱うこととした。しかも、それぞれのテーマにつき各民族ごとに焦点を当てることを試みたので、幅広い分野の研究者にお声がけする必要があり、合計で29名もの方に参加していただくことで刊行にこぎつけることができた。独立始まって以来の政権交代が起き、また新型コロナの感染拡大という社会状況が大きく揺れるなかで、ご執筆や校正作業いただいたことに編者として心から感謝したい。なお、本書は刊行時期の予定から経済関係の章を除き、原則2022年5月までを扱っている。それ以降の動きに関しては紙幅が許す限りにおいて加筆した章もある。また経済に関してはコロナ禍の下でのデータや動きがいわば「異常値」であることから2019年までのデータをもとにマレーシア経済の「枠組みや構造」を提示することを中心に据えた。それ以降の新しい動きに関しては、アジア経済研究所の『アジア動向年報』や同所のHPから発信されている新しい分析や情報を参照いただきたい。

またこの間、編者や執筆者の作業を辛抱強く、ある時は優しく、時には厳しく叱咤激励してくれた明石書店の佐藤和久さんにも感謝したい。「エリア・スタディーズ」シリーズにASEAN加盟国の中で残されたマレーシアをぜひ加えましょう」という力強い言葉に励まされてきた。

私が地域研究者としてマレーシアという異文化社会に飛び込んだ際にマレーシア社会への水先案内人として導いてくれた人々がいる。各章を担当した執筆者にもそれぞれ、そんな存在があったはずだ。彼らの存在があって私たちの研究活動は成りたった。執筆者を代表して水先案内人になってくれた友人たちに、この場を借りて次のような言葉で感謝の気持ちを表したい。

マレーシアの友へ

今回日本のマレーシア研究者たちと『マレーシアを知るための58章』という本を刊行することができました。Karaoke とか Tsunami などいくつかの日本語しか知らない君だけれど、君と君の家族に一目見てもらいたいと思い1部送ります。各章に掲載された写真などからどんなテーマを扱っているかについて推測が付くのではないかと思います。

まだ、新型コロナとの闘いは続いています。もう少し落ち着いたら、すっかりマレーシアのファンになった家族とともに、君の家族を訪ねたいと思っています。その時には君のコメントを聞かせてくださいと。どうぞ、それまでお元気で。

日本の友より

2023（AH1445）年8月31日

独立記念の日に

舛谷　鋭（ますたに　さとし）［15, 33］
立教大学観光学部交流文化学科教授。
【主要な著作】
『蕉風・椰雨・犀鳥声――冷戦期の東アジア・東南アジアにおける華語出版ネットワーク』（共著、京都大学東南アジア地域研究研究所、2022年）、『シンガポールを知るための65章【第5版】』（共著、2021年）、『東南アジア文学への招待』（共著、段々社、2001年）。

山本博之（やまもと　ひろゆき）［18, 31, 36, 37, 40］
京都大学東南アジア地域研究研究所准教授。
【主要な著作】
『マレーシア映画の母　ヤスミン・アフマドの世界――人とその作品、継承者たち』（編著、英明企画編集、2019年）、『脱植民地化とナショナリズム――英領北ボルネオにおける民族形成』（東京大学出版会、2006年）、Yamamoto Hiroyuki et al. (eds.) *Bangsa and Umma: Development of People-grouping Concepts in Islamized Southeast Asia*. Trans Pacific Press, 2011.

吉村真子（よしむら　まこ）［29, 48］
法政大学社会学部教授。
【主要な著作】
『移民・マイノリティと変容する世界』（宮島喬との共編著、法政大学出版局、2012年）、『マレーシアの経済発展と労働力構造――エスニシティ、ジェンダー、ナショナリティ』（法政大学出版局、1998年）、AKASHI Yoji and YOSHIMURA Mako eds. *New Perspectives of the Japanese Occupation of Malaya and Singapore, 1941-45*. Singapore: National University of Singapore Press, 2008.

永田淳嗣（ながた　じゅんじ）［3, 54］
東京大学総合文化研究科広域科学専攻広域システム科学系教授。
【主要な著作】
「リアウ州におけるアブラヤシ農園産業の拡大と構造変化」（林田秀樹編著『アブラヤシ農園問題の研究Ⅱ【ローカル編】―農園開発と地域社会の構造変化を追う―』晃洋書房、2021 年）、『復帰後の沖縄農業――フィールドワークによる沖縄農政論』（新井祥穂との共著、農林統計協会、2013 年）、「半島マレーシアにおける農業の空洞化」（『朝倉世界地理講座第 3 巻　東南アジア』朝倉書店、2009 年）など。

長津一史（ながつ　かずふみ）［17］
東洋大学社会学部教授。
【主要な著作】
『国境を生きる――マレーシア・サバ州、海サマの動態的民族誌 』（木犀社、2019 年）、『小さな民のグローバル学――共生の思想と実践をもとめて』（共著、上智大学出版会、2016 年）、「開発と国境―マレーシア境域における海サマ社会の再編と揺らぎ」（加藤剛との共編著『開発の社会史――東南アジアに見るジェンダー・マイノリティ・越境の動態』風響社、2010 年）。

中村正志（なかむら　まさし）［35, 38］
独立行政法人日本貿易振興機構アジア経済研究所地域研究センター主任調査研究員。
【主要な著作】
『パワーシェアリング――多民族国家マレーシアの経験』（東京大学出版会、2015 年）、『マレーシアに学ぶ経済発展戦略――「中所得国の罠」を克服するヒント』（共著、作品社、2023 年）、『東南アジアの比較政治学』（編著、アジア経済研究所、2012 年）など。

信田敏宏（のぶた　としひろ）［19］
国立民族学博物館グローバル現象研究部教授。
【主要な著作】
『家族の人類学――マレーシア先住民の親族研究から助け合いの人類史へ』（臨川書店、2019 年）、『ドリアン王国探訪記――マレーシア先住民の生きる世界』（臨川書店、2013 年）、『周縁を生きる人びと――オラン・アスリの開発とイスラーム化』（京都大学学術出版会、2004 年）。

野元裕樹（のもと　ひろき）［21, コラム 5］
東京外国語大学大学院総合国際学研究院准教授。
【主要な著作】
『マレー語の教科書　詳解文法』（Next Publishing Authors Press、2020 年）、『ポータブル日マレー英・マレー英日辞典』（三修社、2016 年）、*Discourse Particles in Asian Languages*（共編、Routledge、2023 年）。

田村慶子（たむら　けいこ）［58］
北九州市立大学名誉教授・特別研究員、NPO 法人国境地域研究センター理事長。
【主要な著作】
『シンガポールを知るための 65 章【第 5 版】』（編著、明石書店、2021 年）、『多民族国家シンガポールの政治と言語――「消滅」した南洋大学の 25 年』（明石書店、2013 年）、"Looking into State and Civil Societies in Taiwan and Singapore through the Lens of Sexual Minorites," *Globalization and Civil Society in East Asian Space*, eds. by UM, Khatharya and Chiharu Takenaka, Routledge, 2023.

坪井祐司（つぼい　ゆうじ）［5］
名桜大学上級准教授。
【主要な著作】
『ラッフルズ――海の東南アジアの「近代」』（山川出版社、2019 年）、『東南アジアの歴史』（古田元夫編、分担執筆、放送大学教育振興会、2018 年）、『『カラム』の時代 VIII――マレー・ムスリムの越境するネットワーク』（山本博之との共編著、京都大学東南アジア地域研究研究所、2017 年）。

戸加里康子（とがり　やすこ）［25, 32］
マレーシア語講師・通訳。
【主要な著作】
『旅の指さし会話帳 15 マレーシア（マレーシア語）［第 2 版］』（情報センター出版局、2010 年）。

＊**鳥居　高**（とりい　たかし）［1, 2, 4, 9, 10, 11, 22, 34, 39, 41, 43, 46, 49, 51, 52, コラム 1, コラム 2, コラム 3, コラム 4, コラム 7, コラム 8］
編著者紹介参照（明治大学大学院教養デザイン研究科教授）。

中川利香（なかがわ　りか）［45］
青山学院大学地球社会共生学部教授。
【主要な著作】
「マレーシア中央銀行による優先部門貸出指導の変遷」（『経済論集』東洋大学経済研究会、第 48 巻第 2 号、2023 年）、「マレーシア銀行部門の中小企業向け貸出動向に関する考察」（『経済論集』東洋大学経済研究会、第 47 巻第 2 号、2022 年）、"The Effect of SME Financing Programs on Job Opportunities in Malaysia: A Panel-Data Analysis,"（『経済論集』東洋大学経済研究会、第 46 巻第 2 号、2021 年）。

佐藤万知（さとう　まち）［27, 28］
京都大学教育学研究科教育学環専攻教育社会学講座准教授。
【主要な著作】
佐藤万知・チャンダー ワン「多民族国家のアイデンティティ形成と大学教育――マレーシア」（米澤彰純、嶋内佐絵、吉田文編著『学士課程教育のグローバル・スタディーズ：国際的視野への転換を展望する』第4章　明石書店、2022年）、「大学教授職の役割細分化現象と課題：オーストラリアの教育担当教員を事例に」『名古屋高等教育研究』20、2020年）、「マレーシアにおける大学の機能別分化政策について」（広島大学高等教育研究開発推進センター編、戦略的研究プロジェクトシリーズ9『大学の機能別分化の現状と課題』2015年）。

塩崎悠輝（しおざき　ゆうき）［20, 42, コラム6］
静岡県立大学国際関係学部国際言語文化学科准教授。
【主要な著作】
『国家と対峙するイスラーム――マレーシアにおけるイスラーム法学の展開』（作品社、2016年）。

清水一史（しみず　かずし）［57］
九州大学大学院経済学研究院国際経済経営部門教授。
【主要な著作】
『RCEPと東アジア』（共編著、文眞堂、2022年）、『ASEAN経済共同体の創設と日本』（共編著、文眞堂、2016年）、『ASEAN域内経済協力の政治経済学』（ミネルヴァ書房、1998年）。

鈴木陽一（すずき　よういち）［7, 8］
早稲田大学総合人文科学研究センター招聘研究員。
【主要な著作】
「シンガポール共和国の建国について　人民行動党政府とイギリス帝国　1963-1966」（『アジア・アフリカ言語文化研究』95号、2018年）、「スルタン・オマール・アリ・サイフディン3世と新連邦構想　ブルネイのマレーシア編入問題　1959-1963」（『アジア・アフリカ言語文化研究』89号、2015年）、「グレーター・マレーシア、1961-1967　帝国の黄昏と東南アジア人」（『国際政治』126号、2001年）。

左右田直規（そうだ　なおき）［13, 14］
東京外国語大学大学院総合国際学研究院教授。
【主要な著作】
『歴史の生成――叙述と沈黙のヒストリオグラフィ』（小泉順子編、京都大学学術出版会、2018年）、『東南アジアを知るための50章』（今井昭夫編、明石書店、2014年）、*Conceptualizing the Malay World: Colonialism and Pan-Malay Identity in Malaya*, Kyoto: Kyoto University Press & Melbourne: Trans Pacific Press, 2020.

金子芳樹（かねこ　よしき）［12］
獨協大学外国語学部教授。
【主要な著作】
『「一帯一路」時代の ASEAN――中国傾斜のなかで分裂・分断に向かうのか』（共編著、明石書店、2020 年）、『現代の国際政治〔第 4 版〕――変容するグローバル化と新たなパワーの台頭』（共編著、ミネルヴァ書房、2019 年）、『マレーシアの政治とエスニシティ――華人政治と国民統合』（晃洋書房、2001 年）。

川端隆史（かわばた　たかし）［53, 56］
東南アジア研究者、Japan Southeast Asia Innovation Platform 編集委員、EY ストラテジー・アンド・コンサルティング株式会社インテリジェンスユニット シニアマネージャー。
【主要な著作】
「マレーシア企業の多国籍化――途上国のサービス産業の海外展開」（中村正志・熊谷聡共編『ポスト・マハティール時代のマレーシア―政治と経済はどう変ったか―』アジア経済研究所、2018 年）、「グローバル・ハラール・マーケットへの挑戦」（床呂郁哉・西井涼子・福島康博編『東南アジアのイスラーム』東京外国語大学出版会、2012 年）、「ウラマー指導体制下での汎マレーシア・イスラーム党（PAS）――イスラーム主義と民族問題のはざまで」（鳥居高編『マハティール政権下のマレーシア――「イスラーム先進国」をめざした 22 年』アジア経済研究所、2006 年）など。

熊谷　聡（くまがい　さとる）［50］
独立行政法人日本貿易振興機構アジア経済研究所開発研究センター・経済地理研究グループ長。
【主要な著作】
「東アジアにおける輸出構造の高度化―中所得国の罠へのインプリケーション――経済地理シミュレーションモデル――理論と応用」（共著、『アジア経済』61 巻 2 号研究所、2020 年）、『ポスト・マハティール時代のマレーシア――政治と経済はどう変わったか」（共編著、アジア経済研究所、2018 年）、『東アジア統合の経済学』（共著、日本評論社、2014 年）。

作本直行（さくもと　なおゆき）［55］
日本貿易振興機構アジア経済研究所名誉研究員、国際協力機構環境社会配慮ガイドライン異議申立審査役。
【主要な著作】
「アジア諸国の環境アセスメント――ミャンマーの 2012 年環境保全法と 2014 年第四次環境アセスメント法案の検討を中心に」（人間環境問題研究会編『環境法研究』第 38 号、有斐閣、2014 年）、「海外立地と環境リスク管理――アジアへの海外投資を中心に」（森嶌昭夫教授古稀記念論文集・環境法体系、商事法務、2012 年）、「アジア環境法の発展とエンフォースメント」（明治大学法学部『法律論叢　松村弓彦教授・笹川紀勝教授古稀記念論文集』第 83 巻 2･3 合併号、2011 年）。

梅﨑　創（うめざき　そう）［44］
独立行政法人日本貿易振興機構アジア経済研究所開発研究センター・経済統合研究グループ長。
【主要な著作】
「世界金融危機後のマレーシア経済：国際資本移動・為替レートの動向と政策対応」（『フィナンシャル・レビュー』〔特集 国際資本移動と新興国経済〕、2019(2)、2019 年）、「地域開発：均衡成長への終わらない挑戦」（中村正志・熊谷聡編著『ポスト・マハティール時代のマレーシア――政治と経済はどう変わったか』第 10 章、アジア経済研究所、2018 年）、"Monetary policy in a small open economy: The case of Malaysia", *DEVELOPING ECONOMIES*, 45(4), 2007 年 12 月。

奥村育栄（おくむら　いくえ）［16］
一橋大学大学院社会学研究科博士課程修了。
【主要な著作】
「構築される『教育問題』――マレーシア：多民族国家の隘路」（関啓子、太田美幸編『ヨーロッパ近代教育の葛藤――地球社会の求める教育システムへ』東信堂、2009 年）、「マレーシアにおけるインド人労働者家族の教育をめぐる諸問題の考察――言説によるイメージの構築という観点から」（『日本学習社会学会年報』第 3 号、2007 年）、「ある労働者夫妻の人生の軌跡と次世代の育み――マレーシアのインド人プランテーション労働者に着目して」『〈教育と社会〉研究』第 16 号、2006 年）。

鬼丸武士（おにまる　たけし）［6］
九州大学大学院比較社会文化研究院教授。
【主要な著作】
「近代アジアにおける越境する革命家の「旅」と都市」（『国際政治』第 191 号、2018 年）、『上海「ヌーラン事件」の闇――戦間期アジアにおける地下活動のネットワークとイギリス政治情報警察』（書籍工房早山、2014 年）、「植民地統治と警察――19 世紀から 20 世紀初頭にかけてのシンガポールでの治安維持」（林田敏子、大日方純夫編『近代ヨーロッパの探究 13　警察』ミネルヴァ書房、2012 年）。

金子奈央（かねこ　なお）［26］
長崎外国語大学外国語学部学修支援センター特別任用講師。
【主要な著作】
"Formation of Independent Education System in Sabah" (I*slam and Cultural Diversity in Southeast Asia. Vol.2: Perspectives from Indonesia, Malaysia, the Philippines, Thailand, and Cambodia*, Research Institute for Languages and Cultures of Asia and Africa, Tokyo University of Foreign Studies, 2018.）

【執筆者紹介】（［　］は担当章・担当コラム、五十音順、＊は編著者）

穴沢　眞（あなざわ　まこと）［47］
小樽商科大学学長。

【主要な著作】
「マレーシアの工業化再考」（山田満・苅込俊二編著『アジアダイナミズムとベトナムの経済発展』文眞堂、2020年）、『発展途上国の工業化と多国籍企業――マレーシアにおけるリンケージの形成』（文眞堂、2010年）。

伊賀　司（いが　つかさ）［30］
名古屋大学アジアサテライトキャンパス学院特任准教授。

【主要な著作】
「活性化した社会運動と市民社会の変貌――ブルシ運動による街頭デモの日常化」（中村正志・熊谷聡編『ポスト・マハティール時代のマレーシア：政治と経済はどう変わったか』JETRO・アジア経済研究所、2018年）、「現代マレーシアにおける『セクシュアリティ・ポリティクス』の誕生――1980年代以降の国家とLGBT運動」（『アジア・アフリカ地域研究』第17-1号、2017年）、「マレーシアにおけるメディア統制と与党UMNOの起源――脱植民地期のマレー語ジャーナリズムと政治権力」（『東南アジア研究』55巻1号、2017年）。

生田真人（いくた　まさと）［24］
立命館大学文学研究科授業担当講師。

【主要な著作】
「東南アジアの島嶼部における空間政策の課題――マレーシアとインドネシアの比較考察―」（『立命館文学』674号、2021年）、『拡大メコン圏の経済地理学――国境経済と空間政策』（ミネルヴァ書房、2020年）、『マレーシアの都市開発――歴史的アプローチ』（古今書院、2001年）。

宇高雄志（うたか　ゆうし）［23］
兵庫県立大学環境人間学部教授。

【主要な著作】
『神戸モスク――建築と街と人』（東方出版 、2018年）、『多民族〈共生〉のダイナミズム――マレーシアの社会開発と生活空間』（昭和堂、2017年）、『住まいと暮らしからみる多民族社会マレーシア』（南船北馬舎、2008年）。

【編著者紹介】

鳥居　高（とりい　たかし）

1962年生まれ。明治大学商学部教授および大学院教養デザイン研究科担当。中央大学法学部卒業後、アジア経済研究所入所、マレーシア国民大学（UKM）客員研究員を経、1997年より明治大学専任教員。

【主要な著作】

「マハティールによる国王・スルタン制度の再編成」（『アジア経済』第39巻第5号、1998年5月、pp.19-58）、『マハティール政権下のマレーシア―「イスラーム先進国」を目指した22年―』（編著、日本貿易振興機構アジア経済研究所、2006年）、『東アジアの社会大変動―人口センサスが語る世界―』（共著、名古屋大学出版会、2017年）、『岩波講座東南アジア史9巻「開発」の時代と「模索」の時代』（共著、岩波書店、2002年）、『アジアの中間層の生成と特質』（共編著、アジア経済研究所、2002年）、『戦間期アジア留学生と明治大学』（共著、東方書店、2019年）ほか。

エリア・スタディーズ　199

マレーシアを知るための58章

2023年9月20日　初　版第1刷発行

編著者　鳥　居　　高
発行者　大　江　道　雅
発行所　株式会社 明石書店
〒101–0021 東京都千代田区外神田 6–9–5
電話　03（5818）1171
FAX　03（5818）1174
振替　00100–7–24505
http://www.akashi.co.jp
組版・装丁　明石書店デザイン室
印刷・製本　日経印刷株式会社

（定価はカバーに表示してあります）　ISBN978-4-7503-5639-6

エリア・スタディーズ

1 **現代アメリカ社会を知るための60章**
明石紀雄、川島浩平 編著

2 **イタリアを知るための62章**【第2版】
村上義和 編著

3 **イギリスを旅する35章**
辻野功 編著

4 **モンゴルを知るための65章**【第2版】
金岡秀郎 著

5 **パリ・フランスを知るための44章**
梅本洋一、大里俊晴、木下長宏 編著

6 **現代韓国を知るための60章**【第2版】
石坂浩一、福島みのり 編著

7 **オーストラリアを知るための58章**【第3版】
越智道雄 著

8 **現代中国を知るための52章**【第6版】
藤野彰 編著

9 **ネパールを知るための60章**
日本ネパール協会 編

10 **アメリカの歴史を知るための65章**【第4版】
富田虎男、鵜月裕典、佐藤円 編著

11 **現代フィリピンを知るための61章**【第2版】
大野拓司、寺田勇文 編著

12 **ポルトガルを知るための55章**【第2版】
村上義和、池俊介 編著

13 **北欧を知るための43章**
武田龍夫 著

14 **ブラジルを知るための56章**【第2版】
アンジェロ・イシ 著

15 **ドイツを知るための60章**
早川東三、工藤幹巳 編著

16 **ポーランドを知るための60章**
渡辺克義 編著

17 **シンガポールを知るための65章**【第5版】
田村慶子 編著

18 **現代ドイツを知るための67章**【第3版】
浜本隆志、髙橋憲 編著

19 **ウィーン・オーストリアを知るための57章**【第2版】
広瀬佳一、今井顕 編著

20 **ハンガリーを知るための60章**【第2版】 ドナウの宝石
羽場久美子 編著

21 **現代ロシアを知るための60章**【第2版】
下斗米伸夫、島田博 編著

22 **21世紀アメリカ社会を知るための67章**
明石紀雄 監修 赤尾千波、大類久恵、小塩和人、落合明子、川島浩平、高野泰 編

23 **スペインを知るための60章**
野々山真輝帆 著

24 **キューバを知るための52章**
後藤政子、樋口聡 編著

25 **カナダを知るための60章**
綾部恒雄、飯野正子 編著

26 **中央アジアを知るための60章**【第2版】
宇山智彦 編著

27 **チェコとスロヴァキアを知るための56章**【第2版】
薩摩秀登 編著

28 **現代ドイツの社会・文化を知るための48章**
田村光彰、村上和光、岩淵正明 編著

29 **インドを知るための50章**
重松伸司、三田昌彦 編著

30 **タイを知るための72章**【第2版】
綾部真雄 編著

31 **パキスタンを知るための60章**
広瀬崇子、山根聡、小田尚也 編著

32 **バングラデシュを知るための66章**【第3版】
大橋正明、村山真弓、日下部尚徳、安達淳哉 編著

33 **イギリスを知るための65章**【第2版】
近藤久雄、細川祐子、阿部美春 編著

34 **現代台湾を知るための60章**【第2版】
亜洲奈みづほ 著

35 **ペルーを知るための66章**【第2版】
細谷広美 編著

36 **マラウィを知るための45章**【第2版】
栗田和明 著

37 **コスタリカを知るための60章**【第2版】
国本伊代 編著

38 **チベットを知るための50章**
石濱裕美子 編著

39 **現代ベトナムを知るための63章**【第3版】
岩井美佐紀 編著

40 **インドネシアを知るための50章**
村井吉敬、佐伯奈津子 編著

41 **エルサルバドル、ホンジュラス、ニカラグアを知るための45章**
田中高 編著

エリア・スタディーズ

42 パナマを知るための70章【第2版】 国本伊代 編著
43 イランを知るための65章 岡田恵美子、北原圭一、鈴木珠里 編著
44 アイルランドを知るための70章【第3版】 海老島均、山下理恵子 編著
45 メキシコを知るための60章 吉田栄人 編著
46 中国の暮らしと文化を知るための40章 東洋文化研究会 編
47 現代ブータンを知るための60章【第2版】 平山修一 著
48 バルカンを知るための66章【第2版】 柴宜弘 編著
49 現代イタリアを知るための44章 村上義和 編著
50 アルゼンチンを知るための54章 アルベルト松本 著
51 ミクロネシアを知るための60章【第2版】 印東道子 編著
52 アメリカのヒスパニック＝ラティーノ社会を知るための55章 大泉光一、牛島万 編著
53 北朝鮮を知るための55章【第2版】 石坂浩一 編著
54 ボリビアを知るための73章【第2版】 眞鍋周三 編著
55 コーカサスを知るための60章 北川誠一、前田弘毅、廣瀬陽子、吉村貴之 編著
56 カンボジアを知るための60章【第3版】 上田広美、岡田知子、福富友子 編著
57 エクアドルを知るための60章【第2版】 新木秀和 編著
58 タンザニアを知るための60章【第2版】 栗田和明、根本利通 編著
59 リビアを知るための60章【第2版】 塩尻和子 編著
60 東ティモールを知るための50章 山田満 編著
61 グアテマラを知るための67章【第2版】 桜井三枝子 編著
62 オランダを知るための60章 長坂寿久 著
63 モロッコを知るための65章 私市正年、佐藤健太郎 編著
64 サウジアラビアを知るための63章【第2版】 中村覚 編著
65 韓国の歴史を知るための66章 金両基 編著
66 ルーマニアを知るための60章 六鹿茂夫 編著
67 現代インドを知るための60章 広瀬崇子、近藤正規、井上恭子、南埜猛 編著
68 エチオピアを知るための50章 岡倉登志 編著
69 フィンランドを知るための44章 百瀬宏、石野裕子 編著
70 ニュージーランドを知るための63章 青柳まちこ 編著
71 ベルギーを知るための52章 小川秀樹 編著
72 ケベックを知るための54章 小畑精和、竹中豊 編著
73 アルジェリアを知るための62章 私市正年 編著
74 アルメニアを知るための65章 中島偉晴、メラニア・バグダサリヤン 編著
75 スウェーデンを知るための60章 村井誠人 編著
76 デンマークを知るための68章 村井誠人 編著
77 最新ドイツ事情を知るための50章 浜本隆志、柳原初樹 著
78 セネガルとカーボベルデを知るための60章 小川了 編著
79 南アフリカを知るための60章 峯陽一 編著
80 エルサルバドルを知るための55章 細野昭雄、田中高 編著
81 チュニジアを知るための60章 鷹木恵子 編著
82 南太平洋を知るための58章 メラネシア ポリネシア 吉岡政德、石森大知 編著
83 現代カナダを知るための60章【第2版】 飯野正子、竹中豊 総監修 日本カナダ学会 編

エリア・スタディーズ

84 **現代フランス社会を知るための62章**
三浦信孝、西山教行 編著

85 **ラオスを知るための60章**
菊池陽子、鈴木玲子、阿部健一 編著

86 **パラグアイを知るための50章**
田島久歳、武田和久 編著

87 **中国の歴史を知るための60章**
並木頼壽、杉山文彦 編著

88 **スペインのガリシアを知るための50章**
坂東省次、桑原真夫、浅香武和 編著

89 **アラブ首長国連邦（UAE）を知るための60章**
細井長 編著

90 **コロンビアを知るための60章**
二村久則 編著

91 **現代メキシコを知るための70章【第2版】**
国本伊代 編著

92 **ガーナを知るための47章**
高根務、山田肖子 編著

93 **ウガンダを知るための53章**
吉田昌夫、白石壮一郎 編著

94 **ケルトを旅する52章** イギリス・アイルランド
永田喜文 著

95 **トルコを知るための53章**
大村幸弘、永田雄三、内藤正典 編著

96 **イタリアを旅する24章**
内田俊秀 編著

97 **大統領選からアメリカを知るための57章**
越智道雄 著

98 **現代バスクを知るための60章【第2版】**
萩尾生、吉田浩美 編著

99 **ボツワナを知るための52章**
池谷和信 編著

100 **ロンドンを旅する60章**
川成洋、石原孝哉 編著

101 **ケニアを知るための55章**
松田素二、津田みわ 編著

102 **ニューヨークからアメリカを知るための76章**
越智道雄 著

103 **カリフォルニアからアメリカを知るための54章**
越智道雄 著

104 **イスラエルを知るための62章【第2版】**
立山良司 編著

105 **グアム・サイパン・マリアナ諸島を知るための54章**
中山京子 編著

106 **中国のムスリムを知るための60章**
中国ムスリム研究会 編

107 **現代エジプトを知るための60章**
鈴木恵美 編著

108 **カーストから現代インドを知るための30章**
金基淑 編著

109 **カナダを旅する37章**
飯野正子、竹中豊 編著

110 **アンダルシアを知るための53章**
立石博高、塩見千加子 編著

111 **エストニアを知るための59章**
小森宏美 編著

112 **韓国の暮らしと文化を知るための70章**
舘野晳 編著

113 **現代インドネシアを知るための60章**
村井吉敬、佐伯奈津子、間瀬朋子 編著

114 **ハワイを知るための60章**
山本真鳥、山田亨 編著

115 **現代イラクを知るための60章**
酒井啓子、吉岡明子、山尾大 編著

116 **現代スペインを知るための60章**
坂東省次 編著

117 **スリランカを知るための58章**
杉本良男、高桑史子、鈴木晋介 編著

118 **マダガスカルを知るための62章**
飯田卓、深澤秀夫、森山工 編著

119 **新時代アメリカ社会を知るための60章**
明石紀雄 監修　大類久恵、落合明子、赤尾千波 編著

120 **現代アラブを知るための56章**
松本弘 編著

121 **クロアチアを知るための60章**
柴宜弘、石田信一 編著

122 **ドミニカ共和国を知るための60章**
国本伊代 編著

123 **シリア・レバノンを知るための64章**
黒木英充 編著

124 **EU（欧州連合）を知るための63章**
羽場久美子 編著

125 **ミャンマーを知るための60章**
田村克己、松田正彦 編著

エリア・スタディーズ

126 **カタルーニャを知るための50章**
立石博高、奥野良知 編著

127 **ホンジュラスを知るための60章**
桜井三枝子、中原篤史 編著

128 **スイスを知るための60章**
スイス文学研究会 編

129 **東南アジアを知るための50章**
今井昭夫 編集代表　東京外国語大学東南アジア課程 編

130 **メソアメリカを知るための58章**
井上幸孝 編著

131 **マドリードとカスティーリャを知るための60章**
川成洋、下山静香 編著

132 **ノルウェーを知るための60章**
大島美穂、岡本健志 編著

133 **現代モンゴルを知るための50章**
小長谷有紀、前川愛 編著

134 **カザフスタンを知るための60章**
宇山智彦、藤本透子 編著

135 **内モンゴルを知るための60章**
ボルジギン・ブレンサイン 編著　赤坂恒明 編集協力

136 **スコットランドを知るための65章**
木村正俊 編著

137 **セルビアを知るための60章**
柴宜弘、山崎信一 編著

138 **マリを知るための58章**
竹沢尚一郎 編著

139 **ASEANを知るための50章**
黒柳米司、金子芳樹、吉野文雄 編著

140 **アイスランド・グリーンランド・北極を知るための65章**
小澤実、中丸禎子、高橋美野梨 編著

141 **ナミビアを知るための53章**
水野一晴、永原陽子 編著

142 **香港を知るための60章**
吉川雅之、倉田徹 編著

143 **タスマニアを旅する60章**
宮本忠 著

144 **パレスチナを知るための60章**
臼杵陽、鈴木啓之 編著

145 **ラトヴィアを知るための47章**
志摩園子 編著

146 **ニカラグアを知るための55章**
田中高 編著

147 **台湾を知るための72章【第2版】**
赤松美和子、若松大祐 編著

148 **テュルクを知るための61章**
小松久男 編著

149 **アメリカ先住民を知るための62章**
阿部珠理 編著

150 **イギリスの歴史を知るための50章**
川成洋 編著

151 **ドイツの歴史を知るための50章**
森井裕一 編著

152 **ロシアの歴史を知るための50章**
下斗米伸夫 編著

153 **スペインの歴史を知るための50章**
立石博高、内村俊太 編著

154 **フィリピンを知るための64章**
大野拓司、鈴木伸隆、日下渉 編著

155 **バルト海を旅する40章**　7つの島の物語
小柏葉子 著

156 **カナダの歴史を知るための50章**
細川道久 編著

157 **カリブ海世界を知るための70章**
国本伊代 編著

158 **ベラルーシを知るための50章**
服部倫卓、越野剛 編著

159 **スロヴェニアを知るための60章**
柴宜弘、アンドレイ・ベケシュ、山崎信一 編著

160 **北京を知るための52章**
櫻井澄夫、人見豊、森田憲司 編著

161 **イタリアの歴史を知るための50章**
高橋進、村上義和 編著

162 **ケルトを知るための65章**
木村正俊 編著

163 **オマーンを知るための55章**
松尾昌樹 編著

164 **ウズベキスタンを知るための60章**
帯谷知可 編著

165 **アゼルバイジャンを知るための67章**
廣瀬陽子 編著

166 **済州島を知るための55章**
梁聖宗、金良淑、伊地知紀子 編著

167 **イギリス文学を旅する60章**
石原孝哉、市川仁 編著

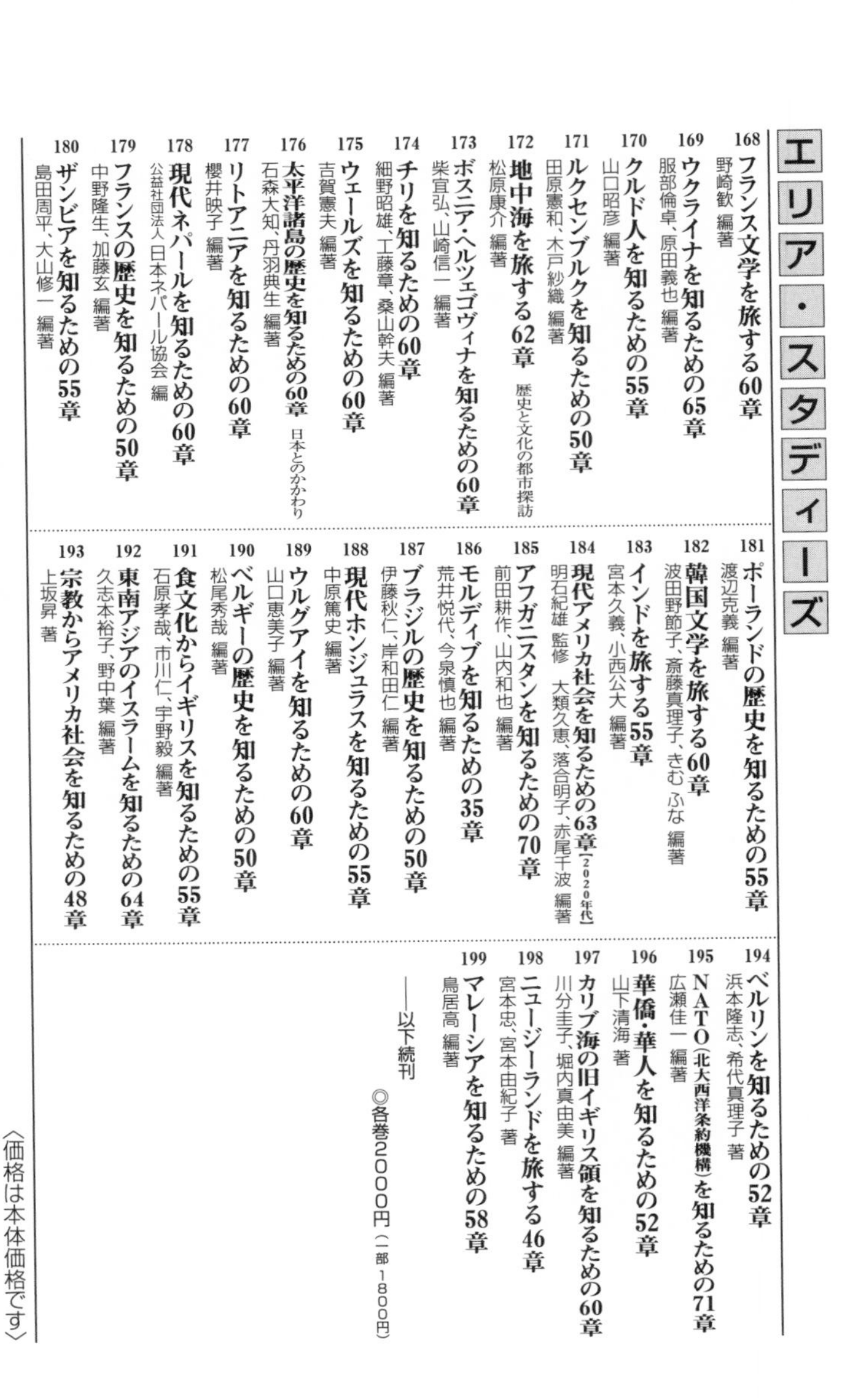

エリア・スタディーズ

168 **フランス文学を旅する60章**
野崎歓 編著

169 **ウクライナを知るための65章**
服部倫卓、原田義也 編著

170 **クルド人を知るための55章**
山口昭彦 編著

171 **ルクセンブルクを知るための50章**
田原憲和、木戸紗織 編著

172 **地中海を旅する62章** 歴史と文化の都市探訪
松原康介 編著

173 **ボスニア・ヘルツェゴヴィナを知るための60章**
柴宜弘、山崎信一 編著

174 **チリを知るための60章**
細野昭雄、工藤章、桑山幹夫 編著

175 **ウェールズを知るための60章**
吉賀憲夫 編著

176 **太平洋諸島の歴史を知るための60章** 日本とのかかわり
石森大知、丹羽典生 編著

177 **リトアニアを知るための60章**
櫻井映子 編著

178 **現代ネパールを知るための60章**
公益社団法人 日本ネパール協会 編

179 **フランスの歴史を知るための50章**
中野隆生、加藤玄 編著

180 **ザンビアを知るための55章**
島田周平、大山修一 編著

181 **ポーランドの歴史を知るための55章**
渡辺克義 編著

182 **韓国文学を旅する60章**
波田野節子、斎藤真理子、きむ ふな 編著

183 **インドを旅する55章**
宮本久義、小西公大 編著

184 **現代アメリカ社会を知るための63章【2020年代】**
明石紀雄 監修 大類久恵、落合明子、赤尾千波 編著

185 **アフガニスタンを知るための70章**
前田耕作、山内和也 編著

186 **モルディブを知るための35章**
荒井悦代、今泉慎也 編著

187 **ブラジルの歴史を知るための50章**
伊藤秋仁、岸和田仁 編著

188 **現代ホンジュラスを知るための55章**
中原篤史 編著

189 **ウルグアイを知るための60章**
山口恵美子 編著

190 **ベルギーの歴史を知るための50章**
松尾秀哉 編著

191 **食文化からイギリスを知るための55章**
石原孝哉、市川仁、宇野毅 編著

192 **東南アジアのイスラームを知るための64章**
久志本裕子、野中葉 編著

193 **宗教からアメリカ社会を知るための48章**
上坂昇 著

194 **ベルリンを知るための52章**
浜本隆志、希代真理子 著

195 **NATO（北大西洋条約機構）を知るための71章**
広瀬佳一 編著

196 **華僑・華人を知るための52章**
山下清海 著

197 **カリブ海の旧イギリス領を知るための60章**
川分圭子、堀内真由美 編著

198 **ニュージーランドを旅する46章**
宮本忠、宮本由紀子 著

199 **マレーシアを知るための58章**
鳥居高 編著

——以下続刊

◎各巻2000円（一部1800円）

〈価格は本体価格です〉